OS CHINESES

COLEÇÃO POVOS & CIVILIZAÇÕES

Coordenação Jaime Pinsky

OS ALEMÃES *Vinícius Liebel*
OS AMERICANOS *Antonio Pedro Tota*
OS ARGENTINOS *Ariel Palacios*
OS CANADENSES *João Fábio Bertonha*
OS CHINESES *Cláudia Trevisan*
OS COLOMBIANOS *Andrew Traumann*
OS ESCANDINAVOS *Paulo Guimarães*
OS ESPANHÓIS *Josep M. Buades*
OS FRANCESES *Ricardo Corrêa Coelho*
OS INDIANOS *Florência Costa*
OS INGLESES *Peter Burke* e *Maria Lúcia Pallares-Burke*
OS IRANIANOS *Samy Adghirni*
OS ITALIANOS *João Fábio Bertonha*
OS JAPONESES *Célia Sakurai*
OS LIBANESES *Murilo Meihy*
OS MEXICANOS *Sergio Florencio*
O MUNDO MUÇULMANO *Peter Demant*
OS PORTUGUESES *Ana Silvia Scott*
OS RUSSOS *Angelo Segrillo*

Proibida a reprodução total ou parcial em qualquer mídia sem a autorização escrita da editora.
Os infratores estão sujeitos às penas da lei.

A Editora não é responsável pelo conteúdo deste livro.
A Autora conhece os fatos narrados, pelos quais é responsável, assim como se responsabiliza pelos juízos emitidos.

Consulte nosso catálogo completo e últimos lançamentos em **www.editoracontexto.com.br**.

Cláudia Trevisan

OS CHINESES

Copyright © 2009 Cláudia Trevisan

Todos os direitos desta edição reservados à
Editora Contexto (Editora Pinsky Ltda.)

Foto de capa
Nicholas Pavloff / Getty Images

Montagem de capa e diagramação
Gustavo S. Vilas Boas

Preparação de textos
Daniela Marini Iwamoto

Revisão
Lilian Aquino

Dados Internacionais de Catalogação na Publicação (CIP)
(Câmara Brasileira do Livro, SP, Brasil)

Trevisan, Cláudia
Os chineses / Cláudia Trevisan. 1. ed., 6ª reimpressão. –
São Paulo : Contexto, 2022.

Bibliografia
ISBN 978-85-7244-436-1

1. China – Civilização 2. China – Condições econômicas
3. China – Condições sociais 4. China – Descrição e viagens
5. China – Política e governo 6. China – Usos e costumes
I. Título.

09-04775 CDD-951

Índice para catálogo sistemático:
1. China : Civilização 951

2022

EDITORA CONTEXTO
Diretor editorial: *Jaime Pinsky*

Rua Dr. José Elias, 520 – Alto da Lapa
05083-030 – São Paulo – SP
PABX: (11) 3832 5838
contato@editoracontexto.com.br
www.editoracontexto.com.br

*Para minha mãe, Lia,
que me ensinou a gostar de
Maria Bethânia, livros e filmes.
E meu pai, Oswaldo,
pelo entusiasmo com que
vive a sua vida e a de seus filhos.*

SUMÁRIO

INTRODUÇÃO	11
OS CHINESES SE MOVEM	13
1,3 bilhão em ação	13
A invasão chinesa	19
Viagem ao Oeste	21
As cidades mutantes	27
A memória dizimada	29
Os palácios olímpicos	34
O ENRIQUECER É GLORIOSO	37
O paraíso dos novos-ricos	37
Da bicicleta à Ferrari	39
Os novos japoneses	42
"Adidos" e "hiPhone"	45
Guanxi e face	47
O mundo artificial	48
Luzes da ribalta	51
A Las Vegas chinesa	52
SUPERSTIÇÃO E TRADIÇÃO	55
O 13 chinês	55
Sob o signo do dragão	57
Ano-Novo em fevereiro	60
A língua sem alfabeto	62
Você já comeu?	67
Celebração coletiva	71
Remédio ou comida?	73
A cerimônia do chá	78
Encontro de pássaros	80

A OUTRA CHINA 85
    O campo e a cidade 85
    O Estado ausente 89
    Os chineses que dizem não 92
    A religião sob suspeita 94

A PRESSÃO POPULACIONAL 101
    A voracidade chinesa 101
    O custo ambiental 105
    A tradição das grandes obras 107
    Um é bom, dois é demais 112
    Os chineses de olhos redondos 114
    Cem milhões de imperadores 119

AS MULHERES DA CHINA 125
    As meninas que não nasceram 125
    Os pés mutilados 128
    Adeus, minha concubina? 131

A COSMOLOGIA CHINESA 137
    O Império do Meio 137
    Yin-yang 139
    I Ching 142
    Feng shui 145
    O universo no corpo humano 148

A HISTÓRIA CIRCULAR 153
    O Mandato do Céu 153
    O confucionismo conquista a Ásia 156
    Os mandarins do Império 161
    O tao do taoísmo 165
    O budismo achinesado 170
    A hegemonia na Ásia 173
    A superioridade ameaçada 178

A CHINA ENCONTRA O OCIDENTE — 185
- As duas "aberturas" — 185
- O choque dos mundos — 186
- A colonização da China — 192
- O choque religioso — 195
- As rebeliões místicas — 197
- O irmão de Cristo — 202
- O Império agoniza — 205

SOB O SIGNO DA REVOLUÇÃO — 211
- O fim dos mandarins — 211
- Comunistas e nacionalistas — 214
- O estupro de Nanquim — 217
- A Longa Marcha — 221
- Quem é o inimigo? — 223

SOB O DOMÍNIO DE MAO — 229
- O Partido Comunista — 229
- O Grande Salto Adiante — 234
- A revolução dentro da Revolução — 239
- O ataque à tradição — 242
- A traição de Lin Biao — 245
- O fim de uma era — 248

A REVOLUÇÃO DE DENG — 253
- O capitalismo chinês — 253
- A diáspora — 257
- O choque na Paz Celestial — 261
- A era do desencanto — 265
- Da luta de classes à sociedade harmônica — 266

A ARTE MILENAR 271
    Os grandes clássicos 271
    A renovação literária 278
    As brechas da censura 281
    Hali Bote 286
    O teatro cantado 288
    O *kung fu* e seus heróis 292
    A escrita como arte 296
    Você tem fome de quê? 299
    O cinema chinês 303

A NOVA POTÊNCIA? 311
    O Estado empreendedor 311
    A Olimpíada épica 313
    O sacrifício oriental 317
    As incertezas do futuro 318

CRONOLOGIA 321

BIBLIOGRAFIA 327

ICONOGRAFIA 331

A AUTORA 333

AGRADECIMENTOS 335

INTRODUÇÃO

Escrever um livro que tenta definir a identidade de 1,3 bilhão de pessoas parece uma irrealizável e altamente pretensiosa tarefa. "Os chineses" é uma expressão que se refere a 20% da humanidade ou sete vezes o número de habitantes do Brasil. O pior é que nem todos eles são chineses no sentido estrito da palavra. No território que o mundo chama de China também vivem tibetanos, mongóis, muçulmanos uigures, yaos, miaos, em um total de 55 grupos que se enquadram na classificação de "minorias étnicas" utilizada pelo governo de Pequim.

Outra dificuldade é que a China chegou ao século XXI como um país ainda majoritariamente agrícola. Apesar da transformação vertiginosa empreendida a partir do fim dos anos 1970, nada menos que 55% da população chinesa morava na zona rural em 2007 e estava submetida a um estilo de vida cada vez mais distante do desfrutado pelos habitantes das cidades.

Para completar, a China que existiu durante dois mil anos sob um regime imperial regido por normas relativamente estáveis enfrentou no século XX uma sucessão de revoluções e reveses sem paralelo na história. Os valores que orientaram a vida dos chineses durante milênios começaram a ruir no século XIX e foram colocados em xeque com o fim do Império, em 1911.

A Nova República foi para os chineses um período de desagregação, humilhação e guerra civil, no qual o país esteve prestes a se esfacelar. A Revolução Comunista de 1949 trouxe a promessa da unificação e do fim da pobreza que assolava a maioria esmagadora da população. Mas novas revoluções vieram dentro da Revolução. Experimentos maoístas como o Grande Salto Adiante (1958-1962) mataram milhões de pessoas de fome, e a insanidade da Revolução Cultural (1966-1976) esgarçou o tecido social e familiar ao máximo.

Desde 1978, os chineses vivem uma nova transformação radical, que trocou o igualitarismo comunista pela busca do enriquecimento sem nenhum pudor. O país abandonou o isolamento que o caracterizou durante trinta anos e abraçou a globalização com entusiasmo. Chineses que hoje têm 60 anos nasceram na véspera da Revolução Comunista, chegaram à vida adulta durante a Revolução Cultural e tinham pouco mais de 30 anos quando o país embarcou nas reformas que levaram à implantação da economia de mercado.

A chinesa que corria o risco de praticar um desvio pequeno-burguês se usasse batom na Revolução Cultural hoje lê sobre concursos de miss no *Diário do Povo*, o jornal oficial do Partido Comunista, consome revistas estampadas com modelos e celebridades e assiste a uma explosão das indústrias de cosméticos e cirurgias plásticas.

O país que era o reino das bicicletas até o fim dos anos 1990 hoje é o segundo maior mercado automobilístico do mundo, atrás apenas dos Estados Unidos, com oito milhões de carros vendidos em 2007, e a promessa de assumir o primeiro lugar do *ranking* em 2009. As mulheres que amarraram os pés e foram tratadas como acessórios durante séculos hoje são empresárias, cada vez mais fazem sexo antes do casamento e começam a abordar homens de uma maneira que seria inimaginável para suas mães. Ao mesmo tempo, o novo-riquismo reabilitou práticas que haviam sido extintas com a Revolução Comunista, como o concubinato. A instituição continua formalmente proibida, mas a possibilidade de ter várias amantes fora do casamento se transformou em um símbolo de *status* para os homens.

Os chineses que tentaram se manter isolados no fim do Império e ficaram enclausurados durante os quase trinta anos de governo maoísta hoje viajam o mundo com voracidade crescente. O povo que mal tinha telefone fixo no fim dos anos 1980 chegou a 2009 com 640 milhões de celulares e uma população de trezentos milhões de internautas – em ambos os casos, os maiores números do mundo.

Afinal, o que são "os chineses" nessa sucessão de Império, República, guerra civil, comunismo e economia de mercado em menos de um século? Sobra algo intrínseco e comum a todos na transformação vertiginosa iniciada em 1978? Há uma maneira chinesa de existir que distingue esse universo de 1,3 bilhão do restante da humanidade? Bem, a resposta é sim. Afinal, se eu não acreditasse nisso, este livro não estaria em suas mãos agora.

OS CHINESES SE MOVEM

1,3 BILHÃO EM AÇÃO

A primeira e mais óbvia constatação em relação aos chineses é a de que eles são muitos: 1,3 bilhão de pessoas, 20% da humanidade, sete vezes a população do Brasil. Olhado de qualquer ângulo, é um número impressionante que ao longo da história despertou reverência, alimentou teorias conspiratórias e estimulou a imaginação de homens de negócio fascinados com o que poderia ser o maior mercado consumidor do mundo.

No século XVIII, Napoleão aconselhou seus pares a deixarem a China dormindo. "Quando a China acordar, ela vai balançar o mundo." No século seguinte, o potencial impacto da demanda chinesa nutriu a fantasia dos mercadores ingleses, que buscavam compradores para os produtos de sua indústria nascente. Pelos seus cálculos, se cada chinesa aumentasse a barra de seus vestidos em 2,5 centímetros, isso seria suficiente para sustentar as fábricas de lã e linho das ilhas britânicas durante décadas.

Mais recentemente, o "perigo amarelo" se tornou uma obsessão para Mafalda, a personagem criada pelo cartunista argentino Quino, que se perguntava se a terra se moveria literalmente se todos os chineses saltassem ao mesmo tempo e se preocupava com o fato de eles trabalharem do outro lado do mundo no momento em que todos dormiam no Ocidente.

Mafalda teve suas dúvidas nos anos 1970, quando a população da China ainda era de setecentos milhões e o país vivia de costas para o mundo sob o comando de Mao Tsé-tung[1] (1893-1976). Três décadas depois, no início do século XXI, os chineses já eram 1,3 bilhão e não precisaram dar um pulo coletivo para balançar o mundo.

Outra constatação menos óbvia para nossa visão de mundo eurocentrista é a de que os chineses foram a grande potência mundial durante a maior parte da história. Quando o Brasil foi descoberto, em 1500, o então Império do Meio era a maior economia do mundo e respondia por 25% do PIB global. Esse percentual subiu para 33% no começo do século XIX, quando tem início o processo de decadência do país.

Esquina da rua Nanjing de Xangai, em um domingo de inverno. A enorme população é tema central para a China, que tem 1,3 bilhão de habitantes, o equivalente a 20% da humanidade ou sete vezes a população do Brasil. Os chineses são muitos há muito tempo, o que alimentou a fantasia de mercadores ao longo dos séculos.

Aos olhos chineses, os últimos duzentos anos de supremacia ocidental são a exceção, não a regra. Coerente com essa concepção, os mapas-múndi exibidos nas paredes de Pequim mostram a China, e não a Europa, no centro do mundo.

Além de serem muitos, os chineses existem há muito tempo. A identidade cultural dos habitantes do antigo Império do Meio começou a se formar há pelo menos quatro mil anos e se perpetuou de maneira surpreendente até os dias de hoje. A consciência de que fazem parte de uma civilização milenar é transmitida de geração a geração há séculos e sobreviveu ao violento ataque à tradição liderado por Mao Tsé-tung.

Mais venerada entre as tradições filosóficas e políticas do país, o confucionismo é o principal elemento que garantiu a continuidade da organização social e dos valo-

Chineses jogam cartas em parque da cidade de Lijiang, na província de Yunnan, no sudoeste do país. A vida na China não ocorre entre quatro paredes, mas nas praças, ruas e parques, onde os moradores se reúnem para dançar, praticar *tai chi chuan*, fazer ginástica, conversar, cantar ou jogar.

res chineses, com sua ênfase nas relações familiares, no respeito aos mais velhos, na valorização da hierarquia e na defesa da moralidade e da benevolência por parte dos governantes. Confúcio (551 a.C.-479 a.C.) transformou o culto aos ancestrais em um ponto central de seus ensinamentos e, dessa forma, colocou o vínculo com o passado na vida cotidiana dos chineses.

Mas talvez o mais extraordinário seja o fato de que os chineses não se parecem em nada com a imagem que nós temos de uma suposta placidez, silêncio e contenção orientais. Eles são tão ou mais ruidosos que os brasileiros, manifestam sua curiosidade sem restrições, adoram dançar e cantar, são extremamente gregários, têm paixão pelo jogo e devoção pela boa comida. Até os funerais são barulhentos, com música e fogos de artifício para espantar os maus espíritos. O calendário local é marcado por

As casas das antigas ruelas de Pequim não são equipadas com banheiros e os moradores usam toaletes públicos. A maioria deles não tem vasos sanitários ao estilo ocidental e exigem a posição de cócoras de seus usuários. Nas portas, placas anunciam para os turistas o que os aguarda.

festivais, que são pretextos para grandiosas celebrações em grupo, realizadas em geral ao redor de mesas fartas.

A vida no país não ocorre entre quatro paredes, mas ao ar livre. Praças, parques, calçadas e *hutongs* (área residencial tradicional de Pequim, com estreitas ruelas) estão sempre cheios de pessoas que se reúnem para conversar, cantar, jogar, dançar, fazer ginástica, praticar *tai chi chuan*, caminhar e manter vivas algumas das antigas tradições do país, como as danças do leque ou da espada. O amanhecer nas cidades chinesas é marcado pela visão de grupos de amigos e vizinhos que se exercitam em conjunto. No início da noite, praças se transformam em salões de baile, com casais que dançam uma espécie de tango chinês. Os que quiserem podem chacoalhar ao som de músicas mais agitadas, em grupos nos quais todos executam a mesma coreografia.

Os chineses se movem | 17

Bandeiras vermelhas tremulam na Praça da Paz Celestial, o coração político da China, onde estão a Cidade Proibida, o Congresso Nacional do Povo, o Museu Nacional e o mausoléu de Mao Tsé-tung. Abaixo aparece o painel que fazia a contagem regressiva para a Olimpíada de Pequim, realizada em agosto de 2008.

O fato de serem muitos também molda uma relação especial com a privacidade, e os chineses fazem na rua coisas que, no Ocidente, habitam o universo doméstico. Não é raro encontrar um casal passeando de pijama e chinelo ao cair da tarde, alguém lavando o cabelo na calçada ou pessoas comendo em qualquer lugar. Nos *hutongs*, as residências não têm banheiro e os moradores utilizam casas de banho e toaletes públicos. Nos bairros frequentados por turistas, há o aviso de que os sanitários exigem que o usuário fique de cócoras, a posição preferida dos chineses quando a natureza chama.

O vermelho é a cor por excelência da China, a ponto de marcar nos painéis eletrônicos as ações que estão em alta na Bolsa de Valores, enquanto o verde indica os papéis que estão em baixa, exatamente o contrário do que ocorre no Ocidente. O uso de roupas íntimas vermelhas no Ano-Novo chinês é altamente recomendado e as seções de *lingerie* dos supermercados ficam cheias de calcinhas, sutiãs, cuecas e meias carmim. Os vestidos de noiva dos casamentos chineses tradicionais também são vermelhos, mas a ocidentalização recente está levando à expansão no uso do branco, cor associada à morte na China e utilizada nos velórios e enterros.

A preferência é bem anterior à Revolução Comunista de 1949, quando o vermelho passou a ser também a marca do poder, em substituição ao amarelo do período imperial. A cor tinge a bandeira do país e a do Partido Comunista e está presente nas cortinas, tapetes e poltronas do plenário do Grande Palácio do Povo, onde ocorrem os grandes encontros da elite governante. Os chineses gostam do vermelho há mais de dois mil anos e associam a cor ao sol, à sorte e à felicidade.

O Ano-Novo na China não é celebrado na noite entre 31 de dezembro e 1º de janeiro. Aliás, não há uma data fixa para a festa, que cada ano cai em um dia diferente, entre 21 de janeiro e 20 de fevereiro, dependendo do calendário lunar. O Ano-Novo começa no primeiro dia do primeiro mês lunar e é a festa mais importante para os chineses e vários outros habitantes da Ásia, como japoneses, coreanos e vietnamitas. Também chamado de Festival de Primavera, por marcar o início da estação, o Ano-Novo chinês provoca o maior deslocamento de pessoas da face da Terra, com milhões viajando por todo o país para reencontrar suas famílias.

Apesar da civilização milenar, os chineses sofrem de uma crônica falta de modos, reconhecida oficialmente e combatida por campanhas promovidas pelo governo. Nos meses que antecederam a Olimpíada de Pequim, furar a fila, cuspir no chão e jogar lixo na rua passaram a ser tratados como gestos impatrióticos, que poderiam denegrir a imagem do país diante do mundo.

A melhor medida do grau de preocupação da elite governante com os bons modos é a existência de uma espécie de "departamento de etiqueta" dentro do Partido Comunista, batizado com o inacreditável título de Comitê Diretivo da Civilização

Espiritual. Preocupado com a imagem que os chineses projetam no exterior, o comitê divulgou em 2006 um guia para orientar o crescente número de pessoas que fazem viagens internacionais. O *China Daily*, jornal editado pelo Conselho de Estado, divulgou a notícia sob o título "Dica de viagem: não envergonhe seu país", que trazia uma lista de práticas que deveriam ser evitadas, como falar alto, emitir sons para limpar a garganta em público e fazer ruído ao comer.

A gentileza está ausente do convívio urbano. Carros não respeitam pedestres, motoristas não dão passagem a outros e homens não seguram a porta para mulheres passarem. Ninguém espera o elevador ficar vazio para depois entrar. Os que estão dentro muitas vezes apertam o botão que fecha a porta assim que o elevador para em um andar intermediário, antes que as pessoas que esperam o tenham alcançado. O metrô no horário de pico é um Deus nos acuda e as pessoas falam no celular aos berros, como se estivessem sozinhas em suas casas.

Claro que tudo isso é uma imensa generalização, mas quem está fazendo campanha por "bons modos" é o próprio governo chinês. Alguns sociólogos sustentam que a falta de refinamento no comportamento público tem origem no longo período em que o país foi comandado por Mao Tsé-tung, entre 1949 e 1976. Nessas quase três décadas, a etiqueta era vista como algo burguês e um instrumento da classe dominante para oprimir os pobres. Essa concepção chegou ao auge na Revolução Cultural (1966-1976), durante a qual milhares de estudantes foram enviados à zona rural para aprender com os camponeses. Os hábitos rudes estavam em alta e qualquer gesto de refinamento poderia ser interpretado como um desvio pequeno-burguês e punido com sessões de humilhação pública, a prisão ou a morte.

Além das campanhas pela polidez, o fim dos anos de materialismo histórico e ideologia maoísta permitiu o renascimento da enorme superstição dos chineses e a retomada de práticas milenares, como o *feng shui*, a numerologia, a astrologia e a consulta a videntes. Também levou à reabilitação do confucionismo, que Mao Tsé-tung tentou arduamente dizimar durante três décadas. A reverência ao antigo filósofo é tanta que suas ideias substituíram o marxismo-leninismo e o maoísmo no discurso oficial. O Partido Comunista de hoje não prega a luta de classes nem a revolução permanente, mas busca a construção de uma "sociedade harmônica", uma das ideias mais caras a Confúcio.

A INVASÃO CHINESA

Até bem pouco tempo, a China parecia um país exótico e distante, que poucos se dariam o trabalho de conhecer. Para os esquerdistas dos anos 1960 e 1970, era a terra do grande timoneiro Mao Tsé-tung, que levou milhões de camponeses a adotarem o comunismo em uma revolução heroica. Os que tinham uma perspectiva histórica mais longa viam a nação dona de uma civilização milenar e de um passado glorioso que havia sido relegada à insignificância na era contemporânea.

De repente, a China bateu às portas do mundo e entrou de maneira avassaladora nas nossas vidas, por meio de produtos industrializados baratos que revolucionaram o consumo e a estrutura de produção globais. O país distante ficou ainda mais próximo a partir de 2001, quando a China entrou na Organização Mundial do Comércio e passou a ser relevante para todos os temas que importam no mundo, do aquecimento global ao jogo de poder no cenário internacional, passando pela alta nos preços do petróleo, da soja e do minério de ferro. Não dá para entender o mundo de hoje e o que será o mundo de amanhã sem entender a China e sua crescente integração à economia global.

A velocidade e a amplitude das transformações vividas pelos chineses a partir de dezembro de 1978 não têm paralelo na história. Naquela data, Deng Xiaoping conseguiu convencer seus camaradas do Partido Comunista de que o país precisava aderir às regras de mercado, se abrir ao mundo e abraçar a globalização. Nas três décadas seguintes, a China percorreu uma trajetória meteórica rumo ao grupo das grandes potências mundiais. No período de pouco mais de dois anos, entre dezembro de 2005 e o início de 2008, o país saiu da sétima posição entre as maiores economias do mundo e chegou ao terceiro lugar, deixando para trás Itália, França, Inglaterra e Alemanha. À sua frente, só estão Japão e Estados Unidos. Se mantiver seu ritmo de crescimento, a China chegará ao topo do *ranking* antes de 2030.

Quando o processo de reforma foi lançado, a soma das exportações e importações da China representava menos de 1% do comércio global, percentual semelhante ao abocanhado pelo Brasil na mesma época. Quase três décadas depois, em 2007, o país asiático estava em segundo lugar no *ranking* dos exportadores, com 8,8% dos embarques mundiais, e ocupava a terceira posição na lista dos importadores, abocanhando 6,7% das compras totais. Naquele ano, o fluxo de comércio da China com o restante do mundo somou US$ 2,174 trilhões e seu superávit comercial alcançou US$ 262 bilhões, cifra próxima dos US$ 288 bilhões que resultavam da soma das exportações e importações brasileiras no período. A Organização para a Cooperação e Desenvolvimento Econômico (OCDE), o clube dos países mais ricos do mundo, prevê que a China será a maior potência comercial do globo em 2010.

O antigo Império do Meio tem armas nucleares desde 1964 e é um dos cinco países com assento permanente no Conselho de Segurança da Organização das Nações Unidas (ONU). Em 2003, a China entrou para um clube ainda mais restrito, ao se tornar o terceiro país a enviar uma missão tripulada ao espaço, depois de Estados Unidos e Rússia. Agora, se prepara para superar os norte-americanos na corrida espacial e ser responsável pela próxima viagem do homem à Lua. Na avaliação da Nasa, se mantiver o atual ritmo de desenvolvimento de seu programa espacial, os chineses terão condições de mandar uma missão tripulada à Lua em 2017 ou 2018, antes da expedição dos Estados Unidos, prevista para 2020.

Para completar as credenciais de grande potência, a China ficou em primeiro lugar no número de medalhas de ouro na Olimpíada de Pequim, com 51 vitórias, bem à frente das 36 conquistadas pelos norte-americanos. Foi a primeira vez em sete décadas que a liderança dos Jogos não ficou nem com os Estados Unidos nem com a Rússia-URSS. Se para nós a transformação parece vertiginosa, imagine o que ela significa para quem a vive por dentro. Os chineses que hoje consideram o enriquecer glorioso corriam o risco de morrer ou serem enviados a campos de trabalho forçado se mostrassem qualquer gesto de sofisticação pequeno-burguesa durante a Revolução Cultural, que começou em 1966 e só terminou com a morte de Mao Tsé-tung, em 1976. Hoje, substituíram a ideologia comunista pela consumista e os novos emergentes trocaram a vida de privações pela exibição irrestrita da riqueza.

VIAGEM AO OESTE

Isolados do mundo até três décadas atrás, os chineses abraçam com voracidade os hábitos ocidentais. Redes de *fast-food* se multiplicam, os jovens trocam o chá pelo café, danceterias reverberam ao som de música eletrônica, redes de hipermercados se expandem, shopping centers brotam em todo o país e carros ocupam rapidamente o lugar das bicicletas. A internet é um modo de vida para os jovens urbanos que nasceram depois dos anos 1980 e sua paixão pelo mundo virtual levou a China a assumir a liderança no *ranking* global do número de pessoas conectadas à rede de computadores no início de 2008, com 220 milhões de usuários, comparados a 210 milhões nos Estados Unidos. Um ano mais tarde, o número de internautas chineses já estava em 300 milhões.

A mesma explosão ocorre com os telefones celulares, setor no qual a China detém a liderança global há mais tempo. No início de 2009, havia 640 milhões de celulares no país e a empresa de consultoria BDA prevê que a cifra deverá crescer mais de 50% até 2012, chegando a 965 milhões, com 7 milhões de novos assinantes a cada mês. Os aparelhos parecem uma extensão do corpo dos jovens, que estão quase o tempo todo teclando mensagens de texto; em 2007, os chineses trocaram nada menos que 592 bilhões de torpedos.

Chinesa é maquiada em um dos shoppings de luxo de Pequim.
A vaidade reprimida durante o maoísmo se manifesta sem restrições:
a venda de cosméticos explodiu junto com o crescimento econômico
e o ideal de beleza ocidental é buscado em milhares de cirurgias plásticas
para arredondar os olhos, afinar o nariz e aumentar os seios.

A ocidentalização também influencia o ideal de beleza. A China experimenta um surto de cirurgias plásticas, com milhares de pessoas buscando ter olhos maiores, nariz mais fino e seios fartos. As clínicas promovem seus serviços com propaganda ostensiva e meios heterodoxos, como *reality shows*. Hao Lulu se tornou uma celebridade depois de se submeter a 14 cirurgias, no período de seis meses, cujos resultados eram mostrados nas telas de TV de todo o país. Com custo estimado de US$ 37,5 mil, as operações foram patrocinadas pela clínica que as realizou, em uma jogada de marketing para promover sua imagem. No fim do processo, em 2004, Hao tinha novos olhos, nariz, queixo, seios, abdome, nádegas, pernas e uma pele mais clara.

Os programas de TV que mostravam as cirurgias se multiplicaram, entre eles a cópia do norte-americano "I Want a Famous Face", no qual os candidatos se submetem a intervenções para ter um rosto parecido ao de uma pessoa famosa. Em todos eles, mulheres competiam para ganhar um pacote gratuito de plásticas, desde que concordassem em ter milhares de espectadores para as cirurgias e se comprometessem a ver o resultado ao vivo, diante das câmeras de TV. A popularidade dos programas não impediu que eles fossem proibidos pelos censores em agosto de 2007.

As razões que levam os chineses a realizar cirurgias plásticas vão muito além da busca de um ideal de beleza e refletem o grau de ambição e competição que impera na sociedade. A maioria acredita que as mudanças em seus rostos vão aumentar as chances de sucesso profissional, que se tornou uma obsessão nacional.

A vaidade reprimida durante os anos de Mao se manifesta agora sem nenhuma restrição. Lojas de cosméticos com todas as marcas internacionais povoam os shoppings e oferecem cremes para branquear a pele do rosto, a aspiração máxima das chinesas urbanas, que querem se distanciar da pele queimada de sol dos camponeses. Manicures, salões de beleza e spas estão em todos os lados e as academias de ginástica nos moldes ocidentais atraem uma multidão de jovens que buscam músculos definidos.

Vistos antes como símbolo da degradação feminina e proibidos até 2003, os concursos de beleza se transformaram em uma instituição nacional, acompanhados por milhões de espectadores. A ilha de Hainan, no sul do país, é o local por excelência para realização dos eventos e sediou quatro dos cinco concursos Miss Mundo realizados desde 2003. No de 2007, a vencedora foi a chinesa Zhang Zilin, a primeira representante do Leste Asiático a ganhar o título. As disputas são populares a ponto de ganharem as páginas do *Diário do Povo*, o sisudo jornal do Partido Comunista, e do *China Daily*, editado pelo governo.

Fora de Hainan, há uma infinidade de concursos de beleza, para todos os públicos, de aeromoças à terceira idade. Em 2004, o entusiasmo pelas operações plásticas e a paixão pelas misses se encontraram na primeira disputa destinada exclusivamente a pessoas que tivessem realizado cirurgias para mudar a aparência. O Miss Beleza Artificial

Starbucks e Armani: consumir cafés na rede norte-americana se transformou em símbolo de *status* dos emergentes chineses, dispostos a pagar por uma pequena xícara o suficiente para uma refeição em um restaurante barato de Pequim.

teve 19 finalistas, com idades de 17 a 62 anos, entre as quais estava um transexual, Liu Xiaojing, que até 2001 era um homem. Para participar da disputa, todos tiveram que apresentar atestados médicos comprovando que haviam realizado plásticas. A vencedora foi Feng Qian, que recorreu ao bisturi para aumentar seus olhos, afinar suas bochechas e diminuir a cintura.

Com mais dinheiro no banco, os chineses também podem se dar o luxo de ter animais de estimação e é cada vez mais comum ver pessoas passeando com seus cachorros nas grandes cidades. Pelo menos em Pequim, ter um bichinho em casa não é barato. Os donos devem registrar seus cachorros na delegacia de polícia e pagar uma taxa de US$ 140 ao ano para mantê-los. Também existe uma política de "cachorro único" na cidade e é proibido ter mais de um animal. A capital chinesa ainda limita o tamanho dos cães, que não podem ter altura superior a 35 centímetros.

Restaurante KFC na Wangfujing, a principal rua comercial de Pequim.
A rede norte-americana conquistou os chineses com seus baldes de asinhas de frango e se tornou um dos lugares preferidos para o primeiro encontro de namorados. A rede tinha 1,7 mil restaurantes na China no início de 2008.

Os chineses inventaram o chá e o transformaram na bebida mais consumida em todo o mundo depois da água. Mas o símbolo da ascensão social da nova China é o café, especialmente se for consumido em uma das dezenas de lojas da rede norte-americana Starbucks que brotam em todo o país. O sucesso na China ultrapassou as mais otimistas previsões dos executivos da companhia e em breve o país asiático será o maior mercado da rede fora dos Estados Unidos. Jovens profissionais lotam os Starbucks e pagam por um café cerca de US$ 2,50, mais do que muitos chineses gastam em uma refeição.

A Coca-Cola conseguiu superar a milenar tradição que veta bebidas geladas nas refeições, em razão da crença de que elas dificultam a digestão e devem ser evitadas. A China já é o quarto mercado da companhia e, antes de 2010, deve superar o Brasil e subir para a terceira posição.

As redes de *fast-food* multinacionais também fincam suas bandeiras nas cidades chinesas. Com seus baldes de asas de frango, o KFC é de longe a mais bem-sucedida, a ponto de muitos homens chineses considerarem suas lanchonetes um ótimo lugar para levar uma garota no primeiro encontro. A empresa norte-americana tinha 1,7 mil restaurantes na China no início de 2008 e abria um novo a cada dia.

O principal concorrente do KFC é o McDonald's, o primeiro *fast-food* a se instalar na China, em 1992. A chegada a Pequim de um dos ícones do *american way of life* se transformou em símbolo da disposição do Partido Comunista de se render à globalização e às leis de mercado. Na época, a loja de Pequim era a maior do McDonald's no mundo, com setecentos lugares, e seu primeiro dia de funcionamento atraiu uma multidão de 13 mil pessoas.

Em resposta ao enorme crescimento do mercado automobilístico na China, o McDonald's abriu sua primeira loja *drive-through* em dezembro de 2005, na província sulista de Guangdong. Dois anos depois, havia 16 lanchonetes desse tipo no país e os chineses ainda estavam aprendendo a se relacionar com a novidade: cerca de 20% dos clientes pediam os lanches dentro dos carros, encontravam um lugar para estacionar e entravam nas lojas para comer. "Eles querem ter a experiência completa", disse em 2006 o CEO (Chief Executive Officer) do McDonald's na China, Jeff Schwartz.[2]

O inglês acompanha a invasão dessa legião estrangeira e hoje há mais pessoas na China estudando o idioma do que a população inteira dos Estados Unidos. O país é o mercado de mais rápido crescimento para a English First, uma das grandes multinacionais no ensino de idiomas, com expansão de 50% ao ano a partir de 2005. Bill Fisher, presidente da empresa na China, avalia que o governo passou a estimular o ensino da língua como uma forma de aumentar a competitividade econômica do país, que nesse quesito ficava em desvantagem quando comparado à vizinha Índia.

O basquete é o jogo mais popular entre os jovens e a celebridade mais poderosa do país é o jogador Yao Ming, uma das estrelas da NBA dos Estados Unidos, onde joga no Houston Rockets. De acordo com a revista *Forbes*, Yao ganhou US$ 56,6 milhões em 2007, valor que inclui seu salário e o que recebeu em campanhas publicitárias para marcas como Coca-Cola, Visa, Apple e McDonald's. O basquete também garantiu o quarto lugar no *ranking* da *Forbes* de 2008 ao jogador Yi Jianlian, que em 2007 entrou para a liga da NBA, jogando para o Milwaukee Bucks. O segundo lugar do *ranking* da *Forbes* de 2008 era ocupado por outro atleta, Liu Xiang, vencedor da medalha de ouro nos 400 metros com barreira na Olimpíada de Atenas, a primeira do gênero conquistada por um asiático.

Outro sinal da americanização da China é o sucesso de musicais da Broadway, que arrastam legiões de fãs a cada apresentação em Pequim, Xangai e capitais do interior do país. Espetáculos como *Cats*, *O fantasma da ópera* e *O rei leão* começaram a ser apresentados em solo chinês a partir de 2003 e, nos anos seguintes, conquistaram um público expressivo. O sucesso é tanto que um grupo empresarial anunciou no início de 2009 a construção da Broadway de Pequim, que terá 32 teatros e receberá investimentos de US$ 686 milhões. O complexo deverá estar concluído até 2014 e os empreendedores esperam que ele receba cem musicais por ano.[3]

Vistos como diabólicas criações do imperialismo ianque há três décadas, Mickey Mouse e Pato Donald são mais do que bem-vindos na China de hoje. A Walt Disney e o governo de Xangai fecharam um acordo para a construção da primeira Disneylândia do país, que deverá estar pronta em 2014 e consumirá investimentos de US$ 3,6 bilhões. O empreendimento ocupará uma área de dez quilômetros quadrados e será oito vezes maior que o parque inaugurado pela Disney em Hong Kong em 2005 e criticado pelos turistas da China continental por ser pequeno demais.

AS CIDADES MUTANTES

A rápida ascensão econômica levou a uma radical mudança no cenário urbano e na infraestrutura de transportes da China. Shenzhen, no sul do país, tinha 310 mil habitantes em 1979 quando foi escolhida para ser a primeira Zona Econômica Especial autorizada a receber investimentos estrangeiros e a funcionar fora da economia planificada. Nas três décadas seguintes, teve o mais espetacular crescimento da China e passou a ser o endereço de 12 milhões de pessoas, um aumento populacional de 3.800%.

Mas a imagem que melhor representa a rapidez das transformações é a de Pudong, a Zona Econômica Especial criada em Xangai em 1990, que hoje tem escritórios de quase todas as empresas que frequentam a lista das maiores do mundo da *Fortune 500*. Nenhum dos arranha-céus que formam o *skyline* de Pudong existia em 1990 e a área era basicamente rural, com algumas esparsas construções. O projeto do Partido Comunista era concluir em dez anos a construção do que é hoje a mais moderna região da China. O ritmo foi estabelecido pelo então líder supremo do partido, Deng Xiaoping: "um novo visual a cada ano e profundas mudanças a cada três anos".

A área de 530 quilômetros quadrados se transformou no maior canteiro de obras do mundo. Em dez anos, foram investidos cerca de US$ 15 bilhões em infraestrutura, que incluíram um aeroporto internacional, linhas de metrô, portos, túneis, pontes, energia, sistema de aquecimento, ruas e o Maglev, um dos trens mais rápidos do mundo, que anda a 430 km/h e é movido por impulsos eletromagnéticos, o que faz com que ele flutue nos trilhos. Todos esses projetos e a maioria dos arranha-céus que compõem o *skyline* de Pudong estavam concluídos no ano 2000. Hoje a região tem 1,6 milhão de habitantes e é o centro financeiro e comercial da China. O sonho do governo de Pequim é que Pudong transforme a cidade de Xangai na grande referência econômica da Ásia, à frente de Tóquio e de Hong Kong.

Apesar de concentrado na próspera costa leste, o ritmo frenético de mudança ocorre em todo o país, na medida em que cidades se transformam e o governo investe bilhões de dólares na construção da infraestrutura necessária para sustentar o crescimento anual médio de 10,6% registrado desde 1978. A partir dos anos 1990, a China construiu uma rede de autoestradas de 53,6 mil quilômetros, que é menor em extensão apenas à existente nos Estados Unidos (67 mil quilômetros). Só em 2008, o governo investiu US$ 50 bilhões em novas ferrovias, o equivalente a mais de dois terços dos US$ 72 bilhões gastos no setor nos cinco anos anteriores. Na avaliação do Banco Mundial, este é o maior programa de ferrovias da história mundial desde o século XIX, quando elas eram o principal meio de transporte.[4]

As viagens aéreas são cada vez mais frequentes e a China vive um *boom* de construção de aeroportos. Entre 1990 e 2006 foram inaugurados 47. Outros 45 devem ser levantados até o fim de 2010 e mais 52 na década seguinte. Além disso, dezenas de aeroportos ao redor do país passam por reformas de expansão, enquanto o tráfego aéreo se multiplica em ritmo nunca antes visto na história mundial. Em 1985, a China tinha 7 milhões de passageiros ao ano, número que equivale à metade da capacidade máxima de Congonhas, o mais movimentado aeroporto do Brasil. Até 1993, as pessoas só podiam comprar passagens aéreas depois de obter autorização de seus empregadores estatais. Com o crescimento econômico, o volume de passageiros explodiu e chegou a 185 milhões em 2007.

Seis meses antes da Olimpíada de 2008, Pequim inaugurou um imenso terminal internacional e já se preparava para construir um novo aeroporto na cidade. Projetado pelo arquiteto britânico Norman Foster, o Terminal 3 de Pequim é um dos maiores edifícios do mundo e sua área supera a soma de todos os terminais do aeroporto de Heathrow, em Londres. Sua fachada tem quase oitocentos metros de largura e seu comprimento chega a três quilômetros.

Voar com os chineses pode ser divertido ou extremamente irritante, dependendo de seu estado de espírito. Como em todas as situações em que estão em grupo, eles tendem a ser ruidosos nos aviões. Não é raro que levem comida a bordo e são absolutamente impacientes. Assim que o avião pousa, já se começa a ouvir o ruído de cintos de segurança sendo desafivelados. Antes que o avião pare, muitos se levantam para pegar a bagagem de mão e ligar seus celulares, para desespero das aeromoças, que gritam para que todos permaneçam sentados. A maioria obedece, mas já peguei voos em que passageiros desafiadores se recusaram a seguir a orientação.

Pudong, a nova região de Xangai. Nenhum dos prédios da foto existia até 1990, quando a área foi transformada em uma Zona Econômica Especial. Nos dez anos seguintes, US$ 15 bilhões foram investidos na construção da infraestrutura de Pudong, que tem um aeroporto internacional e um dos trens mais rápidos do mundo, o Maglev.

A MEMÓRIA DIZIMADA

A fúria transformadora na qual a China está mergulhada avança muitas vezes com o sacrifício do patrimônio histórico e de milhares de famílias que perdem suas casas ou terras e recebem indenizações insuficientes para comprar outra propriedade. A apropriação de áreas rurais para projetos urbanos e industriais é uma das principais fontes de descontentamento no campo, onde inúmeros protestos ocorrem a cada ano.

Em Pequim, milhares de pessoas foram obrigadas a sair das casas onde suas famílias viveram durante décadas ou séculos, para dar lugar a novos arranha-céus e largas avenidas. Quarteirões inteiros carregados de história são destruídos em questão de dias e muitas das construções antigas da cidade deixaram de existir. Pequim era a mais bem preservada capital imperial do mundo quando sua transformação começou, em 1949, ano em que os comunistas venceram a guerra civil e Mao Tsé-tung decidiu derrubar as muralhas que ainda cercavam toda a cidade.

Mesmo com a disposição de Mao de acabar com os vestígios "feudais" de Pequim, grande parte das tradicionais áreas residenciais que ficavam no coração da cidade sobreviveu até o fim do século XX, quando passaram a ser demolidas para dar espaço a novos edifícios. Construídas ao longo de setecentos anos de história, elas são formadas por fileiras de casas com pátios internos, com estreitas ruas, que são chamadas de *hutongs*.

Até o fim do Império, em 1911, os *hutongs* localizados a leste e a oeste da Cidade Proibida eram habitados pelos funcionários públicos de alto escalão, que formavam a elite do país. Cada família ocupava uma das casas de quatro lados (*siheyuan*) em torno de um pátio interno. No mais proeminente vivia o patriarca e, nos outros lados, seus filhos e respectivas famílias. Na parte ao sul da Cidade Proibida, fora das muralhas, ficava outro grupo de *hutongs*, mais desalinhados e com casas menores, onde se hospedavam os viajantes que passavam pela capital. Chamada de Qianmen, a região abrigava tavernas, pousadas, prostíbulos e os artistas que apresentavam espetáculos da Ópera de Pequim e malabarismo para os que estavam de passagem.

Com o período de caos vivido depois de 1911, os habitantes dos *hutongs* empobreceram e o espaço onde viviam foi dividido por um número cada vez maior de famílias, tendência que se intensificou depois da Revolução Comunista. Hoje, grande parte deles está degradada e pais e filhos dividem casas com apenas dois cômodos que não passam de vinte metros quadrados. A cozinha fica em um corredor estreito compartilhado por várias famílias e o banheiro é comunitário. Apesar disso, muitos dos moradores só abandonam os *hutongs* sob força policial. Em setembro de 2003, um homem chamado Wang Baoguang morreu depois de atear fogo a seu próprio corpo em protesto contra a destruição de sua antiga casa. Outro, Ye Guoqiang, tentou suicídio ao se atirar de uma ponte, pelo mesmo motivo.

Os *hutongs* não são apenas construções antigas e únicas: eles representam uma forma de vida, marcada pela íntima convivência entre seus moradores. Caminhar pelos *hutongs* de Pequim é ser transportado a um tempo que está ruindo sob os guindastes das grandes construtoras. As ruas estreitas estão sempre cheias de pessoas que conversam, jogam baralho ou xadrez, comem ou cozinham na calçada, vão aos pequenos mercados da vizinhança ou simplesmente passeiam de pijamas no fim da tarde. O ritmo da vida nos *hutongs* é muito mais lento que o do restante da cidade, sensação reforçada pelo fato de que o tráfego de carros é quase inexistente.

Os chineses se movem | 31

Os *hutongs* de Pequim são uma extensão das casas das pessoas. Os banheiros são comunitários e não é raro ver chineses de pijama nas ruas, como o da foto. Muitos dos *hutongs* têm séculos de história e começaram a ruir na feroz remodelação pela qual a capital chinesa passou na preparação para a Olimpíada de 2008.

A escolha da capital chinesa como sede da Olimpíada de 2008, anunciada em 2001, colocou a cidade antiga de Pequim na mira dos grandes empreendedores imobiliários. No Congresso Nacional do Povo de 2004, os líderes comunistas aprovaram um megaprojeto de remodelação urbana, considerado o maior realizado em uma cidade já existente. O objetivo era transformar a antiga capital imperial em uma megalópole do século XXI, comparável a Nova York e Londres, com investimentos de no mínimo US$ 40 bilhões. Na época da aprovação do plano, especialistas independentes avaliaram que seriam necessários US$ 100 bilhões para implementação da proposta.[5]

A Organização das Nações Unidas para a Educação, Ciência e Cultura (Unesco) estimou em 2005 que dois terços dos 62 quilômetros quadrados de *hutongs* que existiam no coração de Pequim haviam sido destruídos nos vinte anos anteriores. Com eles, milhares de casas com pátio interno que durante séculos abrigaram várias gerações da mesma família. Também se foram muitos dos mil templos que existiam na região. Cerca de 1,5 milhão de pessoas tiveram que deixar suas casas entre 2000 e 2007, segundo estimativa do Centre on Housing Rights and Evictions, entidade com sede em Genebra. "Em Pequim, e na China em geral, o processo de demolição e desocupação é caracterizado pela arbitrariedade e pela ausência de um procedimento legal adequado", afirma a entidade.

Nos anos seguintes ao da aprovação do plano de remodelação, Pequim embarcou em uma transformação de escala e velocidade inéditas, na qual edifícios e quarteirões são destruídos em questão de semanas, enquanto outras construções surgem em um período contado em meses. Moradores da cidade são constantemente surpreendidos com novas avenidas e canteiros de obras e muitos dizem não reconhecer regiões que deixaram de ver por períodos não maiores que um ano. Quem esteve em Pequim no início da década e voltou quatro anos depois ficou assombrado com a extensão da mudança, que continua a ocorrer. O projeto aprovado em 2004 prevê que a transformação deve estar concluída até 2020.

Eu morei na capital chinesa entre março de 2004 e março de 2005, em uma nova região chamada Central Business District (CBD), que está sendo completamente remodelada. No período de um ano, vi surgir do outro lado da rua um enorme condomínio com sete edifícios residenciais, que estavam quase prontos na época do meu retorno ao Brasil. Quando voltei a morar em Pequim três anos depois, a região havia mudado novamente e contava com um shopping center de luxo, três torres comerciais, dois hotéis cinco-estrelas, outros condomínios residenciais e novos prédios em construção no lugar dos antigos. A metamorfose ocorre de maneira tão veloz que a prefeitura de Pequim tem que atualizar o mapa da cidade a cada três meses.[6]

Os chineses se movem | 33

A Olimpíada já passou, mas Pequim continua mergulhada em inúmeras construções grandiosas, com as quais se transforma em uma metrópole de ar ocidental. As obras são levantadas em tempo recorde por um exército de operários que recebem menos de US$ 200 por mês e trabalham de domingo a domingo.

As autoridades da capital estabeleceram em 2002 um plano de conservação de 25 áreas históricas, mas há pouco empenho na preservação dos *hutongs*, vistos por muitos dos tecnocratas comunistas como símbolo do passado que eles querem deixar para trás, da tradição imperial à pobreza que marcou a maior parte do século xx. Com a aproximação da Olimpíada e o aumento do número de turistas estrangeiros, os burocratas perceberam que os *hutongs* são uma das principais atrações locais, tendo em vista sua carga histórica e vestígios que carregam da China antiga. Os que sobreviveram passaram por uma feroz restauração e cada vez mais são endereço de restaurantes, bares e lojas moderninhos, que com o tempo tendem a expulsar os moradores locais com a inflação de preços que provocam e a descaracterização de seu estilo de vida.

OS PALÁCIOS OLÍMPICOS

Na corrida para se transformar em uma cidade internacional e assombrar o mundo durante a Olimpíada, Pequim também construiu edifícios emblemáticos, cuja grandiosidade, ousadia e modernidade refletem a imagem que a potência ascendente quer ter. Todos os projetos foram concebidos por arquitetos estrangeiros consagrados, escolhidos em concursos internacionais badaladíssimos.

As estrelas arquitetônicas da Olimpíada são o Ninho de Pássaros, como é conhecido o Estádio Olímpico, e o Cubo D'Água, apelido dado ao Centro Aquático Nacional. O primeiro foi projetado pela dupla suíça Jacques Herzog e Pierre de Meuron, vencedores em 2001 do Prêmio Pritzker, a mais alta distinção da arquitetura mundial, comparável ao Nobel ou ao Oscar. O escritório Herzog & de Meuron tem obras em diferentes partes do mundo e foi responsável pela renovação da usina de eletricidade que abrigaria a Tate Modern, em Londres.

O Cubo D'Água parece uma piscina suspensa no ar, formada por centenas de bolhas de diferentes tamanhos. O projeto foi desenvolvido pelo escritório australiano PTW em conjunto com a empresa britânica de engenharia Arup e utiliza um material revolucionário, o ETFE, uma fina membrana de plástico flexível, que é inflada com ar por dentro para ganhar o formato de bolhas.

Fora do cenário esportivo, a cidade levantou três edifícios impactantes, que impressionam mesmo os que não se sentem particularmente atraídos por sua estética. O que bate todos os recordes em termos de dimensão e custo é o novo terminal internacional do aeroporto de Pequim, que está entre as maiores construções do mundo. Levantado em um tempo recorde de quatro anos, o prédio é dividido em três partes e tem três quilômetros de extensão entre um extremo e outro. Seu desenho ficou a cargo do arquiteto inglês Norman Foster, um dos mais renomados do mundo, vencedor do Prêmio Pritzker em 1999.

Outro projeto é o novo teatro nacional, desenhado pelo francês Paul Andreu e batizado pelos moradores da capital de "O Ovo", em razão de seu formato. Feito de titânio e vidro, a construção é imensa e está próxima da Cidade Proibida e da Praça da Paz Celestial, o coração político da China. Mais que um ovo, ele parece um imenso olho em um espelho d'água. Para os brasileiros, é impossível entrar no lugar sem imaginar quantas árvores foram derrubadas para revestir toda a cúpula interna do teatro com mogno trazido da Amazônia.

Das três obras, a mais surpreendente é a nova sede da rede estatal CCTV, que o governo quer transformar em uma espécie de BBC chinesa. Projetado pelo arquiteto holandês Rem Koolhaas, vencedor do Pritzker em 2000, o edifício é formado por

A nova sede da TV estatal CCTV, projetada pelo holandês Rem Koolhaas, é uma das obras entregues a arquitetos estrangeiros na preparação para a Olimpíada. O edifício é um dos mais desafiadores do ponto de vista tecnológico já construídos em todo o mundo e tem a missão de refletir a imagem da nova China desejada pelo Partido Comunista.

duas torres inclinadas e conectadas nas extremidades, o que cria uma espécie de *looping* quadrado, com um enorme vão livre no meio. Tornar o desenho viável do ponto de vista técnico foi um desafio que coube ao escritório de engenharia inglês Arup, que atuou em várias das grandes obras de Pequim. Durante dois anos, uma equipe de cem *designers* e engenheiros trabalhou na busca de soluções para colocar em pé o projeto, um dos mais difíceis do ponto de vista tecnológico já concebidos em todo o mundo.

Enquanto transforma sua superfície, Pequim mantém intacta embaixo da terra uma lembrança bastante concreta dos tempos de Guerra Fria: uma cidade subterrânea que cobre uma área de 85 quilômetros quadrados, formada por inúmeros corredores e mil abrigos antiaéreos. Construída por determinação de Mao Tsé-tung, essa outra Pequim teria capacidade para acomodar metade da população da cidade nos anos 1970, na hipótese de um ataque nuclear da vizinha União das Repúblicas Socialistas Soviéticas (URSS) ou dos Estados Unidos. A outra metade teria que fugir para as montanhas.

NOTAS

[1] A tradução para o português de todos os textos em inglês citados no livro é da autora. A conversão de nomes e expressões em chinês para o alfabeto latino foi realizada de acordo com o sistema *pinyin*, com exceção dos casos em que o uso consagrou transliterações feitas com base no antigo modelo Wade-Giles, entre os quais o principal exemplo é Mao Tsé-tung. Em *pinyin*, o correto seria Mao Zedong.

[2] Cheryl V. Jackson, "McDonald's Sets Sights on Asia", em Chicago Sun-Times, 4 dez. 2006.

[3] "'China's Broadway' Taking Shape in Beijing", em China Daily, 3 jan. 2009.

[4] The Economist, 16-22 fev. 2008, v. 386, n. 8.567, pp. 30-2.

[5] Antoaneta Bezlova, "Beijing Makeover Revives Debate about Megacities", em Asia Times, 28 fev. 2004.

[6] Pallavi Aiyar, "Hutongs: Repositories of a City's History", em The Hindu, 3 abr. 2007.

O ENRIQUECER É GLORIOSO

O PARAÍSO DOS NOVOS-RICOS

As cidades mutantes da China veem a emergência de uma elite abastada, que leva a sério o *slogan* "o enriquecer é glorioso", criado por Deng Xiaoping. O idealizador das reformas que colocaram a China no mapa da economia mundial também rompeu com o igualitarismo dos anos de Mao Tsé-tung e disse que era preciso deixar que "algumas pessoas ficassem ricas primeiro".

Sem as amarras ideológicas do passado, as novas fortunas da China foram construídas a partir do zero, por antigos operários, camponeses, funcionários públicos e membros do Partido Comunista, que abraçaram oportunidades ou tinham conexões com o poder para facilitar seus negócios. A maioria dos abastados chineses nasceu pobre e teve uma infância na qual a comida era racionada e o sonho máximo de consumo era uma bicicleta. Quase todos formam a chamada "primeira geração" de endinheirados de suas famílias, o que transformou a China no país com o maior número de novos-ricos do mundo. No fim de 2006, o país tinha 345 mil milionários, segundo estudo do banco de investimentos Merrill Lynch.

Os primeiros bilionários da China pós-1978 surgiram em 2004. Eram apenas três, em uma lista de cem ricos com patrimônio superior a US$ 150 milhões.[1] No ano seguinte, o total de bilionários mais que dobrou, para sete. Em 2006, já havia 14 pessoas na China com patrimônio superior a US$ 1 bilhão. O topo da lista era ocupado por Zhang Yin, que com uma fortuna de US$ 3,4 bilhões foi considerada a mais rica *self-made woman* do mundo.[2]

De 14 em 2006, o número de bilionários chineses saltou para 106 em 2007, um aumento de quase oito vezes em apenas um ano.[3] Pela primeira vez, duas pessoas na lista atingiram ou superaram a marca dos US$ 10 bilhões, e ambas eram mulheres.

Zhang Yin, vencedora do ano anterior, caiu para o segundo lugar, com uma fortuna de US$ 10 bilhões, construída em uma indústria de embalagem de papel reciclado. Acima dela estava Yang Huiyan, que aos 26 anos era uma das primeiras integrantes da segunda geração de famílias que construíram fortuna no regime comunista chinês.

O patrimônio de Yang era estimado em US$ 17,5 bilhões e representava 59,5% de participação acionária na empresa de desenvolvimento imobiliário Country Gardens, fundada em 1997 por seu pai, Yang Guoqiang, um ex-camponês que no passado não muito distante plantou arroz, criou vacas e trabalhou como peão de obras. Como muitos integrantes da nova elite chinesa, Yang Huiyan estudou no exterior, na norte-americana Ohio State University, onde se formou em 2003. Ela assumiu a gestão da empresa aos 22 anos, quando seu pai precisou se afastar para tratamento médico nos Estados Unidos.

Dona da fábrica de embalagens Nine Dragon Paper, Zhang Yin é filha de um militar que foi mandado à prisão durante a Revolução Cultural (1966-1976), em um destino cumprido por milhões de chineses. Como muitos que sobreviveram ao terror, ele foi reabilitado depois da morte de Mao Tsé-tung e do fim da loucura coletiva que havia tomado conta do país. Zhang trabalhava como contadora no início dos anos 1980 e decidiu se mudar para Shenzhen, a cidade vizinha a Hong Kong, que havia sido escolhida como a primeira Zona Econômica Especial a ter sinal verde para receber investimentos estrangeiros e funcionar de acordo com as leis de mercado.

Depois de trabalhar em uma *trading* do setor de papel, ela decidiu atravessar a fronteira e tentar a sorte em Hong Kong. Lá fundou a America Chung Nam, especializada na venda de aparas de papel para uma China que demandava quantidades crescentes de matérias-primas e bens intermediários. Hoje Zhang é a maior exportadora de aparas de papel dos Estados Unidos para a China, onde processa o material para fabricar embalagens recicladas.

Muitos dos bem-sucedidos empreendedores chineses enfrentaram em suas vidas as consequências dramáticas das reviravoltas percorridas pela história do país nas últimas décadas. Yin Mingshan, dono da fabricante de motocicletas e carros Lifan, tinha 20 anos no fim da década de 1950, quando foi acusado de contrarrevolucionário e preso. Durante os 20 anos seguintes, intercalou períodos na prisão com o trabalho na zona rural. Eventualmente, era levado para sessões de humilhação e execração públicas comandadas pelos guardas vermelhos durante a Revolução Cultural (1966-1976). Reabilitado depois do início das reformas em 1978, deu vazão a seu instinto empreendedor e fundou a empresa em 1992, quando tinha 55 anos. Hoje, aos 70, tem um dos grandes grupos privados da China, com exportações para 128 países.

Yin não é filiado ao Partido Comunista, mas tem ótima relação com os donos do poder, como a maioria dos empresários chineses. Na sua mesa de trabalho, a bandeira da China está ao lado da do Partido, na qual está estampado em amarelo o símbolo da foice e do martelo. Como muitos da nova elite, a filha de Yin também estuda no exterior, fazendo o curso de Administração, na Inglaterra.

DA BICICLETA À FERRARI

A meteórica ascensão colocou a China na rota do mercado de luxo internacional, categoria na qual estão ícones de *status* que custam alguns milhares ou milhões de dólares, como bolsas Louis Vuitton, sapatos Gucci, relógios Rolex, Ferraris e jatos particulares. Segundo o banco de investimentos Goldman Sachs, a China já era em 2005 o terceiro maior mercado para produtos de luxo do mundo, atrás apenas do Japão e dos Estados Unidos. A participação dos chineses representava 12% deste mercado de US$ 80 bilhões anuais, comparados a apenas 1% em 2000. Na avaliação da Goldman Sachs, até 2015 a China vai ultrapassar os Estados Unidos e ocupar a segunda posição no *ranking*, com gastos que representarão 29% das vendas de produtos de luxo em todo o mundo.

Os emergentes chineses estão dispostos a pagar caro por bens que estampem nomes consagrados mundialmente e funcionem como expressão de sua prosperidade. Pesquisa da empresa de cartões de crédito MasterCard divulgada no início de 2008 mostrava que a marca de um produto era considerada "extremamente importante" por 36,5% dos entrevistados e "importante" por outros 57,5%. A preferência de 36,3% era por marcas estrangeiras e 20% disseram dar importância a "marcas de luxo mundialmente famosas".

Dentro da China, o principal símbolo de ascensão social são os carros, que tomaram o lugar das bicicletas como o bem de consumo mais cobiçado pelos jovens. A clássica imagem de milhares de chineses de bicicleta que moldou a visão estrangeira em relação ao país no século XX não reflete mais a realidade no início do século XXI, pelo menos não nas grandes cidades. No fim de 2007, o total de carros nas ruas de Pequim já havia atingido 3,3 milhões, superando as 2,4 milhões de bicicletas usadas pela população da capital para se dirigir ao trabalho.[4]

Em 2006, a China ultrapassou o Japão e se transformou no segundo maior mercado automobilístico do mundo, com 7,2 milhões de unidades vendidas. No ano seguinte, o número subiu para 8,8 milhões, o dobro do que havia sido registrado apenas cinco anos antes. Como a crise econômica internacional e a retração brutal nas vendas de carros nos Estados Unidos, a China caminha para se tornar o maior mercado automobilístico do planeta em 2009, com previsão de vendas de 9,96 milhões de unidades,

Bicicletas, motos, carros e pedestres disputam as ruas de uma esquina de Xangai. As duas rodas estão desaparecendo rapidadamente do cenário urbano, cada vez mais dominado pelos carros. Pela primeira vez na história, a China deverá se transformar em 2009 no maior mercado automobilístico do mundo.

acima das 9,8 milhões que os norte-americanos deverão comprar, de acordo com projeções de analistas do setor. Ainda assim, a China tem apenas 44 carros para cada mil habitantes, cerca de um terço da média mundial de 120 carros por mil habitantes. Nos Estados Unidos, a relação é de 750 por mil. Diante desses números, as empresas do setor apostam que as vendas na China vão continuar a crescer de maneira acelerada pelos próximos anos, na medida em que mais pessoas ganhem dinheiro suficiente para trocar seus veículos de duas rodas por outro de quatro.

Como os chineses veem nos carros não apenas um meio de locomoção, mas um poderoso símbolo de *status*, o sonho é dirigir um que ostente um logotipo consagrado mundialmente, de preferência na maior versão existente. Os chineses amam carrões, como sedãs e caminhonetes, o que é um contrassenso em um país hiperpopuloso e

O enriquecer é glorioso | 41

Yin Mingshan, um dos novos milionários chineses, virou empresário aos 55 anos. Na década de 1950, ele foi acusado de contrarrevolucionário e passou 20 anos entre a prisão e trabalhos forçados no campo. Em 2008, tinha 70 anos e dirigia um dos maiores grupos privados da China, o Lifan, fabricante de carros e motocicletas.

no qual a típica família urbana tem três pessoas: os pais e o único filho permitido pela política de controle de natalidade.

A venda de carros de luxo cresce a taxas superiores à média do setor e todas as grandes marcas se esfalfam para ter uma fatia do mercado que será o maior do mundo por volta de 2030. Os chineses compraram 205 mil carros de luxo em 2007, quase 30% a mais que no ano anterior, e o número deverá mais que dobrar até 2014, para 508 mil, segundo a empresa de consultoria norte-americana J. D. Power & Associates.

A China se transformou, em meados dos anos 2000, no país de mais rápido crescimento para a Ferrari e a Rolls Royce, que oferecem carros com preços superiores ao que a maioria dos chineses ganhará durante toda a vida. A fabricante italiana vendeu 177 unidades no país em 2007, um aumento de 46% em relação ao ano anterior. A Rolls Royce emplacou 106 carros no mesmo período, 50% a mais que em 2006. Entre os modelos que a empresa comercializa no país está o Phantom Drophead Coupe, um conversível que sai por, no mínimo, US$ 420 mil. A alemã Porsche entrou no mercado chinês em 2001 e, em 2005, vendeu 857 carros, o dobro do ano anterior. Em 2007, a cifra mais que quadruplicou, para quase 4 mil unidades. A fabricante prevê que em cinco anos, a China será seu mais importante mercado em todo o mundo.

Mas a categoria luxo é liderada pelo Audi A6, que em sua versão preta integra a frota que serve os governantes e os líderes do Partido Comunista. As vendas da marca em 2007 alcançaram 100,9 mil unidades, com alta de 25% em relação ao ano anterior. Seu maior concorrente é a BMW, marca preferida dos emergentes, segundo a pesquisa da MasterCard, cujas vendas subiram 40% em 2007, para 50 mil unidades. No seu encalço está a Mercedes-Benz, que colocou nas ruas chinesas 30,63 mil carros no mesmo período, com alta de 50% em relação ao ano anterior.

OS NOVOS JAPONESES

Os ricos querem mostrar que estão ricos e fazem isso sem nenhum constrangimento. Na cultura chinesa, perguntar o valor do salário, o preço do aluguel ou quanto foi pago na casa ou no carro não é considerado algo grosseiro. Os novos shoppings das grandes cidades ostentam muitos dos ícones do consumo de luxo internacional, de Prada a Chanel, de Armani a Versace. A bandeira da ostentação está fincada mesmo em cidades médias e perdidas no meio da China, como Chongqing, que tem várias marcas internacionais e (pasmem!) uma loja da Ferrari.

Apesar de terem todas as marcas que desejarem dentro de seu país, os chineses preferem comprar produtos de luxo em suas viagens ao exterior, principalmente em lojas *duty-*

Shin Kong Place, um dos shoppings de luxo de Pequim, que ostenta muitas das mais caras grifes mundiais, nas quais um único item pode custar o equivalente a anos de trabalho de um operário chinês. Em poucos anos, a China será o maior mercado mundial de produtos de luxo, poderosos sinais exteriores de riqueza.

free, onde os preços são mais baixos. Sem os pesados impostos que Pequim impõe sobre os "supérfluos", Hong Kong é um dos locais preferidos para compra de cosméticos, eletrônicos e acessórios, a ponto de haver fila de chineses em frente às lojas da Louis Vuitton.

O turismo é outra novidade na vida dos chineses, que só receberam autorização para sair do país em caráter privado na primeira metade dos anos 1990. A China envia um número crescente de viajantes para o restante do mundo: foram 40,95 milhões em 2007, com aumento de 18,6% em relação ao ano anterior. A previsão da Organização Mundial do Turismo é que a cifra chegue a 100 milhões em 2015, o que colocará o país em quarto lugar no *ranking* mundial.

O antigo Império do Meio ultrapassou o Japão e se tornou a principal fonte de turistas da Ásia em 2003. A maioria esmagadora visita regiões vizinhas, como Hong Kong

O Mercado da Seda, a meca da venda de produtos piratas em Pequim. Localizado na principal avenida da capital e a poucos quilômetros da Cidade Proibida, ele vende cópias de todas as grifes cobiçadas pelos chineses e por grande parte do resto do mundo, de Rolex, Louis Vuitton, Prada, Armani, Gucci, Boss, Ferragamo...

e Macau, mas a presença chinesa é cada vez mais evidente em outros lugares do mundo. A primeira grande leva de turistas do país asiático chegou à Europa em julho de 2005.

Desde então os chineses se transformaram no que os japoneses foram nos anos 1980 e 1990: ávidos compradores que invadem butiques de luxo e lojas de departamento em busca de perfumes, cosméticos, bolsas, relógios e outros produtos. Nos locais *duty-free* de Paris, há vendedores que falam mandarim e cantonês, o dialeto do sul da China, e a enorme demanda faz com que muitos locais restrinjam o número de itens que cada turista pode levar, exatamente como ocorreu com os japoneses no passado.

Os chineses costumam ir ao exterior em excursões organizadas por agentes de viagens, porque não é fácil conseguir vistos de maneira individual. Os grupos só podem ser levados para países que possuem o "*status* de destino autorizado" concedido pelo governo chinês. Em 2007, eram 134 países e regiões, comparados a apenas 20 no início da década. Os Estados Unidos passaram a fazer parte da lista em junho de 2007.

O movimento na mão contrária também é crescente. A China recebeu 54,72 milhões de turistas em 2007, comparados a 49 milhões no ano anterior, e deve ocupar o lugar da França como o principal destino de viajantes do mundo até 2014, na avaliação da Organização Mundial de Turismo.[5]

"ADIDOS" E "hiPHONE"

A grande maioria que não tem dinheiro suficiente para comprar uma autêntica Louis Vuitton alimenta o próspero mundo da pirataria chinesa, que copia com destreza impressionante todos os ícones do consumo global passíveis de reprodução em massa: malas, carteiras, gravatas, ternos, tênis, roupas esportivas, relógios, eletrônicos, perfumes, cosméticos e tacos de golfe. Em Pequim, a meca dos falsificados é o Mercado da Seda, um enorme shopping localizado na principal avenida da capital chinesa, a poucos quilômetros da Cidade Proibida.

Hordas de turistas lotam o lugar todos os dias e disputam espaço com os compradores chineses nas minúsculas barracas espalhadas pelos corredores de seus cinco andares. Depois de uma exaustiva barganha, tênis Nike ou Adidas são vendidos por US$ 15, bolsas Gucci, por US$ 20 e casacos Armani, por US$ 22. É raro encontrar um turista que não mergulhe em uma histeria consumista na China, que invariavelmente leva à compra de pelo menos uma mala adicional, obviamente pirata.

Nenhuma grande grife escapa das falsificações, vendidas em grande escala em pelo menos mais dois endereços da capital: o Yashow, localizado em um dos bairros diplomáticos, e o Mercado das Pérolas, onde só as pérolas são verdadeiras.

Outros produtos amplamente pirateados são os DVDs e CDs, encontrados em lojas semelhantes às locadoras brasileiras, com a diferença de que comprar um título sai mais barato do que alugar um filme no Brasil. Os DVDs são vendidos por cerca de US$ 2,50 e os CDs chegam a custar US$ 1. Por meio da pirataria, os jovens chineses têm acesso a filmes e seriados de TV que jamais passarão pela estrita censura do país ou pela reserva de mercado que limita as estreias internacionais nos cinemas a vinte títulos por ano. Tanto o filme quanto a série "Sex and the City" foram vetados pelas autoridades de Pequim, mas podem ser encontrados em qualquer loja pirata, e a caixa com todos os episódios custa menos de US$ 40.

Além dos consumidores de cópias que tentam ser fiéis aos originais, há outra tribo de chineses que compra produtos que se parecem aos verdadeiros, mas apresentam ligeiras diferenças na maneira como a marca é escrita. Ao invés de um iPhone, milhares de chineses têm um hiPhone, que custa uma fração do preço do original e é vendido na internet por um fábrica localizada no sul do país. Seu *slogan* é "não é iPhone, é melhor que iPhone". Milhares de outros usam tênis Adidos e meias IVIKE.

A indústria da pirataria chinesa é multibilionária e ultrapassa as fronteiras de roupas, acessórios, eletrônicos e DVDs. O setor farmacêutico enfrenta a concorrência de dezenas de versões falsificadas de Viagra, vendidas em quiosques e *sex shops* de todo o país. Fabricantes de computadores e softwares veem o imenso mercado potencial chinês se reduzir com a profusão de itens pirateados. Máquinas, equipamentos, carros, motos e até elevadores são fabricados para se parecerem com os produtos de marcas consagradas, minando suas vendas.

No ano 2000, multinacionais que enfrentam a concorrência dos piratas criaram na China o Comitê de Proteção de Marcas de Qualidade, que tem a sigla QBPC em inglês. No início de 2009, a instituição tinha como sócias 180 multinacionais com investimento conjunto no país de US$ 70 bilhões. Nove anos depois de sua criação, a entidade avaliava ter conseguido avanços no combate à pirataria e na cooperação com o governo chinês, mas alertava que a crise econômica internacional abria um novo flanco para a expansão das vendas de produtos falsificados.

A abertura econômica das últimas três décadas impulsionou o negócio da pirataria na China e o integrou à máfia global de produção, transporte e venda de itens falsos. A World Customs Organization estima que as imitações representaram de 5% a 7% do comércio mundial em 2004, o que pode significar algo como US$ 500 bilhões, valor que supera o PIB de muitos países.[6]

À sombra da revolução industrial que experimenta desde 1978, a China vive um *boom* no lucrativo comércio de cópias e responde por cerca de dois terços de todos os produtos piratas vendidos no planeta. O negócio prospera junto com o crime organizado e de redes clandestinas de distribuição, que corrompem policiais e agentes de alfândega de todo o mundo.

A indústria também se diversifica e abrange um número cada vez maior de produtos, muitos dos quais colocam em risco a saúde e a segurança dos consumidores. A venda de leite em pó falsificado provocou a morte por desnutrição de pelo menos 13 bebês no leste do país em 2004. Problemas com leite voltaram a ocorrer quatro anos depois, quando seis crianças morreram e trezentas mil ficaram doentes por problemas renais provocados pela adição de melanina ao produto. Usada na fabricação de plásticos, a substância química faz com que o leite pareça ter um conteúdo proteico maior que o real.

Nos Estados Unidos, o governo avalia que enfrenta o risco de espionagem e de falhas em equipamentos militares como aviões e navios em razão do uso de componentes eletrônicos falsos produzidos na China.[7]

GUANXI E FACE

Guanxi e "perder a face" são duas das expressões tipicamente chinesas que o forasteiro aprende logo que chega ao país. A primeira se refere à rede de relacionamentos essencial para o sucesso de quase tudo na China: dos negócios à compra de ingressos para os Jogos Olímpicos. O *guanxi* é um patrimônio intangível de uma pessoa e, quanto mais poderoso e abrangente ele for, maior será o seu grau de influência. O bom *guanxi* é construído de maneira paciente, por meio de encontros sociais, normalmente regados a generosas doses de *baijiu*, a cachaça chinesa, e a troca de presentes, outra instituição milenar na China. O acordo implícito nesses relacionamentos é a interdependência e a troca de favores. Se obtiver ajuda de alguém da minha rede de influência, tenho que estar preparada para retribuir no futuro, e vice-versa.

A entrega de presentes a ocupantes de cargos importantes no governo, no Partido Comunista e nas poderosas estatais chinesas é um dos mecanismos mais comuns para o cultivo de *guanxi*. O hábito é o grande responsável pela explosão do mercado de luxo, e a China é o único lugar do mundo em que o principal motor das vendas nesse setor são os homens. Especialistas acreditam que metade das compras de produtos de luxo no país é destinada a presentear pessoas influentes. Não é raro ver integrantes do Partido Comunista com ternos Ermenegildo Zegna e pastas Louis Vuitton, cujos preços não cabem nos salários mensais dos burocratas chineses.

A linha que separa o culto ao *guanxi* da corrupção é bastante tênue e muitas empresas realizam favores aos poderosos chineses na esperança de receber em retribuição contratos milionários. A devoção à rede de relacionamentos também faz com que os negócios na China tenham um caráter mais pessoal e menos institucional que no Ocidente. É comum os chineses se queixarem junto a empresas estrangeiras quando um funcionário que faz parte de seu *guanxi* é substituído por outro, com o qual terá de construir um novo vínculo a partir do zero.

A noção de "face" (*mianzi*) tem a ver com o prestígio e o respeito conquistado perante os demais. E "perder a face" (*mei mianzi*) é uma das piores coisas que pode acontecer a um chinês, já que afeta sua posição social e seu poder de influência dentro de sua rede de relacionamentos. Quem tem a intenção de estabelecer um vínculo de confiança com um chinês deve ter o cuidado de jamais colocá-lo em uma situação constrangedora em público, seja apontando erros ou enfatizando fraquezas.

O correlato moral de *mianzi* é o fato de que a vergonha tem um peso maior que a culpa sobre o comportamento dos chineses. Sem o peso do cristianismo em sua formação, um chinês não sentirá uma culpa especial se contar uma mentira, mas ficará devastado se o seu comportamento for revelado em público de maneira pouco lisonjeira.

O MUNDO ARTIFICIAL

Além de extravagâncias, o novo-riquismo provoca inúmeros atentados ao bom gosto, enquanto os chineses aprendem a sofisticação que costuma caracterizar o mundo dos que já nascem abastados. Grande parte dos emergentes se apega ao exagero e a elementos supostamente associados ao luxo, como dourados, brilhos, brocados, colunas gregas e estátuas romanas, que frequentam a decoração de residências, fachadas de muitos edifícios, lugares públicos, casas de banho e restaurantes.

Do ponto de vista estético, a China que emerge desse túnel do tempo para o futuro tem uma queda pela grandiosidade, o artificialismo e parques temáticos, no que se parece com os atuais donos do mundo, os Estados Unidos. Como os norte-americanos, os chineses gostam de reproduzir dentro de suas fronteiras muitos dos mais célebres monumentos espalhados no planeta, do Taj Mahal à Torre Eiffel.

Em Pequim, o endereço para os que querem viajar sem sair do país é O Mundo, parque que exibe 59 atrações de todos os continentes. A fachada traz um típico castelo medieval e a entrada se dá sob as colunas de suas muralhas. Dentro do parque, milhares de chineses caminham de um continente ao outro e disputam um espaço para tirar fotos diante da Ópera de Sidney, com as enormes estátuas da Ilha de Páscoa ao fundo, nas pirâmides do Egito, em Manhattan ou na catedral de Notre Dame, de Paris. Na Itália, os turistas tiram a clássica foto na qual parecem estar sustentando a inclinada Torre de Pisa. Em Manhattan, podem sair à frente das Torres Gêmeas, que deixaram de existir com o atentado de 2001 em Nova York. O Farol de Alexandria desapareceu há muito mais tempo, mas está intacto em O Mundo, assim como o Cavalo de Tróia grego.

A experiência não se resume à apreciação dos edifícios. Em cada um dos monumentos emblemáticos, há shows que representam a cultura do país, como dança africana em uma tribo na selva ou a cerimônia do chá na vila imperial japonesa.

A América Latina é representada apenas pela Ilha de Páscoa e pelas pirâmides do México. Em compensação, nossos poderosos vizinhos do norte aparecem com oito atrações: Manhattan, Estátua da Liberdade, Casa Branca, Memorial Lincoln, Capitólio, Obelisco de Washington, ponte Golden Gate e Grande Canyon.

Mas a Europa é a região com o maior número de atrações, 22, mais que as 18 da Ásia. A Torre Eiffel está ao lado do Big Ben e da Torre de Londres e a poucos passos do Coliseu e da Basílica de São Pedro, em Roma. Depois de passar pela Praça Vermelha, em Moscou, o visitante volta à Itália, representada desta vez por uma enorme praça com terraços, escadas, jardins simétricos, fontes e estátuas nas laterais. O cenário tipicamente europeu foi o escolhido pelos administradores do parque para a realização de shows com elefantes indianos, que caminham pela praça sob a supervisão de seus treinadores,

Londres e Paris se encontram em O Mundo, parque temático de Pequim que reproduz algumas das mais importantes atrações turísticas do planeta, incluindo as que já não existem mais, como as Torres Gêmeas do World Trade Centrer de Nova York e o Farol de Alexandria. Há parques semelhantes em várias outras cidades da China.

O monumento ao futebol de Chongqing, cidade que fica no centro da China e foi escolhida para ser o polo que vai impulsionar o crescimento do leste do país. A estética do lugar é marcada pela profusão de luzes, uma característica de todas as cidades chinesas que passam por processos de modernização.

vestidos com túnicas vermelhas de cetim brilhante. Enquanto as fontes jorram água, os elefantes levantam com as trombas os turistas dispostos a pagar pela aventura.

A sensação de estar em um cenário surrealista já me assaltou algumas vezes na China, a ponto de eu rir sozinha e me perguntar se o que vejo é mesmo verdade. O lugar que superou a praça italiana com elefantes indianos foi a vila rural de Huaxi, próxima de Xangai, considerada a mais rica da China. A elite local mora em casas de seiscentos metros quadrados que parecem saídas de um subúrbio americano, decoradas com dourados, brocados, móveis em estilo neoclássico, banheiras de hidromassagem, portas vermelhas e telefones dourados.

Huaxi também tem o gosto pela reprodução do mundo e o teatro da cidade é uma cópia da Ópera de Sidney, na Austrália. Os camponeses locais enriqueceram depois que abandonaram a atividade agrícola e investiram na produção industrial. Hoje são donos de um império de 60 fábricas, que empregam 25 mil pessoas. Com a intenção de diversificar suas atividades, a vila decidiu também investir no turismo e criou sua própria versão de O Mundo, ainda que em escala bastante reduzida. Em 2007, o local tinha o Arco do Triunfo, a Casa Branca com a Estátua da Liberdade sobre sua cúpula, a entrada da Cidade Proibida e a Muralha da China.

Os administradores de Huaxi dizem receber a cada ano dois milhões de visitantes, que também fazem uma forma de turismo "agrícola", totalmente nova para mim. Nesse caso, as atrações são árvores de diferentes locais do mundo ou modificadas geneticamente, o que produz frutas gigantes ou minúsculas.

Mas o que supera tudo isso é a praça de Huaxi. No centro dela está um sino de bronze de 145 toneladas (o maior do mundo, segundo o guia), cujo formato e inscrições evocam o passado imperial do país. A poucos metros, olhando para a praça, estão cinco estátuas imensas dos fundadores da China comunista, com Mao Tsé-tung ao centro. Estão todos sentados e trazem lenços vermelhos no pescoço, o que contrasta com a cor totalmente branca das estátuas. Nas outras laterais da praça, heróis da Revolução de 1949 estão ao lado de figuras religiosas, como Jesus Cristo, Buda e Confúcio.

A reprodução de monumentos estrangeiros dentro das fronteiras nacionais não se restringe a Pequim ou a Huaxi e ocorre em várias outras cidades da China. Além de satisfazer a curiosidade dos visitantes, o investimento nesse tipo de parques revela um sentimento de autossuficiência que tem profundas raízes na história chinesa e que é traduzido pelo *slogan* de um dos parques: "Conheça o mundo sem sair de Pequim".

LUZES DA RIBALTA

A estética da nova China é extravagante, colorida e exageradamente iluminada. Apesar de o país enfrentar problemas na oferta de energia em razão do rápido crescimento, qualquer cidade chinesa que se preze é mergulhada em um mar de *neons* e luzes. O melhor exemplo que encontrei da estética urbana tipicamente chinesa é a cidade de Chongqing, que fica no centro-sul da China e está distante da influência ocidental mais presente nas cidades do leste, como Xangai e Pequim.

Desde 1997, Chongqing recebe bilhões de investimentos para se transformar no principal motor de crescimento da região oeste da China. Condições climáticas e a forte poluição fazem com que a cidade esteja ligeiramente fora de foco durante o dia, com uma persistente névoa no ar. É à noite que ela revela a face da qual os moradores se orgulham, com arranha-céus iluminados, letreiros ofuscantes e decoração urbana carregada de luzes.

O melhor local para admirar a vista é o calçadão construído na margem do rio Jialing, de onde se pode ver o distrito comercial e financeiro que ocupa o coração da cidade e concentra a maior quantidade de luzes à noite. Além da vista, o calçadão tem outras atrações. Ao longo de toda sua extensão, há árvores com luzes de Natal e objetos iluminados, com temas que vão mudando durante a caminhada.

A entrada para o local está sob uma sucessão de arcos de plástico verde iluminados por dentro e decorados com flores e imagens de anjos. O caminho termina em uma praça com coqueiros que têm seus troncos embrulhados em panos brilhantes, de cores dourado, vermelho, verde e azul. Espalhadas pelo calçadão, há várias outras "obras" de plástico com luzes: duas torres amarelas que reproduzem um hotel da região, quatro dragões com ar brincalhão ao lado de um casal de ratinhos, um corredor de lanternas vermelhas tipicamente chinesas, enfeites de Natal e personagens de desenhos para crianças, como o peixe Nemo. Mas nada supera a escultura em forma de bolo de casamento, com enormes flores artificiais iluminadas em cada um dos círculos, que diminuem de tamanho até sustentarem uma enorme bola de futebol, também decorada com luzes.

A LAS VEGAS CHINESA

A queda pelo *kitsch* aliada à paixão pelo jogo transformaram a antiga colônia portuguesa de Macau na grande rival da norte-americana Las Vegas. Depois de voltar ao domínio chinês, em 1999, a ilha viu uma explosão na construção de cassinos, com a entrada de vários investidores estrangeiros, a maioria dos Estados Unidos. Em 2006, Macau movimentou US$ 6,95 bilhões em apostas e superou pela primeira vez Las Vegas, que ficou com US$ 6,6 bilhões.

Como o jogo a dinheiro é proibido no continente, milhões de chineses invadem a ilha para tentar a sorte nos cassinos. Em 2007, foram cerca de 15 milhões, mais da metade dos 27 milhões de turistas estrangeiros que visitaram Macau.

Os chineses são jogadores profissionais e preferem as mesas aos baratos caça-níqueis que povoam Las Vegas, o que dá aos cassinos locais um retorno muito mais alto por apostador. Os super-ricos preferem se reunir nas salas VIPs dos grandes cassinos, onde a aposta mínima é contada em milhares de dólares em mesas que funcionam 24 horas por dia. Os apostadores de luxo respondem por cerca de dois terços da receita do jogo em Macau. Em Las Vegas, a participação dos VIPs na receita total é mínima e a maior parte da arrecadação vem dos caça-níqueis.

O *mahjong*, o mais popular jogo da China e provavelmente do mundo, também tem espaço nos cassinos de Macau. Desde 2007, a ilha é sede da maior competição mundial de *mahjong*, que distribui US$ 1 milhão em prêmios, dos quais US$ 500 mil vão para o vencedor. Mas entrar no jogo não é de graça: cada participante deve desembolsar US$ 5 mil só para fazer parte da disputa, valor equivalente ao do menor prêmio distribuído. Ainda assim, quase trezentas pessoas se inscreveram no torneio de três dias em 2007, a maioria delas de Hong Kong, da China continental e de Taiwan.

Como muitos dos antigos costumes chineses, o jogo foi proibido depois da Revolução Comunista de 1949 e renasceu com o processo de abertura econômica iniciado em 1978. Em vez de lutar contra a tradição, os comunistas decidiram, em 1998, tirar o *mahjong* da ilegalidade e transformá-lo em um jogo "saudável", sem apostas, sem bebida e sem cigarros. A Comissão Estatal de Esportes da China publicou uma série de regras para a prática de *mahjong* e instituiu sua própria competição mundial, que foi vencida em 2007 por um estudante da Universidade de Tsinghua, de Pequim, a melhor do país.

Mas aposta, bebida e cigarro são parceiros frequentes do *mahjong*, mesmo quando ele é jogado entre amigos ou em família. O filme *Lust, Caution*, de Ang Lee, se passa na Xangai dos anos 1930 e mostra várias cenas de mulheres reunidas em torno de uma mesa jogando *mahjong* a dinheiro. Com exceção do figurino, não há muita diferença em relação à maneira como ele é praticado atualmente.

O exagero e a ostentação de Macau ganharam seu símbolo máximo no dia 28 de agosto de 2007 com a inauguração do *Venetian*, o maior cassino do mundo, com uma área construída de 980 mil metros quadrados, o que o coloca entre os maiores edifícios já construídos na Terra. O investimento de US$ 2,4 bilhões foi realizado pelo bilionário norte-americano Sheldon Adelson, dono do grupo Las Vegas Sands, que também opera cassinos na meca do jogo nos Estados Unidos.

Com uma reprodução da Praça São Marcos, de Veneza, e três canais nos quais navegam gôndolas, o *Venetian Macau* tem 3 mil quartos, 800 mesas de jogos e 3,4 mil caça-níqueis. Como todos os seus concorrentes, o *Venetian* também tem salas exclusivas para os apostadores vips, sem as quais é impossível fazer dinheiro em Macau.

Além dos novos-ricos chineses, a ex-colônia portuguesa atrai funcionários públicos que encheram os bolsos graças à cobrança de propinas – o aumento da corrupção é um dos efeitos colaterais indesejados da prosperidade recente. Em 2006, entrou em vigor a lei de combate à lavagem de dinheiro, pela qual os cassinos são obrigados a comunicar às autoridades locais qualquer operação superior a US$ 65 mil.

O problema é que as salas vips são operadas de uma maneira pouco transparente, que evita a identificação dos apostadores. Normalmente, elas são alugadas por um intermediário, que também se encarrega de reunir os jogadores com cacife suficiente para apostas mínimas de US$ 65 mil. Como as salas são exclusivíssimas e de acesso restrito, os cassinos ficam sem saber de quem é e qual é a origem do dinheiro que termina em suas mesas – e em seus cofres.[8]

NOTAS

[1] "China Rich List", em Hurun Report, 2004, disponível em <http://www.hurun.net/richlisten3.aspx>, acesso em 26 de março de 2009.
[2] Idem.
[3] Idem.
[4] Antoaneta Bezlova, "China Battles Auto Addiction", em Asia Times, 5 out. 2006.
[5] "China Heading for Top Spot in World Tourism Rankings", em China Daily, 2 jul. 2007.
[6] "Fakes!", em BusinessWeek, 7 fev. 2005.
[7] "Dangerous Fakes", em BusinessWeek, 2 out. 2008.
[8] "Anti-Money Laundering Laws Not Enforced: Gaming Expert", em Macau Daily Times, 13 mar. 2008.

SUPERSTIÇÃO E TRADIÇÃO

O 13 CHINÊS

O retorno da superstição depois do veto à transcendência durante os anos de Mao é outra das marcas da nova revolução chinesa. Videntes e astrólogos voltaram a ocupar um lugar de destaque na sociedade e a crença de que os números trazem boa ou má sorte influencia uma série de decisões na vida dos chineses, da escolha da data do casamento ao ano de nascimento do filho.

Celulares terminados em 8 custam pelo menos o triplo dos que trazem um 4 no fim. Os dois números estão nos extremos da escala de prestígio entre os chineses. O 8 ocupa o topo por simbolizar riqueza e prosperidade, valores cada vez mais em alta na China globalizada. O número amaldiçoado é o 4, porque sua pronúncia é bastante parecida com a da palavra "morte" (*si*). Além de os números de celulares que o exibem serem mais baratos, os edifícios normalmente não têm os andares terminados em 4, e os hotéis que os têm costumam destiná-los à acomodação de estrangeiros, já que os chineses preferem não dormir em um lugar associado ao temido *si*. A numeração dos apartamentos segue a mesma regra e os terminados em 4 simplesmente não existem. Por precaução, muitos edifícios também não possuem o 13º andar, a cifra maldita no Ocidente.

Nem mesmo os tecnocratas do Partido Comunista resistem às crenças populares, como mostra a escolha da data da cerimônia de abertura da Olimpíada de Pequim: dia 8 do mês 8 de 2008. A ascensão do 8 ao topo da lista de números da sorte espelha a mudança de valores que o país experimenta desde 1978. Durante séculos, o 6 teve a preferência dos chineses, por representar suavidade, fluidez e a promessa de que tudo ocorrerá sem dificuldades. Quando o igualitarismo deixou de ser a ideologia dominante e o sonho de enriquecer pôde ser perseguido sem constrangimentos, o 8 ganhou a preferência nacional.

A licença para enriquecer também influencia a escolha dos nomes com os quais os pais vão batizar seus filhos e muitos deles refletem a enorme expectativa de sucesso

56 | Os chineses

Vidente do vilarejo Huang Liang Meng, que fica a 440 quilômetros de Pequim, célebre pelas habilidades de seus profissionais de preverem o futuro. Os chineses consultam videntes para definir os nomes dos filhos, ver a compatibilidade de mapas astrais, saber seus números de sorte e descobrir qual dos elementos rege suas vidas.

depositada no único descendente. Entre os casos que escutei, o mais emblemático foi o de uma família que tinha o sobrenome Qian, que quer dizer "dinheiro". Em uma escolha que seria vista como heresia há trinta anos, os pais batizaram seu filho de Duo Duo, "muito, muito".

Quem pode paga pequenas fortunas para colocar em seus cartões de visita um telefone terminado em 8888 ou uma placa de carro que tenha 6666 ou 9999, números que continuam a ser apreciados pelos chineses. Por ser o mais alto entre os algarismos de um dígito, o 9 era tradicionalmente associado ao imperador, que utilizava roupas estampadas com nove dragões e vivia em um palácio, a Cidade Proibida, com 9.999 quartos.

Como no caso do 4 e do 6, as ideias associadas aos números e a muitos dos gestos simbólicos que cercam a celebração de datas festivas estão relacionadas à pronúncia das palavras em mandarim ou em outro idioma falado no país, especialmente o cantonês. Além de ser o maior número individual, o 9 tem um som parecido ao de "longevidade", *jiu*, um dos elementos mais apreciados da cultura chinesa. A pronúncia do 8, *ba*, é semelhante à de riqueza.

A reputação de um número pode mudar radicalmente quando ele é combinado com outros algarismos. O 4, por exemplo, passa a ser visto com bons olhos na sequência 1314 porque sua pronúncia é parecida à da expressão *para sempre*. A combinação 250 é detestada, porque uma das formas de dizer o número é semelhante a "imbecil", e dizer "você é tão 250!" é extremamente ofensivo. Os chineses levam todas essas crenças a sério e a faxineira contratada por um dos meus amigos estrangeiros em Pequim pediu que ele mudasse o valor do que se propunha a pagar, 250 yuans, para um número menos agressivo, como 255 ou 260.

SOB O SIGNO DO DRAGÃO

Antes de casamentos, as famílias dos noivos costumam consultar astrólogos para definir a melhor data de realização da união. O planejamento da concepção dos filhos é cuidadoso e influenciado pela numerologia e a astrologia, que na China é diferente da Ocidental. O zodíaco chinês é integrado por 12 animais e o signo de cada pessoa é determinado pelo seu ano de nascimento. A lenda que explica a origem do horóscopo diz que Buda convidou todos os animais da terra para uma festa e apenas 12 compareceram, nesta ordem: rato, touro, tigre, coelho, dragão, cobra, cavalo, carneiro, macaco, galo, cachorro e porco. Para recompensá-los, Buda escolheu os animais para simbolizarem o zodíaco, organizado em ciclos de 12 anos.

Cada ano é marcado por um animal, que será o signo daqueles que nascerem nesse período. Mas o ano não é o do calendário gregoriano, que começa em 1º de janeiro e termina em 31 de dezembro, mas o do calendário chinês, orientado pela Lua. Em 26 de janeiro de 2009, por exemplo, teve início o Ano do Boi, que termina no dia 13 de fevereiro de 2010, para dar lugar ao Ano do Tigre. Além de terem características próprias, os 12 signos são associados a cada ano a um dos *cinco elementos* que compõem o universo de acordo com a cosmologia chinesa: metal (ouro), água, fogo, terra e madeira. As energias *yin* e *yang* também se alternam a cada ano nas associações com os animais do zodíaco.

Algumas combinações são poderosas e levam milhares de pais a fazerem de tudo para que seu filho nasça sob sua influência. A China viveu um *baby boom* no mais recente Ano do Porco, que começou em 18 de fevereiro de 2007 e terminou no dia 6

58 | Os chineses

Os doze animais do zodíaco chinês aparecem ao redor do símbolo *yin-yang* em obra que decora o templo Qingyaggong em Chengdu, capital da província de Sichuan. Muitos pais de noivos ainda consultam videntes para saber se os signos de seus filhos combinam com os de seus pretendentes

O álbum de casamento dos chineses é feito meses antes da cerimônia oficial. As fotos são elaboradas com a utilização de um variado guarda-roupa de trajes alugados. As locações costumam ser lugares históricos, cenários com natureza exuberante e atrações turísticas. Na festa, os noivos já podem mostrar o álbum aos convidados.

Mural em alto relevo é decorado com imagens de dragões na Cidade Proibida, em Pequim, centro do poder na China desde o início do século XV até a queda do Império, em 1911. O dragão é o mais poderoso dos animais sagrados da mitologia chinesa e é associado ao imperador e à chuva.

A *fenghuang* aparece logo abaixo do dragão no *ranking* dos animais mitológicos e é associada à imperatriz. O nome é comumente traduzido como fênix, mas a *fenghuang* tem características próprias e reina sobre todos os outros pássaros. Aqui, estátua da fênix chinesa na cidade de Nanning, na província sulista de Guangxi.

de fevereiro de 2008 e foi chamado de "Ano do Porco de Ouro", por coincidir com o elemento metal. A natural apreciação pelo porco entre os 12 animais do zodíaco foi potencializada pela associação ao ouro, vista como garantia de que os nascidos naquele ano teriam riqueza, prosperidade e felicidade excepcionais. Alguns astrólogos afirmaram que um novo Ano do Porco do Ouro como aquele só ocorrerá daqui a seiscentos anos, enquanto outros sustentaram que a combinação se repetirá dentro de sessenta anos. Para quem pretendia ter filhos, qualquer das previsões colocava o ano como a única oportunidade para receber os auspícios do porco de ouro.

A mitologia e a astrologia chinesas revelam profundas diferenças na visão de animais, reais ou imaginários, entre Ocidente e Oriente. O caso mais evidente é o dragão, o símbolo mais venerado da China, associado ao imperador e às chuvas e visto como o mais poderoso dos signos do zodíaco. O dragão é onipresente na cultura chinesa e aparece na decoração de palácios, na literatura, nas casas, em estampas de roupas, em vasos de porcelana e nas obras de arte. Também é a inspiração da clássica *Dança do dragão*, apresentada nas ruas no Ano-Novo, em outros festivais e até em funerais. O dragão é associado à energia *yang*, masculina, e é complementado pela fênix, a figura legendária que representa a imperatriz e a energia feminina *yin*.

O dragão chinês é uma mistura de vários animais e tem a forma esguia e longa de uma cobra. Sua cabeça é de camelo; os chifres, de veado; os olhos, de coelho (ou de demônio, dependendo da versão); o pescoço, de serpente; a barriga, de tartaruga (ou sapo). Ele não possui asas, não solta fogo pelas ventas e vive nos lagos, rios e oceanos. A cobra está longe de ter a imagem associada ao pecado e à desgraça da humanidade que tem origem na lenda de Adão e Eva, e o rato é considerado um ótimo signo pelos pais, visto como corajoso e empreendedor.

ANO-NOVO EM FEVEREIRO

A celebração do Ano-Novo é o momento em que as convicções e tradições milenares dos chineses se manifestam com mais força. É obrigatório comer peixe durante a celebração porque o som de seu nome é idêntico ao de fartura, *yú*, e sua presença na mesa é vista como a garantia de que nada faltará à família no período que se inicia. O peixe é servido inteiro, com a cabeça e o rabo, para mostrar que todas as coisas devem ter um princípio e um fim. O frango é outro prato associado à prosperidade que não pode faltar no Ano-Novo e deve ser colocado na mesa com cabeça e patas, para simbolizar completude.

Como mencionado anteriormente, o Ano-Novo cai em algum momento entre os dias 21 e janeiro e 20 de fevereiro e é a mais importante data para os chineses. Há um

Feira de Ano-Novo no parque Ditan, uma das mais populares de Pequim. As atrações são barracas de comida, jogos que se parecem aos das quermesses brasileiras, shows e venda de uma infinidade de quinquilharias – de máscaras de Barack Obama e Osama bin Laden a bonecos e cata-ventos para crianças.

feriado de uma semana, durante o qual as famílias se reúnem ao redor de mesas fartas e repetem os rituais destinados a atrair prosperidade e felicidade nos 12 meses seguintes.

Os que vivem longe de suas cidades enfrentam qualquer desafio para estar de volta no Ano-Novo. No período de quarenta dias antes, durante e depois do feriado, ocorre a maior migração de pessoas do mundo, com um número de viagens que supera a população total da China e chega a dois bilhões. Para os milhões de migrantes rurais, esta é a única chance de reencontro com suas mulheres e filhos. Os trens viajam apinhados e muitos usam fraldas descartáveis porque é impossível se locomover para chegar ao banheiro. Os trajetos podem durar trinta horas, percorridas de pé por grande parte dos passageiros.

Os chineses costumam se referir à data como Festival de Primavera, por ela marcar o fim do inverno e o início da nova estação no calendário lunar. Apesar de o feriado ser de apenas uma semana, a celebração do Ano-Novo só termina no 15º dia do calendário lunar, com o Festival da Lanterna.

A preparação para as festas começa dias antes do feriado, com uma faxina completa da casa, para que o pó do ano anterior não seja carregado para o seguinte. As laterais e o alto das portas de entrada são decorados com versos auspiciosos escritos em dourado sobre faixas vermelhas. No centro da porta, normalmente está o desenho do ideograma que significa *fortuna* ou *sorte* (*fú*, 福) pendurado de cabeça para baixo. Como em várias tradições chinesas, a prática envolve um jogo de palavras que leva à evocação de algo auspicioso. O som que significa *de ponta cabeça* (*dao*) é o mesmo usado para o verbo *chegar*. Assim, ao colocar o ideograma ao contrário, os chineses querem dizer que *a fortuna/sorte chegou* a suas casas.

Como no Brasil, o jantar na véspera do Ano-Novo é o ponto alto das celebrações e reúne toda a família, com exceção das filhas casadas, que estarão com as famílias de seus maridos. Depois do jantar, os moradores do norte do país se reúnem para preparar *jiaozi*, uma espécie de ravióli chinês, que será comido à meia-noite. Mais uma vez, o gesto é carregado de simbolismo. O formato do *jiaozi* é semelhante ao de uma antiga moeda chinesa, *yuanbao*, e existe a crença de que seu consumo trará riqueza no ano que começa.

Nos primeiros dias do ano, os chineses visitam parentes, realizam rituais religiosos, prestam homenagem aos antepassados e continuam a se reunir ao redor de mesas fartas. As filhas casadas visitam seus pais no segundo dia do ano, enquanto no primeiro ocorrem as visitas às pessoas mais velhas da família. As celebrações acabam no 15º dia, com o Festival da Lanterna.

Multidões visitam as feiras realizadas em templos e parques de todo o país durante a semana do Ano-Novo, espécie de quermesses com características chinesas. As atrações têm um toque pueril, com jogos de tiro ao alvo nos quais os prêmios são imensos bichos de pelúcia. As barracas vendem fantasias, perucas, máscaras, cata-ventos e comida, muita comida. Comprar petiscos em quiosques de rua é uma das diversões prediletas dos chineses, que chega ao auge nos dias de Ano-Novo. Apesar do frio quase paralisante, as atrações se completam com shows ao ar livre, que vão desde as clássicas danças do dragão e do leão à apresentação de cantores moderninhos.

A LÍNGUA SEM ALFABETO

A escrita chinesa foi durante séculos uma muralha invisível para os estrangeiros que tentavam compreender o Império do Meio e contribuiu para a imagem de isolamento que era associada ao país. Hoje ela continua a ser um desafio imenso para os forasteiros, mas, à diferença do passado, é possível aprender mandarim em qualquer grande cidade do mundo.

A grande dificuldade que cerca a escrita chinesa é o fato de ela não ser formada por um alfabeto, no qual há letras com sons específicos, desprovidas de um significado intrínseco. O "a" da nossa escrita é um símbolo abstrato, que pode ser combinado com outros para a formação de palavras que têm um sentido. Na escrita chinesa, não há letras, mas símbolos que possuem um significado intrínseco e que são chamados de caracteres ou ideogramas, por conterem uma ideia.

Para ser capaz de ler um jornal, uma pessoa deve saber no mínimo dois mil caracteres e um chinês educado deve dominar pelo menos quatro mil. Memorizar cada um é o único caminho para aprendê-los e é surpreendente que a China tenha um índice de analfabetismo de apenas 10% com um sistema de escrita tão complicado. As crianças começam a se familiarizar com os caracteres por volta dos três anos, bem antes de as crianças ocidentais serem apresentadas ao alfabeto, e dedicam muito mais tempo a estudá-los.

O que torna a tarefa mais complicada é o fato de que a maioria dos caracteres tem desenhos elaborados, distantes da simplicidade do "a, e, i, o, u". O verbo "procurar" em chinês é 找, que se pronuncia como *zhao*. Para agravar ainda mais a situação, a diferença entre eles pode ser mínima. O pronome "eu" é grafado como 我, caractere quase idêntico ao de "procurar", mas que é pronunciado como *wo*. A maioria das palavras é formada pela combinação de dois símbolos, como em *chi fan*, que significa "comer": 吃饭.

O uso de milhares de caracteres para se expressar faz com que os chineses tenham uma relação totalmente diferente com o dicionário e o computador, já que não existe teclado que reúna quatro mil sinais. A solução para a escrita é a utilização de um sistema chamado *pinyin*, que é a representação em alfabeto romano do idioma chinês falado. Assim, a expressão "eu como", que em mandarim é 我吃饭, é representada em *pinyin* como *wo chi fan*. Ao digitar *wo* em seu computador, o chinês se verá diante de todos os caracteres que podem corresponder ao monossílabo: no caso de *wo*, há pelo menos 59 opções, que variam de acordo com o tom utilizado na pronúncia e o contexto da frase. O programa de computador facilita as coisas ao oferecer em primeiro lugar os caracteres que são usados com mais frequência. Cabe ao usuário escolher qual deles significa o que ele quer dizer.

Para escrever a frase "eu moro na China", a pessoa não terá muito trabalho, já que todos os cinco ideogramas necessários serão os primeiros a aparecer na lista de dezenas de opções disponíveis. Em *pinyin*, a frase é *wo zhu zai Zhongguo*, acrescida dos sinais que marcam os tons (em cima do "o" do "wo", por exemplo, aparece um acento circunflexo ao contrário, para indicar o terceiro tom). Em mandarim, a frase será 我住在中国.

Os chineses usam o mesmo método para digitar mensagens de textos em seus telefones celulares, uma verdadeira febre no país. No ano de 2007, quase seiscentos bilhões de mensagens de textos foram trocadas na China. Em qualquer restaurante, bar, danceteria, ônibus, metrô há várias pessoas grudadas no celular, teclando com rapidez e destreza invejáveis.

O *pinyin* foi adotado pelo governo da República Popular da China em 1958 para substituir o antigo sistema de transliteração do chinês para o alfabeto romano, chamado Wade-Giles. Além de ser adotado no ensino do mandarim para estrangeiros, o método é usado no início da alfabetização das crianças, para que elas se familiarizem com a pronúncia dos símbolos. Os pais e professores adotam livros que trazem desenhos dos mais diferentes objetos acompanhados dos caracteres que os designam e sua pronúncia em *pinyin*.

A escrita chinesa começou a se desenvolver há 3,5 mil anos, a partir de pictogramas, que são representações gráficas de objetos, e ideogramas, símbolos que se aplicam a elementos abstratos ou "ideias". Originalmente, o caractere que significa sol era um círculo com um ponto no meio. Com o tempo evoluiu para o formato atual, 日, que se pronuncia *rì*. Exemplos de ideogramas são 上, *shàng* (acima, para cima), e 下, *xià* (abaixo, para baixo). Eles também podem ser resultado da combinação de dois caracteres, como paz, 安 (*an*), que é formado por teto e mulher.

Mas a maioria dos caracteres se enquadra na categoria de "fonogramas" e são formados por um dos 214 radicais existentes em chinês e um símbolo fonético, que deveria dar uma pista de sua pronúncia, mas na prática isso só funciona se o leitor souber de antemão como dizer aquele símbolo isoladamente. No fim, é a memorização de cada caractere que dará ao estudante o conhecimento de sua pronúncia. Os radicais indicam a categoria semântica a que o símbolo pertence: se ele se relaciona a fogo, água, doenças ou comida, por exemplo.

Depois de dois mil anos virtualmente inalterados, os caracteres sofreram sua primeira grande modificação depois da vitória comunista na China continental, em 1949. Na tentativa de reduzir os elevados índices de analfabetismo do país, Mao Tsé-tung determinou a simplificação da escrita, que na maioria dos casos significou a redução do número de traços usados na construção dos símbolos. "Leste", por exemplo, era representado por 東 e passou a ser 东. Em ambos os casos, a pronúncia é a mesma, *dong*. A ordem de escrita dos caracteres também foi modificada, com a adoção do sistema similar ao ocidental, que coloca os símbolos na horizontal e da esquerda para

Superstição e tradição | 65

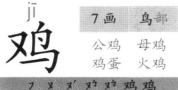

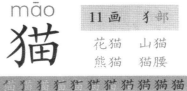

Os livros para alfabetização de crianças trazem fotos dos objetos, sua pronúncia em *pinyin* e o caractere chinês correspondente. As crianças também aprendem a ordem na qual os traços que compõem os caracteres devem ser desenhados. A regra geral é de cima para baixo e da esquerda para a direita.

a direita. A escrita clássica chinesa é feita na vertical e da direita para a esquerda. Os caracteres tradicionais continuam a ser utilizados em regiões habitadas por chineses, como Hong Kong, Macau e Taiwan.

Tradicional ou simplificado, há regras estritas para sua escrita, que definem a ordem e o número de traços, ou pinceladas, que compõem cada um. Saber identificar a quantidade de traços de cada símbolo é essencial para que o chinês possa consultar o dicionário. Existe um tipo que é organizado em ordem alfabética, de acordo com o *pinyin*, mas ele só tem utilidade se a pessoa souber como o caractere é pronunciado. Do contrário, terá que consultar um dicionário estruturado em torno dos 214 radicais, ordenados de acordo com o número de traços que possuem, dos mais simples para os mais complicados. No capítulo de cada radical, os caracteres também estão classificados de acordo com a quantidade de traços – daí a importância de saber contá-los. A tarefa pode ser simples quando se está diante de 六 ("número 6", *liu*, quatro traços), mas é bem mais complexa no caso de 清 ("claro", *qing*, 11 traços).

Aprender apenas a falar chinês é menos desafiador do que escrever. Nesse caso, o maior problema são os tons nos quais as palavras são pronunciadas, que apresentam diferenças extremamente sutis aos ouvidos ocidentais e que podem mudar totalmente o significado de uma expressão. O mandarim tem quatro tons, que são indicados em *pinyin* por sinais colocados sobre as palavras. Com isso, um único monossílabo pode gerar inúmeros significados, dependendo da maneira como for pronunciado.

Um exemplo clássico é *ma*, que pode ser *mãe* (妈) quando pronunciado no primeiro tom; *amortecido* (麻) no segundo tom; *cavalo* (马) no terceiro e *xingamento* (骂) no quarto. Os tons marcam a entonação com que cada sílaba é pronunciada e os sinais que os representam refletem exatamente como eles devem ser. O primeiro é uma linha reta; o segundo, um acento agudo, indicando que deve ser ascendente; o terceiro é um acento circunflexo ao contrário, o que significa que o som deve descer e subir; e o quarto é um acento grave, mostrando que o som deve descer. Como os computadores nem sempre são providos de programas que permitem a digitação dos sinais indicativos dos tons, os chineses passaram a colocar números ao lado do monossílado em *pinyin*, para indicar a pronúncia. Assim, o ma de *mãe* é escrito como *ma1*, para assinalar o primeiro tom, e o de cavalo, *ma3*.

A língua chinesa tem apenas quatrocentos monossílabos, que são o conceito mais próximo das palavras em nosso idioma, e o uso de diferentes tons é a maneira de multiplicar esses sons e criar novos significados. Às vezes, as diferenças de sons são mínimas e em muitos casos inexistentes, já que há palavras pronunciadas exatamente da mesma maneira, mas que têm significados, e caracteres, diferentes. Não é raro que os próprios chineses tenham dúvidas sobre o que exatamente seu interlocutor quer dizer. Quando isso ocorre, eles desenham no ar com o dedo os caracteres que podem se aplicar ao diálogo e perguntam: "Você disse *isso* ou *aquilo*?". E o outro responde desenhando no ar uma das duas opções (ou uma terceira), em uma linguagem de sinais que introduz a escrita na conversa falada.

Fora da sutileza dos tons, a gramática do mandarim é extremamente simples, especialmente se comparada à do português. Os verbos não são conjugados e não mudam quando se referem a passado ou futuro, que são indicados por expressões de tempo como "amanhã" e "ontem" ou por uma partícula que indica uma ação já concluída (*le*). O possessivo é formado pela adição de uma palavrinha (*de*) aos pronomes, que não sofrem nenhuma forma de flexão.

O contraste entre a gramática simples e a escrita complicada gera fenômenos como estrangeiros que são capazes de falar chinês, mas incapazes de ler ou escrever na mesma língua. Isso porque muitos aprendem com o uso do *pinyin*, que permite ao estudante conhecer o som do idioma, mas não sua escrita, formada pelos caracteres chineses. A pessoa poderá falar chinês, mas continuará a ser tecnicamente "analfabeta", mesmo depois de anos de estudo.

Ao longo da história milenar chinesa, a escrita teve um papel fundamental na construção e manutenção de uma identidade nacional. Até hoje, habitantes de diferentes regiões falam línguas e dialetos distintos, muitas vezes incompreensíveis para os demais. Mas todos utilizam a mesma escrita e podem se comunicar por meio dela, ainda que não consigam conversar. Isso é possível porque os caracteres não são dotados de natureza fonética, como as palavras construídas a partir do alfabeto romano. Assim, o símbolo 木 vai sempre significar madeira, não importando se pronunciado *mu*, em mandarim, ou *mook*, em cantonês.

O peso da escrita é revelado em uma passagem do romance *The Joy Luck Club*, da norte-americana filha de imigrantes chineses Amy Tan, que narra o encontro nos Estados Unidos de uma mulher de Pequim e um homem do Cantão. "Seu pai e eu éramos tímidos no começo, nenhum dos dois capaz de falar o dialeto chinês do outro. Nós íamos a classes de inglês juntos, conversando com aquelas novas palavras e às vezes usando um pedaço de papel para escrever um caractere chinês e, assim, mostrar o que queríamos dizer. Pelos menos nós tínhamos isso, um pedaço de papel para nos manter juntos."[1]

VOCÊ JÁ COMEU?

A comida talvez seja o terreno no qual os chineses continuam mais visceralmente chineses, apesar da avalanche de mudanças das últimas décadas. Comer é uma atividade extremamente valorizada na cultura local, e até há pouco tempo as pessoas costumavam se saudar com "*chi le ma*?", "você já comeu?". Os chineses falam muito sobre comida, adoram comprar petiscos em barracas de rua e são estritos com seus horários de almoço e jantar, que começam em torno de 11h30 e 18h30, respectivamente. Os mais velhos comem ainda mais cedo, por volta de 11h e 17h30. A culinária vai muito além do frango xadrez e do arroz *chop suey* e tem uma das maiores variedades de pratos do mundo, enriquecida pelas tradições de 55 diferentes etnias que habitam o país além da han, como mongóis, muçulmanos e tibetanos.

O hábito de comer com palitos surgiu na China há pelos menos três mil anos e se espalhou pela Ásia. A escolha foi influenciada pela convicção de que era bárbaro comer com a ajuda de facas, já que elas também poderiam ser usadas como armas. Essa ideia ganhou força com a filosofia de não-violência de Confúcio, que tem uma máxima dedicada ao assunto: "O homem honorável e correto fica longe tanto da cozinha quanto do abatedouro e não permite nenhuma faca em sua mesa."

Chamados de *kuaizi* em chinês, os palitos acabaram determinando a própria preparação da comida, normalmente servida em pequenos pedaços, que podem ser agarrados sem necessidade de cortes adicionais. A exceção são os peixes, colocados inteiros na mesa, incluindo a pele, a cabeça e o rabo. Como a carne é macia, é possível arrancá-la com a ajuda do *kuaizi*. Além dos palitos, o outro talher utilizado na China é a colher, destinada à sopa ou a alimentos de difícil "captura".

Comer ao lado de chineses nem sempre é uma experiência agradável para os que estão acostumados ao padrão ocidental de comportamento à mesa. Em primeiro lugar há os sons, emitidos muitas vezes com o intuito de demonstrar prazer e satisfação durante ou depois da refeição. O clássico é a ruidosa maneira de tomar sopa e comer *noodles*, à qual a língua inglesa batizou com o onomatopaico verbo *slurp*. O barulho tem a função de mostrar apreciação e também ajudar a esfriar a sopa antes que ela chegue à boca.

Outro clássico são os arrotos, emitidos não apenas no final, mas também durante a refeição. Falar de boca cheia e fumar entre uma mastigada e outra não deixam ninguém envergonhado e é comum ver chineses comendo com palitos na mão direita, enquanto têm um cigarro aceso ou um celular na esquerda. A etiqueta do uso dos palitos indica que eles devem ser usados para, literalmente, empurrar o arroz da tigela para a boca, em gestos rápidos, hábito que pode parecer pouco polido aos olhos ocidentais.

A maneira como restos indesejados são retirados da boca provoca mais um choque cultural. Os chineses consideram que peixes com espinhas são mais saborosos que os sem espinhas. Portanto, quanto mais, melhor. Como não dá para engolir as espinhas, os chineses se livram delas de uma maneira bem prática: cospem diretamente na mesa, do lado direito do prato. A técnica vale para animais com cascas, ossos e tudo o que não seja "engolível".

Uma de minhas experiências gastronômicas mais traumáticas na China foi comer com um grupo de diretores de uma grande fábrica, em uma mesa redonda. O cardápio

Superstição e tradição | 69

"Hao chi ma?" ou "está gostoso?". As ruas das cidades chinesas são cheias de pequenos restaurantes, muitos com um espaço minúsculo, no qual cabem apenas duas ou três mesas. Também há uma profusão de quiosques que vendem as mais variadas guloseimas chinesas, a um preço inacreditavelmente baixo.

eram crustáceos que pareciam pequenas lagostas, servidos inteiros. Eu não tinha a menor ideia de como conseguiria comer aquilo com um par de palitos, até que meu vizinho colocou um inteiro na boca, mastigou e cuspiu a casca na mesa, entre o meu prato e o dele. Em poucos minutos, havia uma pilha de restos mortais ao meu lado, o que provocou uma congestão no meu usualmente enorme apetite.

Os chineses veem a culinária como uma arte comparável à música, à pintura e à dramaturgia e há uma enorme variedade de estilos de cozinha, de acordo com as regiões do país. A divisão mais ampla diz que "o sul é doce, o norte é salgado, o leste é apimentado e o oeste, azedo". Mas várias das províncias desenvolveram estilos gastronômicos próprios, influenciadas por diferenças culturais, geográficas e climáticas.

A praça de alimentação do shopping em frente à minha casa em Pequim tem restaurantes de cerca de vinte regiões diferentes, cada uma facilmente identificável pelos chineses. Os pratos agridoces encontrados em restaurantes chineses no Brasil e em outros países são típicos da culinária cantonesa, do sul da China, de onde saiu o maior número de emigrantes a partir do século XIX. A província de Sichuan, no centro do país, é conhecida pela gastronomia apimentada, muitas vezes intolerável para quem não está acostumado com comida picante. Os pratos mais famosos da capital chinesa são o pato de Pequim e o *hot pot*, uma espécie de *fondue* que tem origem na cultura mongol.

Pequim também é o endereço dos banquetes imperiais, uma orgia gastronômica que parece interminável. O estilo chegou a seu auge na dinastia Qing, quando o banquete completo *manchu-han* chegou a ter 196 pratos, nos quais estavam incluídas as iguarias mais exóticas possíveis. Ainda hoje há restaurantes em Pequim especializados em banquetes imperiais, nos quais são servidos dezenas de pratos. Os que visitam a China em alguma missão oficial normalmente são recebidos com um banquete, que não caiu em desuso no regime comunista. A versão atual não chega aos 196 pratos da última dinastia, mas é uma extravagância durante a qual o visitante é confrontado com uma espécie de *pot-pourri* da culinária chinesa, no qual nem sempre consegue identificar com antecedência o que está prestes a comer.

As cozinhas das 55 minorias étnicas têm forte presença na gastronomia chinesa. Os restaurantes de Xinjiang, província muçulmana do extremo oeste, não servem carne de porco e têm inúmeros pratos com carneiro, enquanto os tibetanos comem carne de iaque, um boi típico da região. A carne de porco é a preferida dos chineses, que consomem 40% da oferta mundial do produto. Em seguida aparecem peixes, frango e outras carnes, incluindo a de boi, que é pouco consumida. Uma curiosidade para o os brasileiros é que quase não há pratos assados em fornos. O pão chinês, chamado de *mantou*, é cozido em vapor, mesmo método utilizado para vários tipos de *jiaozi*, uma espécie de ravióli, que ficam em caixas redondas de bambu colocadas sobre recipientes com água fervente. O pato de Pequim costuma ser comido em restaurantes, onde é cozido durante horas sobre as labaredas de fogo, e na maioria das casas os fogões não têm forno, apenas as bocas para colocação de panelas.

Para mim, o café da manhã é o momento de menor disposição para descobrir a diversidade cultural do mundo. Quando acordo, o que mais quero é uma xícara de café com leite e pão com manteiga, nada parecido com a refeição matinal chinesa. Nas casas ou nas inúmeras barracas de rua de Pequim, o clássico café da manhã é um canudo de massa frita e um copo de leite de soja. Nos hotéis, são servidas comidas de verdade, incluindo conservas, carnes, *dumplings* e sopa de arroz, sem nenhum sal ou tempero.

CELEBRAÇÃO COLETIVA

A refeição ideal para o chinês é uma celebração coletiva, na qual amigos ou familiares compartilham tudo o que é servido. O hábito ocidental de pedir pratos individuais em restaurantes é pouco usual na China. Normalmente, são pedidos vários pratos, que ficam no centro da mesa. Todos ao redor podem experimentar o que está à sua frente, às vezes se servindo com seu próprio par de palitos. Por razões de higiene, alguns restaurantes fornecem palitos que serão usados pelas pessoas apenas para se servir. A mesa ideal é redonda e equipada com um tampo de vidro móvel, que permite que os pratos circulem entre os comensais.

Outra característica chinesa é que não há fronteiras entre diferentes tipos de carne e estilos de comida. A mesma refeição pode ter peixe, porco, frango e bife, servidos com vegetais, cogumelos, sopas, *noddles* e, claro, arroz. Depois de décadas de fome no século passado, a fartura é imperativa. Quando vou a restaurantes com chineses sempre me impressiono com a quantidade de pratos servidos e, mais ainda, com as sobras. O costume de pedir para embrulhar o que não foi comido é totalmente aceitável e praticado por todos. Doces não têm grande popularidade e as sobremesas são ausentes do cardápio.

Não existem tabus em relação ao que se pode transformar em uma iguaria culinária na China. Há um ditado segundo o qual os chineses comem tudo o que voa e não é avião, tudo o que anda e não é carro, e tudo o que está na água e não é navio. Escorpiões, gafanhotos, cavalos-marinhos e bichos da seda são vendidos em espetinhos em barracas de rua de Pequim, e partes como estômago, intestinos e cabeça de alguns animais são bastante apreciadas.

Para os ocidentais, um dos hábitos alimentares mais perturbadores é o consumo de cachorro, comum no sul do país e em outros lugares da Ásia, como a Coreia. Entidades de defesa dos animais estimam que os chineses comam a cada ano dez milhões de cachorros, muitos dos quais mortos de maneira cruel, porque existe a crença de que a adrenalina melhora o gosto da carne.

Em março de 2006, eu fui de férias para Lijiang, uma cidade adorável na província de Yunnan, no sudoeste da China. Caminhando certa manhã, encontrei um equivalente chinês das feiras livres brasileiras e me encantei com um mundo pitoresco, até dar de cara com um cachorro sendo assado em um espeto. Meu choque foi tão grande que não consegui fotografar a cena, era como se eu fosse cúmplice de um assassinato. Quando me recuperei e voltei ao local, o cachorro não estava mais lá, mas havia outros, vivos, em gaiolas, à espera de serem mortos.

Escorpiões, gafanhotos e bichos da seda são menos consumidos do que se imagina, mas a culinária chinesa contempla uma gama extremamente ampla de pratos. Não há tabu em relação ao que pode virar comida e, entre as iguarias, há cérebro de macaco, camarões vivos e pênis dos mais diversos animais.

O costume de comer cachorro sobrevive mesmo com o forte crescimento do número de animais domésticos na China, prática que havia sido banida nos anos de Mao Tsé-tung por ser considerada um desvio pequeno-burguês. Em razão do aumento da renda nos últimos anos, é cada vez mais comum ver pessoas passeando nas ruas das grandes cidades com seus cachorros, e qualquer supermercado agora tem uma seção dedicada a comida para bichos domésticos. Entidades de defesa dos animais realizam campanhas para a eliminação da prática, que já foi banida em Hong Kong, a antiga colônia britânica que voltou ao domínio da China em 1997. O *slogan* da Animals Asian Foundation é "amigos... ou comida?".

Depois do porco, peixes são a carne mais consumida na China e costumam ser vendidos vivos, para satisfazer a exigência de que sejam extremamente frescos. Redes de supermercados ocidentais, como Carrefour e Wal-Mart, têm tanques onde ficam peixes, rãs, crustáceos e tartarugas. Muitos restaurantes também possuem aquários, de onde os peixes saem direto para a cozinha. Alguns são colocados vivos na água fervendo e ainda abrem e fecham a boca quando chegam à mesa. Em certas regiões da China, incluindo a cosmopolita Xangai, existe um prato chamado "camarões bêbados", no qual os animais são imersos em aguardente chinesa (*baijiu*), agarrados com palitos, mergulhados em um molho frio e comidos vivos; a receita recomenda a extração de antenas e pernas para os que estão se iniciando na prática.

REMÉDIO OU COMIDA?

Os chineses acreditam que a culinária e a medicina tradicional têm a mesma origem e estão intimamente relacionadas, o que explica muito das "esquisitices" gastronômicas locais. Há uma forte preocupação com o impacto da alimentação sobre a saúde e uma constante busca de harmonia e equilíbrio entre as energias *yin* e *yang* que interagem no organismo. Desde criança, os chineses aprendem quais são os alimentos ou chás que tiram o excesso de calor ou de frio do corpo, conceitos que não têm nenhuma relação com a temperatura externa. Carneiro e carne de boi acrescentam calor, enquanto a carne de porco é associada ao frio.

A medicina tradicional chinesa acredita que os sintomas variam de acordo com o órgão interno onde o excesso de calor está concentrado e incluem feridas nos lábios, mau hálito, insônia, dor de cabeça, náusea, tosse, palpitações etc. O excesso de frio está associado, entre outras coisas, à preferência por alimentos e bebidas quentes, à dor quando o estômago está vazio e ao cansaço.

Os médicos tradicionais podem dizer qual das duas temperaturas prevalece depois de colocar os três dedos do meio no pulso do paciente e senti-lo por alguns minutos, além de examinar a língua e os olhos. Quando fui a uma consulta, o diagnóstico foi o de que eu estava com muito calor no fígado. Paradoxalmente, a médica me disse que eu não deveria tomar bebidas geladas nem comer comidas cruas durante uma semana. A prescrição de dietas é parte integrante da estratégia dos médicos tradicionais no tratamento de doenças.

Os chineses decidem o que comer baseados mais nas crenças sobre o que faz bem ou mal à saúde do que no apelo gastronômico dos pratos. A relação com bebidas também é orientada pelas convicções milenares da medicina tradicional chinesa. Nada deve ser tomado gelado, porque existe a convicção de que a baixa temperatura provoca um choque indesejado no estômago. A água fria é evitada durante as refeições, mas a água e o chá quentes são permitidos, por acreditar-se que eles auxiliam na digestão.

Funcionários manipulam fórmulas em farmácia de medicina tradicional chinesa de Pequim. A culinária e a medicina tradicional têm a mesma origem e estão relacionadas, o que explica muitas das "esquisitices" da gastronomia local. A decisão sobre o que comer é influenciada pelas crenças sobre o que faz bem à saúde.

Ninhos de pássaros e barbatanas de tubarão são apreciados não apenas por seu gosto, mas pela convicção de que trazem benefícios à saúde, tanto que também são vendidos nas farmácias de medicina tradicional. Ambos foram introduzidos na China no século XIV, a partir do Sudeste Asiático, e se transformaram em iguarias culinárias durante a dinastia Qing (1644-1911).[2]

O ninho não é de qualquer pássaro, mas de um que habita encostas próximas do mar. Sua "colheita" é arriscada e trabalhosa, o que torna o prato um dos mais caros da cozinha chinesa. Nas farmácias, um ninho de pássaros de 10g custa entre 600 e 700 yuans, algo entre US$ 90 e US$ 100. Os chineses têm o hábito de presentear amigos, familiares, chefes e potenciais parceiros de negócios com comida, e ninhos de pássaro estão entre os mimos preferidos. Também são dos mais caros: uma caixa

Superstição e tradição | 75

Barbatana de tubarão exposta em restaurante de Pequim. A ONU estima que cerca de cem milhões de tubarões são mortos a cada ano para alimentar o mercado asiático do produto, que cresceu rapidamente com a emergência dos endinheirados chineses, que acreditam em seu suposto poder afrodisíaco.

para presente de 90g custa quase US$ 1 mil. Nos restaurantes, uma pequena porção gira em torno de US$ 50.

O que o faz especial é o fato de ser construído com a saliva do pássaro. Os chineses acreditam que o ninho tem alto teor de proteína e beneficia rins, pulmão, coração e estômago, além de melhorar a circulação. A popularidade dos ninhos em vários países do Sudeste Asiático levou à queda na população do tipo de andorinha que os fabrica, já que eles são recolhidos antes que os animais se reproduzam.

O consumo de barbatanas na China e em outros países da Ásia alimenta uma indústria responsável por uma verdadeira matança de tubarões. Não há estatísticas precisas sobre o número, mas alguns pesquisadores estimam que o hábito provoca a morte de 38 milhões de animais a cada ano,[3] enquanto a Organização das Nações Unidas (ONU) afirma que a cifra chega a 100 milhões.

Os caçadores arrancam todas as barbatanas do tubarão, no dorso, no peito e no rabo, e deixam o restante do corpo no mar. Impossibilitados de nadar, os animais enfrentam uma dolorosa e agonizante morte, que pode demorar horas ou dias. Segundo a entidade preservacionista WildAid, das cem espécies atacadas na caça a barbatanas, três enfrentam risco de extinção, enquanto outras 17 são consideradas vulneráveis ou ameaçadas. A população de algumas espécies já diminuiu em 80%, o que tem impacto devastador sobre o ecossistema, pois os tubarões são o principal predador dos mares.

A emergência de uma grande classe consumidora na China nos últimos anos elevou de forma dramática o consumo do produto e transformou o país em seu maior importador mundial. Caras, as barbatanas se tornaram um poderoso símbolo de *status* dos novos ricos. A exemplo dos ninhos de pássaros, elas são vendidas nas farmácias de medicina tradicional e uma porção de 500g pode custar de US$ 100 a US$ 340, dependendo da qualidade. Antes uma iguaria apreciada por poucos, as barbatanas entraram na rota do consumo de massa e são encontradas em restaurantes e servidas em jantares, banquetes e festas de casamentos.

Além da busca de *status*, os chineses e outros asiáticos consomem barbatanas de tubarão motivados pela crença de que elas têm poder afrodisíaco, rejuvenescem e trazem benefícios à saúde, o que não é comprovado por nenhum estudo científico. As barbatanas não têm gosto especial e são servidas em sopas feitas com frango e cogumelos. Elas têm que ser cozidas durante horas, até se desmancharem e adotarem o aspecto de fios de macarrão. Em 2006, o jogador de basquete Yao Ming, um dos ídolos mais respeitados da China, declarou que nunca mais comeria sopa de barbatanas de tubarão e estrelou uma campanha publicitária da WildAid na qual apresentava a devastação ambiental provocada pelo hábito milenar. Apesar de sua popularidade, Yao Ming não teve sucesso em seu apelo e o prato continua a ser oferecido em restaurantes e farmácias de medicina tradicional.

Mas ninhos de pássaros e barbatanas de tubarão estão longe de ser os itens mais exóticos da gastronomia local. Na China antiga, a lista das comidas mais apreciadas começava com patas de urso e seguia com ninhos de pássaros, barbatana de tubarão, pepinos do mar, tromba de elefante, corcova de camelo, rabo de cervo e cérebro de macaco.[4] Perto dessa lista, os escorpiões e bichos da seda que são vendidos em espetinhos nas ruas de Pequim parecem brincadeira de criança.

Barbatana de tubarão, ninhos e pássaros e pepinos do mar continuam a ser consumidos em larga escala, enquanto o restante da lista não é mais encontrado com tanta facilidade. O consumo de patas de urso é proibido por lei, mas existe um mercado negro que alimenta a demanda da iguaria pelos novos-ricos. Volta e meia há notícias de apreensões do produto. Em outubro de 2007, a polícia chinesa prendeu um homem que tentava vender 64 patas de urso avaliadas em US$ 43 mil, segundo a imprensa oficial. A demanda não ameaça apenas os animais que vivem na China, mas também a população de ursos de países vizinhos. O preço de uma pata pode chegar a US$ 1 mil e não é impossível encontrar restaurantes nos quais a especialidade é servida. Além da China, as patas são consumidas em outros países asiáticos, como Coreia do Sul.

Os ursos também são alvo da medicina tradicional chinesa, que indica a bílis do animal para o tratamento de doenças do fígado e do sistema biliar. Apesar de a indústria farmacêutica já ter desenvolvido a tecnologia de produção sintética da bílis, muitos médicos tradicionais continuam a receitar a que é extraída dos ursos.

Para alimentar esse mercado, cerca de sete mil ursos são mantidos em "fazendas de bílis" na China, onde vivem em jaulas nas quais mal se podem mover. A bílis é retirada duas vezes por dia por meio de canais abertos no abdome dos animais. Alguns ursos chegam a viver vinte anos nessas condições, que causam transtornos mentais, severa atrofia muscular e perda de pelos. Muitos têm seus dentes e unhas arrancados e morrem vítimas de infecções nas feridas provocadas pela extração.

Os defensores das fazendas de bílis, que têm existência legal na China, sustentam que elas evitam a caça indiscriminada de ursos selvagens, já que garantem um suprimento estável e renovável do produto. As entidades de defesa dos animais contra-atacam com o argumento de que há substitutos sintéticos para a bílis e que manter os ursos enjaulados equivale a uma cruel forma de tortura.

A entidade Animals Asian Foundation firmou no ano 2000 um acordo com o governo chinês para retirar quinhentos ursos das fazendas de bílis e transferi-los para uma reserva na província de Sichuan, no centro do país, dentro de uma campanha para a eliminação da prática e do consumo medicinal da bílis. Os antigos criadores dos animais recebem uma indenização, para que possam se aposentar ou iniciar outro tipo de negócio. Até março de 2008, 247 ursos haviam sido transferidos para a reserva.

A CERIMÔNIA DO CHÁ

Apesar da ascensão do café junto à juventude abastada, o chá continua a ser a bebida por excelência dos chineses. O hábito é cultivado por ricos e pobres, camponeses e urbanoides, velhos e jovens, homens e mulheres, poderosos e despossuídos, e é um dos elementos centrais da identidade nacional. Os chineses costumam tomar chá várias vezes por dia e cada um inventa uma maneira de ter a bebida sempre à mão. Os taxistas carregam vidros grandes parecidos com os de Nescafé cheios de chá, que vão tomando durante o dia. Quando o suprimento acaba, encontram um lugar onde haja água quente e enchem o vidro novamente.

Todos os escritórios e locais de trabalho têm água fervente à disposição dos funcionários e quartos de hotel são equipados com bules elétricos para a preparação do chá. Os bebedouros de água mineral, incluindo os usados nas casas, já vêm com um sistema de aquecimento e duas torneiras: uma para temperatura ambiente, outra para quente. O chá é a bebida oferecida nos encontros de negócios e está presente em qualquer reunião com autoridades chinesas. Nessas ocasiões, é servido em xícaras que vêm com uma tampa para manter o calor.

A coreografia executada pelas moças responsáveis pelo suprimento de água quente é uma das atrações dos massivos encontros que os líderes comunistas realizam no Grande Palácio do Povo, em Pequim. Vestidas de saia e blusas em estilo chinês, elas entram no plenário em fila, carregando enormes garrafas térmicas, e começam a executar de maneira sincronizada a tarefa de repor água nas xícaras à frente dos integrantes da elite dirigente do país – os recipientes contêm uma quantidade de chá suficiente para manter o sabor da bebida por várias "rodadas" de água. Cada uma é responsável por uma das fileiras de mesas onde se sentam as autoridades e terminam a tarefa quase ao mesmo tempo, depois do que se retiram do local em fila.

A mitologia atribui a invenção do chá ao imperador Shennong, que teria vivido há cinco mil anos e ensinado aos chineses as técnicas de agricultura e a medicina tradicional. Segundo a lenda, o imperador provou a bebida em 2737 a.C, quando folhas de chá trazidas pelo vento caíram acidentalmente na xícara de água quente que um de seus criados havia preparado para ele. Durante séculos, o chá foi tratado como uma bebida medicinal ou utilizado como oferenda em rituais religiosos.

Seu consumo começou a se popularizar a partir do século III, estimulado pela convicção de que traz uma série de benefícios à saúde, prolonga a vida e clareia a mente. Na dinastia Tang (618-907), a bebida já havia se espalhado por toda a sociedade e passou a ser considerada um dos sete elementos essenciais em uma casa, ao lado de fogo, arroz, óleo, sal, molho de soja e vinagre.

Superstição e tradição | 79

Vendedora de chá no principal mercado do produto em Pequim, o Maliandao. Tomar chá faz parte do cotidiano dos chineses há milênios e em qualquer lugar há uma maneira de se ter água quente para a preparação da bebida. Durante o Império, o chá inspirava os poetas e os eruditos da corte.

O chá se tornou a bebida dos eruditos chineses e seu consumo inspirava as manifestações artísticas identificadas com a elite da era imperial: poesia, música, caligrafia e pintura. O primeiro tratado da história sobre o cultivo, o processamento e o consumo do chá foi escrito na China ao redor de 760 por Lu Yu (729-804), que chamou seu trabalho de *Cha Jing* – O Clássico do Chá. Centenas de poemas compostos pelos eruditos imperiais enaltecem a bebida e seu efeito apaziguador sobre o espírito.

Da China, o chá foi levado por monges budistas para o Japão, onde se tornou objeto de uma elaborada cerimônia, desenvolvida a partir do princípio zen de apreciação da beleza da vida cotidiana. Também se espalhou por outros países do Leste Asiático e finalmente chegou à Inglaterra, no século XVII, onde ganharia popularidade a ponto de se tornar a bebida nacional.

As duas palavras usadas no mundo para designar a infusão têm origem na língua chinesa. No norte do país, o nome utilizado é *cha*, idêntico ao que é adotado no Brasil e semelhante ao empregado na Rússia (*chai*) e na Turquia (*chay*). No sul da China, é mais comum o emprego de *tee*, que levou ao *tea* do inglês e ao *té* dos espanhóis.[5] Apesar dos sons diferentes, *tee* e *cha*, o ideograma que representa a bebida é o mesmo em todo o país: 茶.

Com a reforma econômica, centenas de casas de chá foram abertas em Pequim e estima-se que hoje existam quinhentos estabelecimentos do tipo na capital. A Lao She foi inaugurada em 1988 e é uma das maiores da cidade, com capacidade para 350 pessoas em três andares. O nome é uma homenagem ao escritor Lao She, um dos mais importantes do século XX, autor da peça *A casa de chá*. Além de servir a bebida, ela tem uma sala para espetáculos, onde a cada noite é apresentada uma seleção das principais manifestações teatrais da época do Império que sobrevivem até hoje: Ópera de Pequim, acrobacias, malabarismo, mágica e "mudança de cara", um espetáculo no qual o artista troca uma sucessão de máscaras de maneira quase imperceptível.

ENCONTRO DE PÁSSAROS

Apreciar a companhia de grilos, pássaros e peixes é outro costume imperial que se mantém até os dias de hoje. Os chineses não só criam pássaros, como costumam carregá-los em passeios ao ar livre, para evitar que fiquem deprimidos e garantir que continuem a cantar. Muitos transportam na garupa de suas bicicletas as gaiolas com os bichinhos e as penduram em árvores de praças e parques, ao lado de outras gaiolas com pássaros trazidos por seus amigos. Enquanto os donos se reúnem para jogar e conversar, os pássaros cantam.

Superstição e tradição | 81

Uma das inúmeras feiras de pássaros existentes em Pequim. Os criadores dos animais costumam levá-los para passeios ao ar livre, onde se reúnem com amigos, que também levam os seus pássaros. O objetivo é evitar que os animais se deprimam e expô-los a tipos variados de sons, para que aperfeiçoem o seu canto.

As cidades chinesas estão cheias de pequenas feiras de animais, nas quais pássaros, peixes e grilos dividem o espaço com sapos, escorpiões e lagartos. Bichos como cachorros e gatos precisam ser registrados em delegacias de polícia e costumam ser vendidos em lojas especializadas.

A criação de pássaros como animais de estimação tem uma história de séculos na China, mas chegou a seu apogeu durante a última dinastia, a Qing (1644-1911), fundada pelos invasores manchus, de quem os chineses assimilaram o hábito de levar os animais para passeios ao ar livre. Hoje os criadores se reúnem nas feiras e em fóruns na internet para trocar experiências sobre os mais variados aspectos da relação com os pássaros, de como alimentá-los a como conseguir que cantem melhor. Ao lado dessa tradição, se desenvolveu uma verdadeira arte na construção de gaiolas, que são de madeira e possuem potinhos de porcelana para a colocação de comida e água.

Peixes dourados são um forte símbolo da cultura chinesa e começaram a ser criados em lagos a partir do século XII. A pronúncia da palavra "peixe" em chinês é semelhante à de "abundância", o que transformou o animal em um dos prediletos ao longo da história. Na semana em que Ano-Novo é celebrado, pinturas e papel recortado no formato de peixes dourados são encontrados em virtualmente todas as casas chinesas, na expectativa de que a fartura seja a marca dos meses seguintes. Mas o peixe não fica só na decoração e costume ser servido inteiro nas refeições do Ano-Novo e simboliza completude, por ter um início (cabeça) e um fim (rabo).

O hábito de cultivar peixes dourados e carpas foi levado da China para o Japão no século XVI e para Portugal no século XVII. A Holanda começou a criar os animais em 1728 e o primeiro registro de que foram à Inglaterra aparece em 1794. As feiras de animais chinesas têm uma enorme variedade de peixes ornamentais, além do dourado, e também vendem minúsculas minhocas vivas para alimentá-los.

Grilos e gafanhotos são apreciados pelo som que emitem e pela crença de que trazem boa sorte. Há pelo menos mil anos, os chineses têm o costume de criar os animais em pequenas gaiolas ou cumbucas com furinhos na tampa. Os corredores das feiras nas quais os bichinhos são vendidos têm uma trilha sonora particular, com o som de centenas, às vezes milhares, de grilos e gafanhotos que cantam ao mesmo tempo.

Os animais são expostos em grandes caixas de isopor ou em pequenos recipientes de plástico com furos na tampa, para que os compradores possam escutar o som que emitem e decidir qual deles comprar. Alguns chineses carregam a cumbuca com o grilo ou gafanhoto no bolso da camisa e outros levam os animais no carro. Já peguei táxis em Pequim nos quais eu escutava o ruído e em seguida via a gaiolinha ao lado do motorista.

Outra razão da popularidade dos insetos é a verdadeira paixão que muitos chineses têm pela luta de grilos, semelhante ao entusiasmo que a briga de galo desperta em algumas regiões do Brasil. Como nas touradas espanholas, existe até uma "temporada de lutas", que vai de 8 de setembro a 23 de outubro.[6] A tradição teve início na dinastia Tang (618-907) e sobrevive até os dias de hoje. Para garantir o equilíbrio do confronto, os grilos que vão se enfrentar têm tamanho e peso semelhante. O "ringue" é uma pequena caixa ou recipiente de porcelana, ao redor dos quais ficam os torcedores e os donos dos grilos. Muitos chineses criam seus próprios "lutadores", com alimentação e treinamento que estimulam sua agressividade, e os levam a enfrentamentos com grilos de seus amigos.

As apostas em dinheiro, comuns no passado, estão proibidas. Ainda assim, há "rinhas" clandestinas, que a polícia tenta controlar com a prisão de seus donos e dos apostadores.

Superstição e tradição | 83

Feira de grilos em Pequim, onde o som emitido pelos insetos cria uma trilha sonora característica. Os animais são escolhidos pelo seu aspecto e pelo barulho que fazem. Mas também há os que compram grilos de luta, que vão enfrentar outros em pequenos "ringues" com direito à torcida

A cidade de Ningjing produz os que são considerados os melhores grilos da China, com grande cabeça, pescoço largo, pernas fortes e boa cor. Localizada na província de Shandong, na região centro-leste, a cidade foi durante séculos a fornecedora de grilos para os imperadores da China. Agressivos e fortes, eles chegam a custar US$ 1,2 mil e vencem a maioria das competições realizadas no país.

NOTAS

[1] Amy Tan, The Joy Luck Club, New York, Penguin Books, 2006, p. 263.
[2] Liu Junru, Chinese Foods, Beijing, China Intercontinental Press, 2004.
[3] National Geografic News, 12 out. 2006.
[4] Liu Junru, op. cit.
[5] Idem.
[6] Wang Shanshan, "Real Shanghai Discovered in Her Bazaars", em China Daily, 1 jul. 2005.

A OUTRA CHINA

O CAMPO E A CIDADE

A prosperidade trazida pelo crescimento econômico das últimas três décadas transformou a vida de todos os chineses e permitiu que quinhentos milhões deixassem de viver abaixo da linha da pobreza, segundo cálculos do Banco Mundial, em um dos mais bem-sucedidos esforços do gênero em todo o mundo. O analfabetismo diminuiu de quase 30% para 9,31%, e a renda *per capita* se multiplicou 8,6 vezes, para US$ 2,5 mil em 2007 – o número equivale a pouco mais de um terço da renda *per capita* dos brasileiros e mostra que a China ainda está longe de ser considerada rica.

O país que emerge das mudanças recentes é cada vez mais cindido entre os que recebem muito e os que recebem pouco ou quase nada dos benefícios do crescimento econômico. O abismo mais profundo separa os moradores das cidades e os milhões de camponeses que vivem na zona rural, a maioria dos quais sem acesso a serviços básicos, como saneamento. A outra divisão é entre a próspera costa leste, onde estão Xangai, Pequim e Cantão, e o empobrecido oeste, onde indicadores sociais estão bem abaixo da média nacional. Por fim, há a distância cada vez maior entre ricos e pobres, algo paradoxal em um país governado por comunistas.

A China dos excluídos é bem maior que a China dos incluídos e ainda vive em condições que mudaram pouco nas últimas décadas – ou séculos. Grande parte dos 740 milhões de camponeses mora em pequenos distritos e vilas rurais e enfrenta uma vida de privações, na qual as mulheres lavam roupa em riachos, a água tem que ser retirada de poços e banheiros são imundos buracos no chão sem descarga. O cultivo é manual e agricultores do sul preparam a terra para plantar arroz com o mesmo arado de madeira puxado por búfalos de água que aparecem em gravuras do século XVIII.

O país era um dos mais igualitários do mundo em 1978, quando as reformas começaram. Nos anos seguintes, e principalmente a partir da década de 1990, a China se transformou em um dos lugares onde a desigualdade cresce mais rapidamente. De

Agricultor da província sulista de Guangxi trabalha a terra com arado manual, puxado por animal. Os camponeses chineses cultivam pequenos pedaços de terra, de tamanho inferior a um hectare, e a mecanização é praticamente inexistente, em uma tentativa de garantir emprego para os 740 milhões que ainda vivem na zona rural.

Gravura do início do século XVIII mostra um camponês arando a terra com os mesmos instrumentos utilizados até hoje. Apesar do rápido processo de urbanização, a maioria da população chinesa continua a viver no campo e foi menos beneficiada pelas mudanças econômicas que os moradores das cidades.

Mulheres lavam roupa em canal na província de Yunnan, no sudoeste chinês. Grande parte da zona rural do país não tem saneamento básico, o que significa ausência de água encanada nas casas. As regiões mais pobres são o centro e o oeste, nas quais indicadores sociais ficam abaixo da média nacional.

acordo com o Índice Gini, que mede as disparidades de renda dentro de um país, a desigualdade na China já é maior que a dos Estados Unidos, o ex-inimigo ideológico dos comunistas, combatido por ser o emblema das injustiças do capitalismo sem amarras.

Quanto mais alto for o número, maior a desigualdade. O Índice Gini do antigo Império do Meio está em 46,9 pontos, comparado a 40,8 pontos dos norte-americanos, de acordo com a Organização das Nações Unidas (ONU).[1] O patamar ainda é inferior aos 57 do Brasil, mas está bem acima dos 34,4 do vizinho e também comunista Vietnã. A renda líquida anual dos moradores da zona rural em 2007 foi de 4.140 yuans, algo como US$ 530 pelo câmbio da época. O valor correspondia a menos de um terço do rendimento líquido de 13.786 yuans (US$ 1.770) obtido pelos trabalhadores das cidades.[2] O abismo se manifesta ainda na propriedade de bens de consumo duráveis.

No campo, existem 22,48 geladeiras para cada grupo de cem famílias, bem menos que as 91,75 encontradas nas cidades para a mesma população. Cada cem famílias camponesas têm 62,05 telefones celulares, o que significa que quase 40% delas não possuem o aparelho. Nas cidades, muitas têm mais de um, já que a relação é de 152,88 para cada grupo de cem famílias.[3]

De acordo com as cifras oficiais, a área rural da China tinha, em 2007, um total de 14,8 milhões de pessoas vivendo em pobreza absoluta, com uma renda anual líquida inferior a 785 yuans, o equivalente a US$ 100 ou US$ 0,28 por dia. Outros 28,41 milhões de camponeses sobreviviam com renda entre 786 e 1.067 yuans – US$ 137 ao ano ou US$ 0,37 por dia.[4] Em ambos os casos, a linha de pobreza está abaixo do patamar de um dólar diário adotado por muitas entidades internacionais. Na avaliação do Banco Mundial, 135 milhões de chineses ainda estão abaixo dessa linha.

A empobrecida zona rural tem uma identidade muito maior com os ideais da Revolução de 1949 do que os habitantes das cidades, e imagens de Mao Tsé-tung, Zhou Enlai e Deng Xiaoping aparecem nas paredes de escolas, casas e locais públicos. Não existe propriedade privada da terra, que pertence ao Estado ou à coletividade que vive em cada vila e que decide em conjunto como será a divisão dos lotes entre as famílias.

Em 2008, Pequim anunciou medidas que prometem revolucionar a zona rural e o modelo de produção agrícola do país, ao dar aos camponeses permissão para vender, arrendar ou utilizar como garantias de empréstimos seus direitos de exploração da terra. As mudanças abrem caminho para uma reforma agrária às avessas, que poderá levar à concentração de grandes extensões de terra nas mãos de uma única empresa. Na avaliação do governo, a reforma vai modernizar a agricultura, acelerar o processo de urbanização e reduzir a distância entre os moradores do campo e da cidade.

Os camponeses exercem o que mais se aproxima do direito do voto na China, ao elegerem a cada três anos os representantes do comitê encarregado de administrar os assuntos de interesse de todos. A China tem cerca de setecentas mil vilas rurais, nas quais vivem em média cerca de mil pessoas. As eleições começaram em algumas vilas na década de 1980, quando o desmantelamento das comunas criadas durante a Revolução Cultural desorganizou a produção e o modo de vida na zona rural. Os camponeses começaram a se organizar e criaram um sistema de autogestão, pelo qual elegem seus representantes e fiscalizam como seu trabalho é exercido. Em 1998, o Congresso Nacional do Povo aprovou uma lei que regulamenta a realização de eleições em todas as vilas do país.

Mas o processo de votação está longe de ser livre e sofre a influência dos representantes locais do Partido Comunista, que muitas vezes impõem suas candidaturas aos camponeses. Também não implica a existência de um sistema multipartidário, já que qualquer tentativa de oposição organizada ao partido é proibida. Os que não são comunistas lançam suas candidaturas de maneira "independente", sem nenhuma vinculação com outras legendas.

O despotismo, a arbitrariedade e a corrupção de chefes locais do partido é outro dos problemas enfrentados por milhões de camponeses chineses, em um fenômeno não muito distante do coronelismo no nordeste brasileiro. Há casos de líderes que vendem de maneira ilegal a terra dos agricultores e recebem gordas propinas de empreendedores imobiliários e indústrias ávidos por espaço para ampliar seus negócios. Outros fazem vista grossa a fábricas que poluem rios e terras, comprometendo a produção agrícola e a vida dos camponeses.

Sem ter a quem recorrer, milhares de pessoas se dirigem à capital do país, na esperança de que o poder central intervenha e corrija as injustiças, em um sistema semelhante ao que vigorou no Império durante séculos. Muitos dos chamados "peticionários" se hospedavam em um distrito chamado Fengtai, no sul de Pequim, enquanto aguardavam resposta a suas queixas.

Em 2007, o local reunia cerca de quatro mil pessoas, muitas das quais de vilas que ficavam a milhares de quilômetros da capital. Na preparação para a Olimpíada de Pequim, o governo anunciou no fim de 2007 que o local seria demolido, o que recebeu crítica de entidades de defesa dos direitos humanos de todo o mundo. Os peticionários são vistos com embaraço pelo governo central e são alvo de constantes ataques da polícia e de capangas que agem a mando dos chefes regionais do partido. Com a demolição de Fengtai, eles ficaram ainda mais vulneráveis.

O ESTADO AUSENTE

A situação dos pobres chineses, tanto do campo quanto da cidade, é agravada pela ausência de uma rede de proteção social. A maioria da população não tem aposentadoria nem assistência médica gratuita. Para completar, até o ensino fundamental obrigatório é pago. Em 2006, o governo iniciou um projeto que isenta as famílias rurais mais pobres da anuidade escolar de seus filhos e cerca de 150 milhões de crianças começaram a estudar de graça.

Sem amparo do Estado, a maioria dos chineses tem que guardar dinheiro para conseguir enfrentar esses gastos. O nível de poupança na China é um dos mais altos do mundo e chega a 40% do PIB, o que equivalia a US$ 1,4 trilhão em 2007 – o PIB inteiro do Brasil era de US$ 1,6 trilhão naquele ano. As principais preocupações das famílias são pagar por despesas de saúde, custear os estudos dos filhos e comprar um imóvel. Quanto à aposentadoria, a expectativa é a de que os filhos cuidem de seus pais na velhice.

Cerca de 80% dos camponeses e pelo menos 50% dos moradores das cidades não possuem nenhuma forma de seguro-saúde. Pesquisa do Ministério da Saúde divulgada em 2005 mostrava que metade dos entrevistados não procurava um médico quando estava doente por não ter dinheiro suficiente. Quando a situação é realmente grave, muitas famílias acabam se endividando para pagar despesas com hospitais, o que agrava ainda mais sua situação de penúria. Estatísticas oficiais mostram que em 1978 os indivíduos tinham que pagar de seu bolso o equivalente a 20,4% de suas despesas médicas – o restante era custeado pelo Estado. O percentual aumentou de maneira ininterrupta nos anos seguintes, até chegar ao pico de 60% em 2001. Desde então, vem caindo gradativamente, graças à elevação dos gastos públicos na área, mas em 2005 ainda estava em 52,2%.[5]

No início de 2009, Pequim anunciou um ambicioso plano de US$ 123 bilhões para reformar o setor de saúde e ampliar a parcela dos gastos médicos que é custeada pelo governo. Além de aplacar conflitos sociais, as autoridades esperam que as mudanças levem os chineses a pouparem menos e consumirem mais, um dos objetivos de longo prazo da China.

Entre os excluídos, um dos grupos mais sacrificados é o dos migrantes rurais, uma instituição tipicamente chinesa, formada por cerca de 150 milhões de camponeses que vagam pelo país em busca de empregos temporários nas cidades. São esses migrantes que levantam os milhões de metros quadrados de construção em toda a China e ocupam as linhas de montagem das fábricas que não exigem mão de obra qualificada.

Esse grupo se parece com os retirantes nordestinos brasileiros pelo fato de também terem sido expulsos pela miséria da vida rural. A diferença é que os retirantes chineses vivem como semiclandestinos nas cidades, sem poder matricular seus filhos na escola ou ter acesso a serviços básicos. Por isso, a maioria emigra sem a família e a revê uma vez por ano.

A maioria vive em alojamentos coletivos com outros oito ou dez trabalhadores e são facilmente identificados nas ruas das grandes cidades pelas roupas humildes, o rosto queimado de sol e o saco pendurado nas costas, onde carregam toda a sua bagagem. Os salários que esses trabalhadores recebem na construção civil variam de US$ 100 a US$ 200 por mês, mas o dinheiro só é entregue no fim do contrato, de seis meses ou de um ano. Antes disso, o migrante recebe o suficiente para comer e morar, caso não viva no dormitório da empresa.

Não há descanso semanal remunerado nem assistência médica. Caso sofram um acidente de trabalho, os operários devem pagar metade do valor de seu tratamento.

A outra China | 91

Migrantes rurais que trabalham na construção civil fazem pausa para o almoço em Pequim. Há cerca de 150 milhões de pessoas que deixaram suas vilas para procurar emprego nas obras e fábricas das cidades. Essa população flutuante não tem benefícios sociais e enfrenta dificuldades para levar sua família para as cidades.

O pior é que mesmo nessas condições há migrantes que simplesmente não recebem o que lhes foi prometido, ainda que tenham trabalhado durante meses. Estatísticas oficiais de junho de 2006 mostravam que havia US$ 15 bilhões em salários não pagos aos migrantes rurais por empresas de construção civil, algo absolutamente escandaloso em qualquer lugar do mundo.

Esses migrantes foram os grandes responsáveis pela construção do Ninho de Pássaros, do Cubo d'Água e de todos os outros marcos que transformaram a paisagem de Pequim nos sete anos que antecederam a Olimpíada de 2008. O governo estimou que a população flutuante da cidade era de 5,3 milhões em 2007, o equivalente a 30% do total de moradores da capital. Quando visitantes do mundo inteiro chegaram para assistir às competições, a maioria dos migrantes havia sido forçada a deixar a cidade temporariamente, em uma forma de contribuição involuntária ao esforço de maquiagem para a Olimpíada.

OS CHINESES QUE DIZEM NÃO

A nova China também tem seus detratores e eles são tratados de maneira implacável pelo Estado, apesar do *slogan* do presidente Hu Jintao em defesa de uma sociedade harmônica. A China cada vez mais integrada à economia mundial é desprovida de todas as instituições que formam a base do sistema político das democracias ocidentais: não há liberdade de imprensa, liberdade de organização, liberdade de manifestação, liberdade religiosa, separação de poderes, Judiciário independente, devido processo legal, *habeas corpus* ou presunção de inocência. Não há nem mesmo separação entre o Partido Comunista e o Estado, a ponto de o Exército de Libertação Popular ser um órgão do partido.

A censura é praticada de maneira aberta na internet, na TV, no rádio, nos blogs, nos fóruns de discussão on-line e até nas mensagens de texto enviadas pelos celulares. A linha divisória entre a propaganda oficial e a informação é bastante tênue e não é raro que os chineses desconheçam vários dos fatos que ocorrem em seu país. A história ensinada nas escolas tende a ter um caráter extremamente oficial e ignora o que o Partido Comunista pretende apagar do passado. Muitos não sabem que aconteceu o massacre de estudantes na Praça da Paz Celestial em 1989 e ignoram a perseguição implacável contra os críticos do regime.

Suspeitos de atividades contrárias aos interesses do Estado podem ser presos sem mandado judicial e permanecer incomunicáveis durante meses ou ser enviados a campos de trabalho forçado para serem "reeducados". A Anistia Internacional estima que quinhentos mil chineses foram presos sem nenhuma acusação ou procedimento judicial prévio em 2007.[6] O exercício da advocacia é novo, e em 2006 havia apenas 165 mil advogados para uma população de 1,3 bilhão. A Ordem dos Advogados do Brasil tinha 626,5 mil profissionais cadastrados em março de 2009. Os que se arriscam a defender acusados de crimes políticos ou dissidentes são ameaçados de processos disciplinares, correm o risco de perder suas licenças e, não raro, são vítimas de violência física praticada por grupos paramilitares. Alguns são mantidos em prisão domiciliar e recebem ameaças que se estendem a toda sua família.

Os jornalistas chineses que desafiam a censura e realizam reportagens relacionadas a temas "sensíveis" correm o risco de terminar na cadeia ou ver sua carreira chegar ao fim. A organização Repórteres Sem Fronteiras afirma que a China é o país do mundo com o maior número de pessoas presas por usarem a escrita de maneira que contraria os interesses oficiais. No dia 1º de janeiro de 2008, as cadeias chinesas tinham 33 jornalistas e 51 "*cyber*-dissidentes", ativistas que usam a internet para manifestar suas opiniões e críticas. "Eles dividem celas superlotadas com outros criminosos, são condenados a trabalhos forçados e regularmente apanham dos guardas ou de outros prisioneiros", diz relatório anual da entidade de 2008.[7]

Em março de 2008, um dos mais proeminentes ativistas da China, Hu Jia, foi condenado a três anos e meio de prisão por criticar a situação dos direitos humanos no país e participar de movimentos ligados ao meio ambiente e à defesa de portadores do vírus HIV. Oficialmente, o dissidente foi julgado por "incitar a subversão do poder do Estado". Poucos dias antes de sua prisão, em dezembro de 2007, Hu Jia participou por videoconferência de uma sessão do Parlamento Europeu sobre direitos humanos na China, na qual afirmou que as promessas de melhoria da situação em razão da Olimpíada de Pequim não estavam sendo cumpridas. Hu e o advogado Teng Biao divulgaram em setembro de 2007 uma carta aberta intitulada "A China real e as Olimpíadas", na qual apontavam uma série de violências contra direitos fundamentais de cidadãos chineses. Dizia o texto:

> Quando você vier para a Olimpíada de Pequim, você verá arranha-céus, ruas amplas, estádios modernos e pessoas entusiasmadas. Você verá a verdade, mas não toda a verdade, já que verá apenas a ponta do *iceberg*. Você poderá não saber que as flores, os sorrisos, a harmonia e a prosperidade foram construídos na base de injustiça, lágrimas, prisões, tortura e sangue.[8]

Muitos chineses terminaram na prisão por tentarem organizar ou defender interesses dos excluídos do milagre econômico. No dia 24 de março de 2008, o ativista Yang Chunlin foi condenado a cinco anos de prisão sob acusação de "incitar a subversão do poder do Estado", a mesma apresentada contra Hu Jia. Yang atua na organização de camponeses que perderam suas terras e não receberam compensação adequada e foi preso depois de coletar dez mil assinaturas para o documento "Nós queremos direitos humanos, não Olimpíada".

Eleito pela revista *Time* como uma das cem pessoas mais influentes do mundo em 2006, o ativista cego Chen Guangcheng foi condenado no dia 24 de agosto daquele ano a quatro anos e três meses de prisão, depois de denunciar que milhares de abortos e esterilizações compulsórios haviam sido determinados por autoridades do distrito de Linyi, na província de Shandong, o que em tese é proibido pela política de controle de natalidade. Chen não tem um diploma de advogado porque a legislação chinesa proibia cegos de frequentarem a universidade. Autodidata, aprendeu o suficiente para atuar como conselheiro legal das vítimas.

Em 2005, Chen organizou uma ação coletiva em nome das mulheres de Linyi, que foi rejeitada. Mas a repercussão internacional do caso forçou a Comissão Nacional de Planejamento Familiar e População a abrir uma investigação, que terminou com a admissão dos abusos: "Práticas ilegais de planejamento familiar que violam os direitos e interesses dos cidadãos existiram. Aqueles responsáveis foram afastados. Alguns estão sob investigação ou estão presos", dizia a conclusão do processo.

Apesar disso, Chen foi preso logo depois sob acusação de provocar danos ao patrimônio e de organizar uma manifestação que interrompeu o trânsito – que seus advogados classificaram de "fabricada", já que ele se encontrava sob constante vigilância policial. Seus defensores foram impedidos de atuar em seu julgamento e o advogado apontado pela corte não contestou as acusações nem inquiriu as testemunhas de defesa.

Cerca de 30 chineses ainda estavam na prisão em maio de 2009 por terem participado do protesto pró-democracia realizado em meados de 1989 na Praça da Paz Celestial (Tiananmem, em chinês), o mais sério desafio ao poder do Partido Comunista desde 1949. Na noite entre os dias 3 e 4 de junho, tanques do Exército de Libertação Popular colocaram fim à ocupação do coração político de Pequim por milhares de estudantes, intelectuais e acadêmicos, que estavam acampados no local havia sete semanas (veja mais adiante "O choque na Paz Celestial").

O Exército também reprimiu manifestações realizadas em outras cidades da China, em uma ação coordenada que levou à morte de um número desconhecido de pessoas, estimado em pelo menos mil por entidades de defesa dos direitos humanos.

A RELIGIÃO SOB SUSPEITA

Milhares de outras pessoas estão presas em razão de sua fé. Não existe liberdade de culto na China e só podem atuar no país as igrejas registradas no organismo estatal responsável pelo controle de atividades religiosas. Cinco cultos são reconhecidos oficialmente – budismo, taoísmo, islamismo, catolicismo e protestantismo – e o governo

Chineses acendem incenso em templo budista ligado a uma das igrejas "patrióticas" da China, que se comprometem a respeitar o Partido Comunista e a renegar vínculos com personalidades identificadas como inimigas do Estado chinês, entre as quais a mais proeminente é o dalai lama.

determina que eles sejam praticados dentro de organizações que recebem o nome de "patrióticas", para enfatizar seu respeito aos interesses do Estado.

Essas igrejas são registradas na Administração Estatal de Assuntos Religiosos e estão sujeitas a um estrito controle por parte das autoridades. As atividades que não se enquadrarem dentro das igrejas patrióticas são consideradas ilegais e seus seguidores podem ser presos ou enviados a campos de "reeducação pelo trabalho".

O governo chinês vê manifestações religiosas com profunda desconfiança, por razões ideológicas e históricas. O Partido Comunista é ateu e proíbe que seus integrantes professem qualquer forma de religião, considerada um fator de atraso e alienação, o "ópio do povo" marxista. Além disso, movimentos religiosos estiveram na origem de várias rebeliões que tentaram derrubar dinastias imperiais, principalmente a última delas, a Qing (1644-1911).

O cristianismo é identificado com a colonização por potências ocidentais a que a China foi submetida nos séculos XIX e XX, quando missionários protestantes e padres católicos entraram no país junto com as forças estrangeiras. Mais recentemente, o papa João Paulo II teve atuação decisiva para o desmantelamento dos regimes comunistas do Leste Europeu e a queda do Muro de Berlim, em 1989, e as autoridades chinesas não querem que nada semelhante aconteça dentro de suas fronteiras.

Os católicos e protestantes chineses que se recusam a aderir às organizações patrióticas engrossam as fileiras das igrejas "clandestinas", que realizam reuniões nas casas de seus seguidores, na tentativa de fugir à repressão da polícia. Mesmo quando se encontram em locais fechados, os integrantes das igrejas clandestinas estão sujeitos à prisão. Há inúmeros casos de reuniões religiosas interrompidas por forças policiais que terminaram na detenção de fiéis, pastores e padres.

O Vaticano não tem relações diplomáticas com a China e integra o pequeno grupo de Estados que reconhece o governo de Taiwan, a ilha que Pequim vê como parte de seu território. Por sua vez, o Partido Comunista não aceita que o papa interfira em assuntos religiosos dentro da China, o que coloca a Igreja Católica patriótica fora da esfera de influência do Vaticano. Esse cenário alimentou a expansão da Igreja Católica clandestina, que tem uma rede de seminários, padres, bispos e locais de culto que professam sua lealdade ao papa. A Cardinal Kung Foundation, com sede nos Estados Unidos, estima que 16 seminaristas, padres e bispos da igreja clandestina estão presos na China. Outros oito bispos estão em prisão domiciliar ou sob vigilância da polícia.

No caso dos protestantes, as autoridades combatem com especial empenho as tentativas de conversão de novos fiéis e a distribuição de material religioso, incluindo exemplares da Bíblia. Para esses crentes, a proibição de propagar seu culto equivale à negação da própria palavra de Deus, que ordena a evangelização. Antes da Olimpíada de Pequim, o governo chinês expulsou cerca de cem missionários estrangeiros que atuavam no país, a mais ampla medida do gênero em décadas. As autoridades também alertaram que os turistas que visitassem a China durante os jogos estariam proibidos de mostrar *slogans* de caráter religioso nos locais de competição — os outros temas vetados eram política e racismo. Dezenas de protestantes estão na prisão acusados de "tráfico de Bíblias" ou de promoção de reuniões ilegais.

O temor de perder o controle sobre movimentos religiosos levou o governo a banir a Falun Gong em 1999, depois que dez mil de seus seguidores realizaram um exercício coletivo de meditação ao redor de Zhongnanhai, o local ao lado da Cidade Proibida onde os líderes máximos comunistas vivem e trabalham. O grupo realizou uma manifestação silenciosa, que tinha o objetivo de pedir a libertação de integrantes da Falun Gong que haviam sido espancados e presos em Tianjin, a 120 quilômetros da capital.

Adepta da Falun Gong em Hong Kong protesta contra a repressão ao movimento na China continental. O movimento reunia milhões de adeptos nos anos 1990 e foi banido depois que dez mil de seus seguidores fizeram um exercício de meditação coletiva ao redor do Zhongnanhai, local onde os líderes máximos do Partido Comunista vivem e trabalham.

Classificada de "seita" pelas autoridades de Pequim, a Falun Gong surgiu em 1992 e ganhou enorme popularidade, a ponto de reunir setenta milhões de integrantes em 1998, número superior ao de filiados ao Partido Comunista na época. Os criadores do movimento afirmam que ele não tem caráter religioso, mas professa uma série de práticas e ensinamentos para o desenvolvimento interior. A mais importante entre elas são os exercícios que aliam respiração e movimento chamados de *qigong*, que têm uma história milenar na China.

O governo chinês declarou a Falun Gong ilegal e passou a se referir ao movimento como um "culto maligno". Seus seguidores se tornaram alvo de uma violenta campanha de perseguição, que terminou na prisão de milhares de pessoas. Entidades de defesa de direitos humanos afirmam que centenas foram torturadas e espancadas até a morte. Outros foram enviados a campos de trabalho forçado e muitos estão em hospitais psiquiátricos, onde são tratados como loucos.

Na China de hoje, não se vê menção ao nome Falun Gong e a censura bloqueia o acesso a qualquer página na internet que contenha a expressão. Fora do país, o movimento continuou a crescer. Seu fundador, Li Hongzhi, emigrou para os Estados Unidos em 1998 e prosseguiu o trabalho de expansão da Falun Gong. Extremamente controvertido, Li afirma ter poderes sobrenaturais e é acusado de ter enriquecido à custa de seus seguidores e de possuir patrimônio incompatível com os rendimentos que declara.

O budismo tibetano é reconhecido oficialmente, mas sujeito a uma série de restrições, a mais importante das quais é o banimento de seu maior líder espiritual, o dalai lama. Considerado a 14ª reencarnação do Buda da Compaixão, o dalai lama fugiu do Tibete em 1959, depois de um levante fracassado contra o domínio chinês. Desde então, vive exilado na Índia, na companhia de outros milhares de tibetanos que também deixaram sua terra natal. Mesmo fora do país, o dalai lama continua a ser venerado pelos tibetanos, que correm o risco de serem presos se manifestarem publicamente sua devoção a ele.

O governo de Pequim também impôs uma política que limita o número de monges em cada mosteiro e os submete a campanhas de "reeducação patriótica", nas quais devem renegar o dalai lama e manifestar lealdade ao governo de Pequim.

A insatisfação em relação ao estrito controle exercido pelo Partido Comunista na região explodiu no dia 14 de março de 2008, com o mais violento protesto contra a China em duas décadas. Jovens tibetanos ocuparam as ruas de Lhasa e passaram a atacar de maneira indiscriminada lojas de propriedade dos chineses hans, a etnia majoritária da China. Segundo o governo de Pequim, as ações provocaram a morte de 22 pessoas, entre as quais 3 monges, e a destruição de 908 lojas e 120 residências.

Entidades ligadas ao dalai lama e aos tibetanos no exílio sustentam que cerca de duzentas pessoas morreram no Tibete e nas províncias vizinhas durante os protestos e em decorrência da ação da polícia nas semanas seguintes. O governo chinês decidiu proibir a entrada na região de turistas e jornalistas estrangeiros, que ficaram impossibilitados de verificar de maneira independente a real situação do lugar.

A repressão ao budismo tibetano é reforçada pelo fato de que o governo chinês muitas vezes vincula a religião a movimentos separatistas na região. Centenas de tibetanos estão na prisão acusados de promoverem atividades ilegais que teriam por objetivo a independência em relação à China. O mesmo problema se repete na província de Xinjiang, que fica ao norte do Tibete e é habitada majoritariamente por muçulmanos. O governo chinês sustenta que o grupo terrorista Movimento Islâmico

Tibetanos caminham em corredor do templo Jokang, um dos principais locais de peregrinação de Lhasa, capital do Tibete. A foto foi tirada em 2004, antes dos protestos que chacoalharam a região quatro anos mais tarde. Depois das manifestações, o governo restringiu a entrada de turistas e jornalistas na região.

do Turcomenistão do Leste promoveu uma série de ataques com bombas a partir da década de 1990 na defesa da criação de um Estado independente na região. Como no Tibete, há centenas de pessoas na prisão acusadas de atividades separatistas.

Os atentados de 2001 nos Estados Unidos e a guerra contra o terror iniciada pelo governo Bush deram às autoridades de Pequim um álibi para combater com mais violência os muçulmanos de Xinjiang. Depois dos protestos no Tibete em março, a imprensa oficial chinesa deu destaque a vários casos de supostas tentativas ou planos de atentados terroristas atribuídos a grupos da região que defenderiam a criação do Estado do Turcomenistão do Leste.

No mês de abril de 2008, o governo anunciou que havia desmantelado dois grupos terroristas de Xinjiang acusados de planejarem atentados durante a Olimpíada de Pequim, incluindo ataques suicidas e sequestro de visitantes estrangeiros. Quarenta e cinco pessoas foram presas nas duas operações. Em março, o Ministério da Segurança Pública disse que dois uigures – uma mulher e um homem – haviam tentado explodir um avião com cerca de duzentos passageiros que fazia a rota de Urumqi, capital de Xinjiang, a Pequim. A mulher, Guzalinur Turdi, levantou suspeita depois que um forte cheiro de gasolina saiu do toalete que ela havia acabado de usar. O avião fez um pouso de emergência na província de Gansu e os acusados foram presos. Em janeiro de 2007, 18 supostos terroristas e 1 policial morreram durante enfrentamento nas montanhas Pamirs, no sul de Xinjiang.

NOTAS

[1] 2007/2008 Human Development Report, disponível em <http://hdrstats.undp.org/indicators/147.html>, acesso em 30 de março de 2009.

[2] Statistical Communiqué of the People's Republic of China on the 2007, National Bureau of Statistics, disponível em <http://www.stats.gov.cn/enGliSH/newsandcomingevents/t20080228_402465066.htm>, acesso em: 30 de março de 2009.

[3] China Statistical Yearbook 2007, Pequim, China Statistics Press, 2007.

[4] Idem.

[5] China Social Statistical Yearbook 2007, Pequim, National Bureau of Statistics of China, 2007.

[6] Amnesty International Report 2008, State of the World's Human Rights, disponível em <http://thereport.amnesty.org>, acesso em 26 de março de 2009.

[7] Reporter Without Borders, Freedom of Press Worldwide in 2008, disponível em <http://www.rsf.org/article.php3?id_article=25650>, acesso em 26 de março de 2009.

[8] Hu Jia e Teng Biao, "The Real China and the Olympics", disponível em <http://hrw.org/pub/2008/asia/teng_biao080220.pdf.>, acesso em 26 de março de 2009.

A PRESSÃO POPULACIONAL

A VORACIDADE CHINESA

A transformação na qual a China está mergulhada ganha tons dramáticos por ocorrer no país mais populoso do mundo, onde vive 20% da humanidade. A rapidez com que essa massa de 1,3 bilhão de pessoas modifica hábitos e aumenta seu consumo tem impacto avassalador sobre todo o mundo e gera estatísticas hiperbólicas, muitas das quais assustadoras. A grande dúvida é saber se a Terra é grande o bastante para os chineses sonharem o sonho americano do consumo, do desperdício e dos carrões ou se eles terão que criar seu próprio sonho, um tanto mais frugal, enquanto os americanos também transformam o seu.

Mais consumo significa mais lixo, com as decorrentes consequências negativas para o meio ambiente. O World Watch Institute estima que a China produz a cada ano 150 milhões de toneladas de lixo, o equivalente a 15% do total mundial. Com uma população de 300 milhões de pessoas, os Estados Unidos lideram o *ranking* e produzem 236 milhões de toneladas de lixo por ano. A previsão do governo de Pequim é que o volume de lixo urbano chegue a 400 milhões de toneladas em 2020, o equivalente a tudo o que foi produzido no mundo em 1997.[1]

A maior parte do lixo na China não é reciclada e termina em aterros sanitários ou em lixões espalhados pelo país. Cerca de 7 bilhões de toneladas de lixo se acumulam sem receber tratamento adequado. Segundo estatísticas oficiais, 70% do lixo está em aterros sanitários, enquanto 20% são queimados ou usados como adubo, e apenas 10% são reciclados.

A China assumiu em 2008 a liderança no *ranking* dos maiores emissores de gases que provocam o efeito estufa, à frente dos Estados Unidos. Mas a emissão *per capita* dos chineses equivale a um quinto da dos norte-americanos, um indício de que o impacto do país asiático sobre o aquecimento global continuará a crescer, na medida em que a renda de seus habitantes aumente.

Porto da siderúrgica *Shagang* às margens do rio Yangtzé, que registra um dos maiores movimentos de carga da China. O assombroso crescimento das últimas três décadas transformou o país no maior consumidor de minério de ferro do mundo e no principal destino das exportações brasileiras do produto.

O rápido crescimento econômico e a expansão da cultura do carro transformaram a China no segundo maior consumidor de petróleo do mundo, atrás apenas dos Estados Unidos, e sua demanda contribuiu de maneira importante para a alta dos preços do produto no mercado internacional registrada a partir de 2003. Até meados dos anos 1990, a China era um exportador líquido de petróleo. A situação se inverteu e hoje o país é o terceiro maior importador, atrás de Estados Unidos e Japão.

Para alimentar suas fábricas e o frenético processo de urbanização, a China consome 35% do aço e 50% do cimento produzidos no mundo. Também é o maior consumidor de cobre (22% do total mundial), de alumínio (20%) e outros metais demandados pela indústria, o que jogou nas alturas os preços das principais *commodities* negociadas no mercado internacional. As cotações despencaram a partir de setembro de 2008,

A pressão populacional | 103

A ocidentalização e o aumento da renda estão levando muitas mães chinesas a abandonarem o hábito de não usarem fraldas em seus bebês, mas a maioria dos chinesinhos ainda perambula com calças abertas entre as pernas e fazem suas necessidades onde estiverem. A adesão às fraldas descartáveis vai aumentar a produção de lixo no país.

quando a crise econômica se espalhou por todo o planeta. Mas as previsões de longo prazo indicam a recuperação dos preços assim que o mundo, e a China em particular, superarem a fase de desaceleração.

O minério de ferro exportado pela brasileira Vale, por exemplo, teve reajuste de 65% a 71% em 2008, patamar semelhante aos 71,5% adotados em 2005, e aumentos menores de 19% em 2006 e 9,5% em 2007. O produto é utilizado na fabricação de aço e é destinado às centenas de siderúrgicas em operação na China, que lidera a lista dos maiores produtores mundiais. O país quadruplicou sua produção de aço em uma década e, em 2006, fabricou 423 milhões de toneladas, valor equivalente à soma do que saiu das siderúrgicas dos seis fabricantes que aparecem em seguida no *ranking*: Japão, Estados Unidos, Rússia, Coreia do Sul, Alemanha e Índia.

O lixo produzido nas atividades cotidianas dos chineses também é enorme. Só em sacolas plásticas são três bilhões por dia, a maioria das quais descartadas de maneira inadequada, o que provoca severos impactos ambientais. O hábito de comer com palitos de madeira, o *kuazi*, é outro que gera um pequeno desastre ecológico. O 1,3 bilhão de chineses utiliza a cada ano 45 bilhões de pares de *kuazi* descartáveis. Para produzi-los, derrubam 25 milhões de árvores – quantidade equivalente ao total plantado pela ONG norte-americana American Forest desde 1990 nos Estados Unidos e no restante do mundo.

Em 2006, o governo criou uma taxa sobre os palitos descartáveis, para estimular sua reutilização, mas o hábito ainda está longe de se consolidar. O uso de sacolas de plástico começou a ser coibido em junho de 2008, quando entrou em vigor a lei que obriga todos os estabelecimentos comerciais a cobrarem pelo produto, para estimular o uso de sacolas de pano, reutilizáveis. Antes de a medida começar a valer, vários supermercados de Pequim começaram campanhas de conscientização de seus clientes, que incluíam a venda ou a doação das novas sacolas.

Com a ocidentalização e o aumento da renda, as mães chinesas começam a abandonar o hábito de não usar fraldas em seus bebês. Tradicionalmente, os chinesinhos vestem calças que são abertas entre as pernas e fazem suas necessidades onde estiverem, a menos que suas mães percebam o que está por vir e os levem a um lugar mais "apropriado" – no calor, muitos bebês não usam nada da cintura para baixo. As calças abertas imperam na zona rural, mas são cada vez mais raras nas cidades, onde os emergentes estão vestindo seus filhos com fraldas descartáveis, o que evita constrangimentos como o bebê fazer xixi ou cocô no colo da mãe, no metrô, no ônibus ou no supermercado. Mas com uma população de 67 milhões de crianças com menos de 4 anos, o novo hábito é mais um que terá consequências danosas no meio ambiente. Os Estados Unidos, campeões mundiais nesse *ranking*, utilizam a cada ano 27,4 bilhões de fraldas descartáveis, o que leva à produção de 3,4 milhões de toneladas de lixo que terminam em aterros sanitários.[2]

Porém o mais grave problema ambiental da China decorre do uso de carvão como principal fonte de energia. Mais poluente entre os combustíveis fósseis, o carvão responde por 69,4% do consumo total de energia no país, seguido de petróleo (20,4%), gás natural (3,0%) e hidrelétricas, usinas nucleares e plantas eólicas, com 7,2%.[3] Mesmo com o enorme investimento em fontes renováveis realizado nos últimos anos, a participação do carvão na matriz energética diminuiu apenas marginalmente, já que o aumento da demanda de energia acompanha o rápido crescimento do país. Em 1978, quando começaram as reformas econômicas, o carvão respondia por 70,7% do total, patamar semelhante ao atual. Mas as fontes renováveis ampliaram sua fatia e passaram de 3,4% em 1978 para 7,2% em 2006.

O CUSTO AMBIENTAL

O espetacular crescimento das últimas três décadas teve impacto avassalador sobre o meio ambiente chinês, já sobrecarregado pelo desafio de sustentar 20% da humanidade com apenas 6% das terras agricultáveis e 7% das fontes de água doce do planeta. O crescimento de dois dígitos da atividade industrial registrado desde 1978 degradou a qualidade do ar, trouxe chuva ácida para um terço do território e contaminou 70% dos rios e lagos do país.

Segundo o Banco Mundial, vinte das trinta cidades mais poluídas do mundo estão na China. A entidade estima em 4,3% do PIB, ou US$ 150 bilhões, as perdas decorrentes de doenças provocadas pela poluição. Prejuízos não relacionados à saúde somam mais 1,5% do PIB (US$ 50 bilhões). Esses dados estão no relatório *Cost of Pollution in China: Economic Estimates of Physical Damage*, divulgado em 2007, que criou polêmica entre funcionários do Banco e autoridades chinesas.

A versão preliminar do estudo sustentava que 750 mil chineses morrem de maneira prematura a cada ano em consequência da contaminação da água e do ar. O dado foi suprimido da versão final por exigência das autoridades de Pequim, que contribuíram para a realização do estudo.[4]

Milhares de camponeses que vivem em vilas rurais às margens de rios contaminados por substâncias tóxicas e esgotos estão sujeitos à ameaça de morte prematura. O fenômeno levou à multiplicação das chamadas "vilas cancerígenas", nas quais o número de vidas dizimadas pelo câncer é bem superior à média nacional. "O médico do hospital disse para não vivermos aqui. Ele disse para não comermos o arroz e não bebermos a água", disse em entrevista à CNN Zhu Chun Yun, cujo marido de 30 anos morreu de câncer em uma dessas vilas.[5]

O estudo do Banco Mundial indica que o índice de mortalidade por câncer de fígado na zona rural chinesa é de 30 por 100 mil habitantes, o triplo da média mundial. A incidência também é superior à verificada nas grandes cidades da China. O câncer de estômago mata o dobro de pessoas no campo chinês em relação ao resto do mundo.

Considerado o local de nascimento da civilização chinesa, o mítico rio Amarelo é um dos que mais sofrem com o aumento da poluição. Cerca de metade de seu curso está biologicamente morta e o nível da água é tão baixo que há dias em que o rio não chega a desaguar no mar.[6] O destino do rio Amarelo é o principal emblema da crise de abastecimento de água que ameaça a vida dos chineses, o crescimento econômico do país e a estabilidade política tão prezada pelo Partido Comunista.

Além de contaminadas pela poluição, as fontes de água são utilizadas de maneira intensiva na irrigação de lavouras, com o objetivo de garantir a produção agrícola necessária para alimentar 1,3 bilhão de pessoas. Esse cenário aumenta a já enorme pressão sobre a baixa oferta do produto – a quantidade *per capita* de água na China equivale a um quarto da média mundial. A situação é especialmente grave na região norte do país, marcada pela aridez e o avanço dos desertos, onde 60% do suprimento de água vem de fontes subterrâneas. Com o atual ritmo de utilização, cientistas acreditam que esses reservatórios podem estar secos em um período de trinta anos.[7]

Para enfrentar o problema da escassez em áreas do norte do país, o governo iniciou em 2002 o maior projeto de transposição de águas concebido em todo o mundo, cujas dimensões superam as da gigantesca usina hidrelétrica de Três Gargantas. A água é distribuída de maneira extremamente desigual no território chinês e 80% de sua oferta se concentra na bacia do rio Yangtzé ou ao sul dela.

O projeto prevê a construção de três aquedutos, de mil a 1,3 mil quilômetros de extensão cada, que vão levar água do Yangtzé para regiões do norte onde vivem 300 milhões de pessoas. O custo total da obra é de US$ 60 bilhões, mais que o dobro dos US$ 26,5 bilhões gastos na construção de Três Gargantas. Apesar de árido, o norte responde por grande parte da produção agrícola da China, graças ao uso intensivo de irrigação. Além disso, a água é crucial para manter o ritmo de atividade econômica, principalmente nas regiões industriais próximas à costa leste, como Pequim e Tianjin.

Dos três aquedutos, dois já estão em construção no leste do país e devem estar concluídos até 2010, quando Pequim passará a receber um bilhão de metros cúbicos de água do Yangtzé por ano, o equivalente a 25% do consumo da capital. O tramo oeste é o de mais difícil execução, porque passa pelo planalto tibetano, mas a previsão do governo é de que ele seja construído em algum momento antes de 2050. Se todo o projeto for concluído, 45 bilhões de metros cúbicos de água serão transferidos a cada ano do Yangtzé para o norte do país, volume que equivale a quase todo o fluxo anual do rio Amarelo.[8]

A exemplo da construção de Três Gargantas, como veremos adiante, o projeto de transposição de águas é criticado por seu potencial impacto ambiental negativo e pela destruição que provocará em cenários naturais e relíquias históricas. A rota centro-leste vai atravessar algumas das mais antigas regiões da China e provocar o desaparecimento de sítios históricos de quatro mil anos. Os canais também vão exigir a transferência a outros locais de quatrocentas mil pessoas que vivem nas áreas que serão afetadas apenas pelos dois trechos já em construção.[9]

A TRADIÇÃO DAS GRANDES OBRAS

A enorme população é há séculos um fator crucial na história da China, que determinou a ocupação e exploração do território e esteve no centro das preocupações dos governantes. No ano 1, a China já tinha 59,6 milhões de habitantes, número que só era superado pelos 75 milhões de indianos. Na mesma época, toda a Europa Ocidental tinha uma população de 25 milhões. Em 1820, a China era de longe o país mais populoso do mundo, com 380 milhões de habitantes, o equivalente a 36% da população mundial.[10]

Desde a Antiguidade, os chineses estabeleceram uma forte tradição de modificar o meio ambiente para atender às necessidades de sua população, da qual o projeto de transposição de águas do sul para o norte do país é mais um exemplo. Com metade de seu território árido ou semiárido, a irrigação cumpriu um papel crucial ao longo da história para o desenvolvimento da agricultura e começou a ser utilizada na Antiguidade, acompanhada do desvio de rios e da construção de canais para o transporte de alimentos.

Um dos projetos de irrigação mais impressionantes, chamado Dujiangyan, foi construído em 256 a.C. na província de Sichuan, no centro da China, a mesma que foi atingida por um terremoto devastador em maio de 2008. A obra foi idealizada para acabar com as inundações do rio Min que assolavam a região todos os anos. Em vez de construir uma barragem, o governador Li Bing decidiu abrir um canal, para onde seria desviada parte da água do rio, que poderia também ser utilizada na irrigação de plantações. O projeto foi um sucesso, transformou Sichuan em uma das grandes províncias agrícolas da China e até hoje é responsável pela irrigação de 5,3 mil quilômetros quadrados de terra.

O transporte de produtos e a comunicação entre o sul e o norte do país se tornaram possíveis com a criação do Grande Canal, o maior "rio" artificial do mundo, com 1.747 quilômetros de extensão. A parte mais antiga, próxima do rio Yangtzé, foi construída no século IV a.C. e ampliada no século VI d.C. O Grande Canal chegou a Pequim, no norte, durante a dinastia mongol Yuan (1279-1368), a primeira a escolher a cidade como sua capital.

Essa enorme hidrovia cumpriu um papel essencial no transporte e na comunicação entre as regiões norte e sul até o século XIX. A partir de então, o canal sofreu com a falta de manutenção, enchentes e destruição provocada por guerras e rebeliões. A obra passou por sucessivos processos de restauração no século passado e hoje é amplamente utilizada para o transporte de carga, com exceção do terço final que liga Jining, na província de Shandong, a Pequim. A cada ano, cerca de cem mil navios passam pela hidrovia, carregando 260 milhões de toneladas de carga, três vezes mais do que é transportado pela ferrovia Pequim-Xangai.[11]

A tradição das grandes obras foi retomada com força nos últimos anos de explosão do crescimento econômico. A China exibe hoje a mais longa ponte marítima do mundo, de 36 quilômetros de extensão, a mais alta ferrovia, construída a 4 mil metros de altitude, e a maior hidrelétrica. De todas, a mais controvertida é a usina de Três Gargantas, que alagou um trecho de 600 quilômetros de extensão e 1,1 quilômetro de largura e obrigou a remoção de pelo menos 1,5 milhão de pessoas. Considerado o maior projeto de engenharia do país desde a Grande Muralha e o Grande Canal, a obra começou a ser construída em dezembro de 1994. Quando estiver totalmente concluída, em 2009, ela será a maior hidrelétrica do mundo, superando Itaipu, na fronteira do Brasil e Paraguai.

O projeto da hidrelétrica gerou ferozes discussões e divisões dentro do Partido Comunista. Quando sua construção foi aprovada na reunião anual do Congresso Nacional do Povo, em 1992, quase um terço dos três mil representantes votou contra ou se absteve, algo raríssimo em um país no qual o parlamento costuma apenas ratificar o que já foi decidido pela cúpula do Partido Comunista.

A barragem da usina tem 185 metros de altura, na qual está contida a enorme represa. Entre 2003, quando começou a ser enchida, até 2009, quando chegará a seu nível definitivo, a represa subirá 85 metros, o equivalente a um edifício de quase trinta andares. Dezenas de vilas e cidades que existiam às margens do Yangtzé foram engolidas pelas águas. Alguns dos cenários naturais mais marcantes da China submergiram com a represa, que também encobriu relíquias históricas e arqueológicas.

Para seus críticos, a obra tem um efeito devastador e consequências ambientais ainda desconhecidas. Muitos engenheiros defenderam a construção de hidrelétricas

A outra Xangai. Para alimentar seu processo de crescimento, a China importa quantidades crescentes de matérias-primas produzidas por outros países. Também se transformou no segundo maior consumidor de petróleo do mundo e assumiu a liderança no *ranking* de emissões de gases que provocam o efeito estufa.

menores, que poderiam produzir a mesma quantidade de energia sem afetar de maneira tão violenta uma só região e seus moradores. Os defensores afirmam que, além de aumentar a oferta de energia, Três Gargantas vai permitir o controle das enchentes que periodicamente afetam cidades que estão às margens do Yangtzé, além de permitir que navios de carga de grandes dimensões naveguem pelo rio.

Mas dúvidas sobre o impacto do projeto continuam a existir dentro do próprio governo. Em setembro de 2006, os jornais oficiais chineses publicaram reportagens que alertavam para o risco de uma "catástrofe ambiental" na região da usina. Entre os problemas apontados, estavam a erosão e o aumento no número de deslizamentos de terra às margens da represa, classificados como "desastres geológicos". Alguns deslizamentos geraram deslocamento de água de até cinquenta metros de altura, que atingiram a margem e ameaçaram a vida de seus moradores. A redução da velocidade do Yangtzé provocada pela barragem também deteriorou a qualidade da água e levou à proliferação de algas em alguns locais, fenômeno que pode acabar com outras formas de vida

Outros cientistas afirmam que o peso da represa é tão grande que pode levar à ocorrência de terremotos, que teriam potencial catastrófico no caso de rompimento da barragem.

A enorme população implica ainda a exploração intensiva da terra há séculos. Na dinastia Song (960-1279), os chineses já haviam desenvolvido a técnica de realizar duas colheitas de arroz por ano, com a ajuda da irrigação. Os mandarins imperiais eram ativos incentivadores da agricultura e produziram livros com orientações para aumentar a eficiência das plantações que começaram a ser distribuídos aos agricultores a partir do século x.[12]

A escassez de terra fértil e de água continua a moldar o país nos dias de hoje. A irrigação é utilizada em cerca de 40% das áreas cultivadas e a produção agrícola é extremamente intensiva, com a exploração de qualquer pedaço de terra agricultável. As extensões de terra atribuídas a cada família são mínimas se comparadas aos padrões brasileiros ou norte-americanos, tanto que a medida utilizada para medir as propriedades é o *mu*, que equivale a 0,06666667 hectare. O tamanho médio das áreas cultivadas por cada família rural é inferior a um hectare, o que torna economicamente inviável a utilização de máquinas como plantadeiras e colheitadeiras. A pouca mecanização também é garantia de emprego para os 740 milhões de chineses que vivem na zona rural.

Mesmo com essas restrições, a China consegue ter a maior produção agrícola do mundo. Em 2007, foram 501,5 milhões de toneladas de grãos, quase quatro vezes mais que os 131,5 milhões do Brasil.

Além da falta de água, a grande ameaça que o país enfrenta para alimentar sua população é a redução da área de terra agricultável em razão da desertificação e da expansão das cidades. Resultado da intensa utilização do solo ao longo de séculos e da degradação ambiental, a desertificação engole quatrocentos mil hectares[13] e provoca prejuízos estimados em US$ 6,5 bilhões a cada ano.[14] O fenômeno levou ao aumento da intensidade das tempestades de areia na região norte do país, que atingem Pequim e chegam a países vizinhos, como Coreia e Japão. Para combater o processo, o governo chinês investe no plantio de árvores que vão cobrir uma extensão de 4,5 mil quilômetros, em uma espécie de "Grande Muralha Verde" que terá a função de impedir o avanço do deserto de Gobi, no norte do país.

O governo chinês estima que o país perdeu 8,3 milhões de hectares de terras férteis entre 1996 e 2007, quando a área agricultável caiu para 121,8 milhões de hectares. O

A pressão populacional | 111

Camponeses cultivam terraços de arroz na província sulista de Guangxi. Com escassa oferta de terras agricultáveis, os chineses utilizam todos os espaços disponíveis para plantar. Mesmo com baixa mecanização, o país consegue ter a maior produção agrícola do mundo. Em 2007, foram 501,5 milhões de toneladas de grãos.

número é perigosamente próximo do limite de segurança de 120 milhões de hectares estabelecido pelas autoridades de Pequim como o mínimo necessário para garantir a segurança alimentar de sua população. O desafio será cada vez maior, já que milhões de pessoas continuarão a se mudar para as cidades nos próximos anos. As previsões do governo indicam que em 2020 a população urbana do país será de 70% do total.

UM É BOM, DOIS É DEMAIS

Quando chegou ao poder, em 1949, Mao Tsé-tung via a grande população como um ativo que poderia transformar a China de um país agrícola em uma potência industrial, graças à extensa oferta de mão de obra. Com a redução na taxa de mortalidade e elevação da expectativa de vida nos anos seguintes à Revolução, o número de chineses quase duplicou em trinta anos, passando de 550 milhões, em 1950, para 1 bilhão, em 1980.

No início dos anos 1970, os líderes comunistas se convenceram de que a explosão populacional ameaçava inviabilizar os esforços para melhoria da qualidade de vida dos chineses, já que exercia enorme pressão sobre as produções agrícola e industrial. Com o *slogan* "Um é pouco, dois é bom, três é demais", as autoridades de Pequim lançaram um programa de educação, persuasão e distribuição de métodos contraceptivos para tentar convencer os pais a terem no máximo dois filhos.

Em 1980, quatro anos depois da morte de Mao e sob o comando de Deng Xiaoping, o Partido Comunista decidiu radicalizar a política e impor o limite de apenas um filho, que continua em vigor até os dias de hoje. Extremamente resistida em seus estágios iniciais, a campanha foi imposta com violência, que incluiu abortos e esterilizações forçados e obrigatoriedade no uso de DIU.[15] Entre setembro de 1981 e dezembro de 1982, 16,4 milhões de mulheres e 4 milhões de homens foram obrigados a realizar cirurgias de esterilização.[16]

Muito mais rigoroso que o anterior, o novo programa mexe com o bolso das famílias e se baseia em um sistema de prêmios para os que tiverem um só filho e punições para os que desrespeitarem o limite. Os pais de filhos únicos recebem certificados que lhes dão preferência no recebimento de uma série de serviços do Estado, enquanto os que têm mais de um filho estão sujeitos ao pagamento de multas, ao desconto de salários e ao risco de perderem seus empregos, caso sejam funcionários públicos ou de empresas estatais. Ao longo das três décadas de implantação da política houve uma série de denúncias de abortos forçados e esterilizações compulsórias, nos casos de mulheres que tinham uma segunda gravidez ou não eram casadas.

Com o tempo, o governo tornou mais flexível a aplicação da medida na zona rural, onde o limite de um só filho estava levando ao abandono ou infanticídio de bebês do sexo feminino por pais que prefeririam ter bebês do sexo masculino, muito mais valorizados na cultura chinesa.[17] A partir de 1984 se consolidou a regra pela qual os camponeses que tivessem uma filha mulher poderiam ter mais um filho, o que aumentava as chances de terem um homem.

O estrito controle de natalidade representou uma mudança brutal em um país em que a família tem um papel central e ter filhos era considerado um sinal de felicidade, *status* e riqueza. Segundo os dirigentes comunistas, o controle de natalidade evitou o nascimento de trezentos milhões de pessoas e reduziu a pressão populacional não apenas na China, mas em todo o mundo.

Além dos prêmios e punições, a política de um só filho se baseia na divulgação de métodos contraceptivos, na propaganda oficial e em um forte mecanismo de controle social, pelo qual as famílias exercem vigilância mútua para garantir o cumprimento da medida. A maioria da população chinesa vive em vilas rurais, nas quais representantes do Partido Comunista se encarregam de visitar as famílias e acompanhar o uso de métodos anticoncepcionais e a obediência à política de controle de natalidade.

A propaganda é feita pela imprensa oficial e por meio de *slogans* espalhados nas cidades e no campo – onde normalmente são escritos nas paredes de casas ou nos muros. Em julho de 2007, quase três décadas depois da implantação do controle de natalidade, os *slogans* foram substituídos por outros com tom mais "humano" e "civilizado", por determinação da Comissão Nacional de População e Planejamento Familiar. Entre os *slogans* que passaram a ser visto como embaraçosos estão "Crie menos bebês e mais porcos", "Casas destruídas e vacas confiscadas se a determinação de aborto for rejeitada" e "Mais um bebê significa mais um túmulo". Os novos cartazes trazem mensagens "politicamente corretas", que também tentam alterar a preferência por filhos do sexo masculino, como "A Mãe Terra está cansada demais para sustentar mais crianças" e "Tanto meninos quanto meninas estão no coração dos pais".[18]

A implantação de uma política tão radical gera vários casos de tensão social, que devem aumentar ainda mais pelo fato de os ricos chineses terem dinheiro suficiente para pagar as multas impostas pelo governo e "comprar" o direito de terem mais filhos. O número de casos de famílias abastadas com mais de um filho sobe rapidamente, o que torna ainda mais evidente a crescente desigualdade social entre ricos e pobres.

O valor das multas varia de acordo com a província, mas em geral é de pelo menos quatro vezes o rendimento médio anual do local onde a família vive – em Pequim, isso significa cerca de US$ 15 mil, valor ridículo para os novos milionários.[19] Nos shoppings de luxo da capital chinesa, é comum encontrar mulheres que esperam o segundo filho e dizem sem nenhum constrangimento que elas ou seus maridos têm dinheiro suficiente para pagar a multa e escapar do limite imposto à maioria da população.

Outro instrumento que alguns abastados usam para escapar do controle de natalidade é a inseminação artificial, utilizada na esperança de que nasçam gêmeos. Segundo especialistas, cerca de 20% dos tratamentos de fertilização na China levam ao nascimento de dois ou mais bebês, que podem ser mantidos pelos pais dentro das regras da política de filho único.[20]

O terremoto que dizimou parte da província de Sichuan, em maio de 2008, revelou a face dramática que a política de controle de natalidade pode adquirir. Milhares de crianças e adolescentes morreram soterrados sob os escombros de suas escolas, deixando seus pais totalmente órfãos, muitos em um momento da vida em que é tarde demais para ter um novo filho. O mais violento terremoto da China em 32 anos atingiu uma área três vezes o tamanho da Bélgica, afetou de maneira direta dez milhões de pessoas e destruiu 216 mil edifícios, 6,9 mil dos quais eram escolas.

Em meados de 2007, centenas de camponeses na província de Guangxi, no sul do país, atacaram prédios públicos, incendiaram carros e entraram em choque com a polícia em protesto contra a cobrança de multas de famílias que desrespeitaram a política de filho único. Algumas vilas rurais da província elevaram as penalidades para as famílias com mais de um filho e passaram a cobrar os valores retroativamente, incluindo de quem já havia pago a multa no passado. Os que se recusavam ou não tinham dinheiro para cumprir a exigência tiveram bens e animais confiscados. As autoridades locais também forçaram a realização de abortos em mulheres grávidas de até oito meses que não eram casadas ou esperavam seu segundo filho. Depois das manifestações, 28 camponeses foram presos, e funcionários locais foram orientados a reduzir a pressão sobre a população local.

OS CHINESES DE OLHOS REDONDOS

A política de controle de natalidade é aplicada de maneira diferenciada para os 55 grupos chamados de "minorias étnicas" pelo governo chinês, que representam 8,4% da população do país – algo como 110 milhões de pessoas, quase três vezes o número de habitantes da Argentina. Os restantes 91,6% são formados pela maioria han, a etnia que tradicionalmente dominou a China. Em regra, os grupos minoritários podem ter dois ou três filhos, dependendo do seu tamanho e da região onde vivem. As etnias muito pequenas não estão sujeitas a nenhuma restrição e podem ter quantos filhos desejarem.

A pressão populacional | 115

Chinesas da etnia naxi caminham por rua de Lijiang, cidade da província de Yunnan, onde existem 25 das 55 "minorias étnicas" do país. Com língua, religião e cultura próprias, essas minorias representam 8,4% dos chineses, algo como 110 milhões de pessoas, número que supera a população de muitos países.

A expansão das fronteiras da China ao longo de dois mil anos de história imperial levou à incorporação de várias nacionalidades à população do país, muitas das quais mantêm até hoje seus costumes, idioma e religião. Outras etnias, como os manchus e os mongóis, acabaram se integrando ao Império depois de o terem invadido e dominado os hans durante séculos. Das 55 minorias, 53 falam sua própria língua e usam 22 tipos de escrita distintos. Muitas têm organização social, guarda-roupa e até aparência completamente diferentes dos que caracterizam os chineses hans.

As mulheres miaos usam saias plissadas, robes bordados e imensos ornamentos de prata na cabeça e no pescoço. As da etnia yao não cortam o cabelo e o usam enrolado acima da testa. Os naxis se estruturam em uma sociedade matriarcal, na qual as mulheres cuidam dos negócios e os homens se dedicam à música e à poesia. Algumas etnias não têm nem mesmo olhos muito puxados, como os uigures, tajiks e uzbeks, que se parecem mais com os povos da Ásia Central.

A província de Yunnan, no sudoeste, é o paraíso da diversidade cultural na China, com 25 diferentes etnias espalhadas em pequenas comunidades. O mais numeroso grupo da região depois dos chineses hans são os yis, com quatro milhões de pessoas em Yunnan e seis milhões em toda a China. Homens e mulheres yis usam turbantes e promovem todos os anos o Festival da Tocha, que dura três dias e tem corridas de cavalos, lutas e disputas entre grupos. À noite, todos se reúnem para cantar e dançar ao redor de fogueiras. Em seguida aparecem os bais, com 1,5 milhão de pessoas em Yunnan, os hanis, com 1,3 milhão, e os zhuangs e os dais, com um milhão cada. As outras vinte etnias têm menos de um milhão de pessoas na província.

Apesar de minoritárias, as 55 etnias dominam 60% do território chinês e vivem principalmente em áreas de fronteiras e montanhas, muitas delas ricas em recursos naturais. As duas maiores províncias da China – Xinjiang e Tibete – são povoadas majoritariamente por outras etnias que não a han. As duas regiões são também as que apresentam maior grau de resistência ao domínio de Pequim e assistiram a violentos levantes contra a China desde a década de 1950.

Em março de 1959, tibetanos promoveram uma revolta armada, sufocada pelo Exército de Libertação Popular em uma luta que deixou milhares de mortos e forçou o exílio do dalai lama na Índia, onde ele vive até hoje. Novo protesto foi realizado em 1989, o que levou à imposição da Lei Marcial na região por um período de 13 meses.

Quase duas décadas depois, em março de 2008, as autoridades de Pequim voltaram a enfrentar uma onda de manifestações contra sua presença na região, que ultrapassou as fronteiras do Tibete e se espalhou por regiões vizinhas. Cerca de 3 milhões dos 5,6 milhões de tibetanos que vivem na China estão nas províncias de Sichuan, Qinghai, Gansu e Yunnan, em áreas que integram o enorme planalto tibetano.

As manifestações de 2008 revelaram o grau de tensão existente entre tibetanos e chineses hans, que migraram para o Tibete estimulados pelo governo de Pequim, dentro da estratégia de garantir a integração da região ao restante do país. Para especialistas em questão tibetana, o ódio que aflorou nas manifestações é resultado da exclusão econômica a que a população local é submetida. Apesar de representarem apenas 10% dos habitantes do Tibete, os hans são donos do maior número de empresas e são os que mais se beneficiam do crescimento econômico registrado nos últimos anos.

A língua dos negócios e do serviço público não é o tibetano falado pela população local, mas o mandarim dos imigrantes. Se quiserem prosperar, os tibetanos têm que assimilar a língua e os costumes da maioria han, o que é uma ameaça à sobrevivência de sua própria cultura. A situação é agravada pelo brutal controle da religião, que é um elemento absolutamente central na vida dos tibetanos.

A pressão populacional | 117

Tibetanos chegam a templo em Xigaze, segunda maior cidade do Tibete depois de Lhasa. Maior líder espiritual dos tibetanos, o dalai lama fugiu para Índia em 1959, depois de um fracassado levante contra o domínio chinês na região. Desde então, está proibido de retornar ao Tibete e sua imagem é banida na região.

O governo de Pequim sustenta que o Tibete faz parte da China há séculos e que a população local foi libertada de um regime feudal de servidão em 1951, quando o Exército de Libertação Popular ocupou a região. Milhares de dólares foram investidos em obras de infraestrutura para estimular o desenvolvimento do Tibete e sua integração física com o restante da China. A mais recente delas é a ferrovia Qinghai-Lhasa, a mais alta do mundo, com 960 de seus 1.142 quilômetros de extensão construídos 4 mil metros acima do nível do mar.

Mas esses investimentos são bastante inferiores aos realizados em outras regiões e não foram suficientes para igualar os indicadores sociais do Tibete à média chinesa. A renda anual dos moradores das cidades na região é a menor entre todas as províncias do país e equivale a menos da metade da que é registrada em Pequim. No ano de 2006, o Tibete recebeu apenas 0,66% dos três trilhões de yuans de gasto público em todo o país. Só duas regiões registraram valores inferiores: Ningxia e Hainan.

O índice de analfabetismo entre os tibetanos é de 45%, o maior da China, que registra uma média nacional de 9,3%. A província que aparece em seguida no *ranking* dos piores é Gansu, com 22%, metade do patamar tibetano. A expectativa de vida é a menor em toda China: 64,37 anos, comparados a uma média nacional de 71,40 anos.[21]

O dalai lama lidera o governo tibetano no exílio, com sede em Dharamsala, na Índia, que classifica o Tibete como uma região ocupada. O líder religioso afirma ainda que a unidade administrativa designada como Tibete pelas autoridades de Pequim corresponde a menos da metade da área que pertencia ao Reino do Tibete antes da invasão de 1951 e que se estende por parte das províncias de Sichuan, Qinghai, Gansu e Yunnan. Ainda assim, o dalai lama diz não ser a favor da independência, mas sim de um maior grau de autonomia, principalmente em questões religiosas e culturais.

Com uma altitude média de quatro mil metros, o Tibete é chamado de o "teto do mundo" e tem quatro dos dez mais altos picos do planeta, incluindo o monte Everest, na cordilheira do Himalaia. À diferença dos agricultores hans, os tibetanos são pastores nômades, que vagam pelas montanhas com seus rebanhos em busca de pastagens verdes.

As questões étnica e religiosa também marcam a província de Xinjiang, a maior da China, localizada ao norte do Tibete. A região ocupa um sexto do território chinês, mas tem apenas 1,5% da população do país. Cerca de 45% dos vinte milhões de habitantes de Xinjiang são muçulmanos uigures e 41%, chineses hans, que se mudaram para o extremo oeste em resposta a uma política de estímulo à migração ainda mais intensa do que a adotada no Tibete – em 1953, muçulmanos uigures representavam 74% da população de Xinjiang, enquanto os hans não alcançavam 10%. O restante dos habitantes da região é formado por outros grupos étnicos, com destaque para os kazaks, também muçulmanos, e os mongóis, majoritariamente budistas.

Xinjiang tem uma paisagem pontuada por desertos, montanhas, oásis e camelos e assistiu durante séculos à passagem das caravanas que atravessavam a Rota da Seda, a principal ligação comercial entre a China e o Mediterrâneo no passado. A região é a maior fonte de gás natural da China e abastece o leste do país por meio de um gasoduto de quatro mil quilômetros de extensão.

Depois dos protestos de março de 2008 no Tibete, as autoridades chinesas intensificaram as medidas de segurança em Xinjiang, onde também ocorreram manifestações contra Pequim, ainda que em menor escala. Em 1997, muçulmanos uigures realizaram um grande protesto contra a China na cidade de Yining, em Xinjiang, que provocou a morte de 10 pessoas, deixou 198 feridas e levou outras 500 à prisão, segundo a contabilidade oficial. Grupos de exilados uigures sustentam que o número de vítimas foi muito maior. Também houve protestos em Xinjiang em 1990, quando moradores da cidade de Baren pegaram em armas e se rebelaram contra os chineses. Os confrontos voltaram a se repetir em 1995.

Como ocorre no Tibete, o desenvolvimento econômico beneficia principalmente os imigrantes hans, que habitam as áreas urbanas e assentamentos de projetos de colonização chamados de Unidades de Produção e Construção.

CEM MILHÕES DE IMPERADORES

O controle de natalidade gerou uma legião estimada em cem milhões de filhos únicos, batizados de "pequenos imperadores" e "pequenas imperatrizes" em razão da ilimitada atenção que recebem de seus pais e avós. Os chineses são absolutamente loucos por bebês, e o fato de a maioria das famílias só terem um os transformam no único depositário de expectativas de gerações precedentes sobre seus descendentes.

Em qualquer passeio pelas ruas das cidades é possível ver crianças rodeadas de adultos atenciosos e extremamente carinhosos, dispostos a satisfazer qualquer desejo de seus filhos ou netos únicos. Principalmente nas áreas urbanas, há uma enorme pressão para que os pequenos imperadores e imperatrizes sejam bem-sucedidos, já que no futuro caberá a muitos deles garantir o sustento dos dois pais e dos quatro avós, em uma estrutura social chamada de 1-2-4.

Os chineses urbanos que nasceram depois da implantação da política de um só filho cresceram em uma China totalmente distinta daquela em que seus pais viveram, o que provoca um abismo entre a geração anterior e a nova, batizada de "geração pós-anos 80".

120 | Os chineses

A política de controle de natalidade levou ao surgimento de um contingente de cem milhões de filhos únicos. A geração que nasceu nas cidades depois das reformas econômicas é a mais privilegiada da história chinesa: bem alimentados, bem-educados e com acesso crescente a bens materiais.

Filhos únicos em um país com acesso crescente a bens materiais, os integrantes desse grupo passaram a ser estigmatizados como mimados, egoístas, alienados, rebeldes e distantes da cultura tradicional chinesa.

Essa geração nasceu em uma China isolada, onde a comida era racionada e o sonho máximo de consumo era uma bicicleta. Chegou à vida adulta em um país integrado ao mundo, no qual têm acesso a tudo o que o dinheiro pode comprar. Vivem conectados à internet, adoram as últimas novidades do mundo eletrônico, veneram ídolos pop, namoram, cultuam marcas internacionais, cada vez mais fazem sexo antes do casamento e consomem em uma escala jamais sonhada por seus pais. Alguns antropólogos chamam essa geração de *chuppies*, a versão chinesa dos *yuppies* norte-americanos.

Bem alimentados e bem-educados, os chineses pós-anos 1980 formam o grupo mais favorecido da longa história do país. "Os esforços do Estado e dos pais para nutrir esta nova geração se combinaram com uma explosiva cultura mercadológica para produzir a mais privilegiada geração de jovens do ponto de vista material e educacional da história chinesa", observa Susan Greenhalgh, professora da Universidade da Califórnia em Irvine, especialista na política de controle de natalidade da China e autora do livro *Governing China's Population: from Leninist to Neoliberal Biopolitics*.[22]

A pressão pelo sucesso é imensa e o estudo é visto como o principal caminho para alcançá-lo. Os jovens são proibidos de namorar durante o colegial e exige-se que eles estudem arduamente para superar o primeiro grande desafio de suas vidas: passar no exame de admissão na universidade. A reprovação no teste é considerada um enorme fracasso, que afeta não apenas o estudante, mas toda sua família.

O exame de admissão nas universidades é realizado uma vez por ano, entre os dias 7 e 9 de junho, e mobiliza todo o país. Motoristas buzinam menos para não perturbar os estudantes, policiais são orientados a ajudar os que estiverem perdidos ou precisarem de ajuda e há voluntários que andam com fitas vermelhas em seus carros – um sinal de que podem ser parados por qualquer candidato que precise de uma carona até o local do exame. Chamado de *gaokao*, a prova é a maior do gênero em todo o mundo e teve participação de 10,5 milhões de jovens em 2008. Destes, apenas 5,99 milhões seriam aprovados. O desafio de entrar na universidade acaba retardando a iniciação dos jovens chineses na vida mundana. A maioria começa a sair à noite por volta dos 18 anos, depois de ter superado o *gaokao*. Bares e danceterias se multiplicam nas cidades, mas a diversão preferida é o karaokê, como em vários outros países do Leste Asiático. Há cerca de cem mil em toda a China, com faturamento anual de US$ 1,25 bilhão.[23]

As famílias investem pesado na formação de seus filhos e os que têm recursos suficientes costumam enviá-los para estudar nos Estados Unidos, na Europa, no Japão e na Austrália. O número de chineses matriculados em universidades norte-americanas cresceu 20% no ano letivo 2007/2008, para 81.127, e eles representam o segundo maior contingente de estrangeiros no sistema de ensino do país depois dos indianos. No atual ritmo de crescimento, os pequenos imperadores e imperatrizes assumirão logo o primeiro lugar. Os 81.127 representavam 13% dos 623.805 matriculados em universidades nos Estados Unidos, cifra bastante próxima dos 15% detidos pelos indianos. No ano letivo anterior, as proporções de China e Índia eram de 11,6% e 14,4%, respectivamente.[24] A geração de filhos únicos revelou sua gratidão à China em 2008, ao protagonizar uma explosão nacionalista em reação aos protestos que marcaram o trajeto da Tocha Olímpica em todo o mundo. Dirigentes do Partido Comunista costumam repetir que "na China, o povo e o governo estão unidos". Muitos jovens tomaram isso ao pé da letra. Críticas à política de Pequim no Tibete e à situação dos direitos humanos no país foram recebidas como ataques pessoais e levaram a demonstrações de fúria contra seus autores. Jornalistas estrangeiros receberam ameaças de morte e a rede de supermercados Carrefour foi escolhida como alvo da retaliação aos protestos realizados em Paris, os mais violentos do tumultuado percurso do símbolo olímpico.

Reação semelhante havia ocorrido em 2005, quando milhares de estudantes saíram às ruas de grandes cidades chinesas para protestar contra o Japão. O estopim foi a aprovação de novos livros de História que, aos olhos dos chineses, omitiam crimes e atrocidades cometidas durante a invasão da China, entre 1937 e 1945. Os jovens atacaram a Embaixada, consulados, lojas, restaurantes e supermercados identificados como japoneses. A ambição expansionista nipônica do século passado deixou cicatrizes que atravessam gerações e muitos integrantes da geração pós-anos 1980 dizem sem nenhum constrangimento que odeiam os japoneses, com todas as suas forças.

Os filhos únicos também conseguiram amenizar a imagem de mimados e egoístas depois do terremoto que atingiu a província de Sichuan, no dia 12 de maio de 2008, o mais violento do país em 32 anos. O tremor provocou a morte de pelo menos oitenta mil pessoas e deixou outras cinco milhões desabrigadas. Milhares de jovens chineses se apresentaram para trabalhar como voluntários nas operações de busca e socorro às vítimas, enquanto outros se destacaram nas operações em suas novas profissões de médicos, soldados ou engenheiros, o que lhes valeu elogios na imprensa oficial.

NOTAS

[1] "Country Faces Great Wall of Waste", em China Daily, 9 jan. 2007.
[2] Pamela Paul, "Diapers Go Green", em Time, 10 jan. 2008.
[3] China Statistical Yearbook 2007, Beijing, China Statistics Press, 2007.
[4] David Barboza, "Reportedly Urged Omitting Pollution-Death Estimates", em The New York Times, 5 jul. 2007.
[5] Reportagem "Red River Brings Cancer, Chinese Villagers Say", CNN, 25 out. 2007.
[6] "China, Inside the Dragon", em National Geographic, maio 2008.
[7] Jim Yardley, "Beneath Booming Cities, China's Future Dries up", em The New York Times, 30 set. 2007.
[8] Ministry of Water Resources, "Basic Readiness of Preparation Work for South-to-North Water Transfer Project", 14 nov. 2000.
[9] Liang Chao, "400,000 to Relocate for Water Project", em China Daily, 6 abr. 2005.
[10] Angus Maddison, "Statistics in World Population, GDP and Per Capita GDP, 1-2003 AD, Angus Maddison". disponível em <http://www.ggdc.net/maddison/>, acesso em 26 de mar. de 2009.
[11] David Lague, "On an Ancient Canal, Grunge Gives Way to Grandeur", em The New York Times, 24 jul. 2007.
[12] Angus Maddison, Chinese Economic Performance in the Long Run, Paris, OECD, 1998, disponível em <http://www.ggdc.net/maddison>, acesso em 26 de março de 2009.
[13] China Statistical Yearbook 2007, China, China Statistics Press, 2007.

[14] "China, Inside the Dragon", em National Geographic, maio 2008.
[15] Denis Tao Yang e Dan Dan Chen, "Transformations in China's Population Policies and Demographic Structure", em Pacific Economic Review, 9: 3, 2004.
[16] Jonathan D. Spence, Em busca da China moderna, São Paulo, Companhia das Letras, 1996, p. 639.
[17] Denis Tao Yang e Dan Dan Chen, op. cit.
[18] Wu Jiao, "Family Planning Slogans Given Makeover", em China Daily, 06 ago. 2007.
[19] "Nouveaux Riches Challenge One-Child Policy", em Xinhua, 14 dez. 2005.
[20] "Fertility Industry Takes off in China", em China Daily, 30 mar. 2005.
[21] China Statistical Yearbook 2007, China, China Statistics Press, 2007.
[22] Susan Greenhalgh, Governing China's Population: From Leninist to Neoliberal Biopolitics, Standford, Stanford University Press, 2005. Veja também "China's Future with Fewer Females", em China From the Inside, pbs, disponível em <http://www.pbs.org/kqed/chinainside/women/population.html>, acesso em 26 de março de 2009.
[23] "Karaoke Bar Royalty Scheme Reaches Impasse", em China Daily, 29 nov. 2006.
[24] Institute of International Education, "New Data from Open Doors 2008: Report on International Educational Exchange", disponível para assinantes em <http://opendoors.iinetwork.org>, acesso em 26 de março de 2009.

AS MULHERES DA CHINA

AS MENINAS QUE NÃO NASCERAM

Aliada à histórica preferência por filhos homens e ao uso de ultrassom para descoberta do sexo do bebê durante a gravidez, a política de um só filho criou um enorme desequilíbrio entre homens e mulheres na população chinesa. Como em muitos países asiáticos, as mulheres na China são vítimas de preconceito antes mesmo de nascerem e muitas grávidas praticam abortos seletivos para se livrarem de fetos do sexo feminino.

A utilização do exame para identificação do sexo do bebê é proibida pelo governo, mas não é fácil fiscalizar a aplicação da regra em um país enorme, no qual a maioria da população ainda vive em pequenas vilas rurais. Além disso, o aborto é uma prática legal e barata. A entidade norte-americana International Planned Parenthood Federation estima que sete milhões de abortos são realizados a cada ano na China, 70% dos quais de fetos do sexo feminino.

No mundo todo nascem em média 106 garotos para cada grupo de 100 meninas. Na China, os abortos seletivos levam a uma proporção de 120 por 100, o que provoca a maior disparidade entre a população dos dois sexos do planeta. Enquanto na maioria dos países ocidentais há mais mulheres que homens, na China ocorre o contrário: de acordo com o censo de 2000, o país tem 41,27 milhões de homens a mais que mulheres.

Cerca de 25 milhões desses rapazes têm idade para se casar, mas não encontram noivas, o que agrega mais um fator à lista de possíveis fontes de tensão social na China. Essa demanda não atendida tem levado ao aumento da violência contra a mulher, com milhares de casos de sequestro e venda de meninas e adolescentes para homens solitários, sem falar na prostituição. O personagem principal do filme *Em busca da vida*, de Jia Zhang-ke, é um migrante rural que vai à procura da mulher que ele havia "comprado" e que consegue escapar depois da intervenção da polícia.

As vítimas dos casos de tráfico não são apenas chinesas. Mulheres dos países pobres vizinhos à China também são vendidas como esposas e escravas sexuais, principalmente para os camponeses, o grupo que enfrenta a maior dificuldade para conseguir casar. Crianças e adolescentes da Coreia do Norte, Vietnã, Laos e Camboja estão entre as vítimas dos traficantes e muitas vezes são vendidas pela própria família.

O abandono é outra maneira de os pais se livrarem de meninas indesejadas. As que sobrevivem terminam em algum dos inúmeros orfanatos chineses, que se transformaram na maior fonte para adoção em todo o mundo. A cada ano, milhares de casais norte-americanos e europeus adotam crianças chinesas, 95% das quais são meninas. Nas regiões de Pequim próximas a embaixadas e consulados é comum ver os pais estrangeiros com seus novos bebês, enquanto passam pelo período de adaptação antes de levá-los a seus países.

No ano 2000, a China ultrapassou a Rússia e se tornou a maior fonte de crianças para os Estados Unidos. Desde então, 50 mil chineses foram adotados por norte-americanos, o que dá uma média de 6.250 por ano. O fenômeno se tornou tão comum que há associações que reúnem pais norte-americanos e filhos adotivos da China.

A preferência por filhos homens tem raízes profundas na milenar história chinesa e é bastante influenciada pelo confucionismo. Historicamente, as mulheres eram vistas como inferiores aos homens e tinham posição subalterna na sociedade. Até meados do século XX elas não podiam ter propriedade e não tinham direito à herança. Entre outras restrições, eram impedidas de realizar o culto aos ancestrais, elemento crucial do pensamento de Confúcio. Mas também há fatores econômicos na escolha: na cultura tradicional, o filho homem é o que tem a responsabilidade de cuidar dos pais na velhice, enquanto a mulher se dedicará aos pais do seu marido. Em um país que só recentemente começou a desenvolver um sistema de Previdência Social, ter um filho homem é uma forma de garantir a aposentadoria.

Na zona rural, a valorização dos bebês do sexo masculino é mais intensa do que nas cidades. Além de ser responsável pelos pais, tem mais força para realizar o trabalho braçal no campo. Quando dizem o número de filhos que têm, alguns camponeses mais velhos se referem apenas aos do sexo masculino, já que as filhas se casaram e passaram a fazer parte de outra família. Para muitos, criar uma mulher é uma tarefa ingrata, que não trará nenhuma compensação no futuro. "Filhas que se casam são como água jogada fora", diz um ditado chinês.

Os indicadores sociais demonstram ainda que as crianças do sexo masculino recebem mais atenção de seus pais do que as mulheres. A taxa média de analfabetismo no país é de 9,31%, mas sobe para 13,72% na população feminina, mais que o dobro dos 4,87% registrados na masculina.[1]

As mulheres na China | 127

O desejado filho homem. A política de controle de natalidade e a histórica preferência por bebês do sexo masculino levaram ao desequilíbrio populacional na China, que tem 41,7 milhões de homens a mais que mulheres.
Os médicos estão proibidos de revelar o sexo dos bebês para as grávidas, mas abortos seletivos de meninas continuam a ocorrer.

OS PÉS MUTILADOS

Mas a condição das mulheres chinesas mudou de maneira radical se comparada à situação de um século atrás, quando a prática de amarrar os pés para evitar que eles crescessem era generalizada no país. O costume sobreviveu durante cerca de mil anos e era uma forma brutal de mutilação, que comprometia a capacidade das mulheres de se moverem e reforçava ainda mais sua submissão aos homens.

Os pés começavam a ser amarrados por volta dos 6 anos de idade, com bandagens que a cada dois dias eram trocadas por outras ainda mais apertadas. Como não tinham como se expandir, os ossos se quebravam e curvavam, em um processo extremamente doloroso, para criar os chamados "pés de lótus". Os dedos eram quebrados ou se dobravam sob os pés, com exceção do dedão, e não era incomum que alguns caíssem por estarem gangrenados em razão da falta de circulação. O arco ficava extremamente acentuado, com o calcanhar se aproximando da parte da frente dos pés. Mutiladas, as mulheres tinham dificuldade para caminhar, mas continuavam a fazer os trabalhos domésticos, muitas vezes com a ajuda de pequenos bancos espalhados pela casa.

A prática teve início no século x, na dinastia Song, e prevaleceu durante os mil anos seguintes, durante os quais milhões de mulheres tiveram seus pés deformados por bandagens amarradas por suas mães. Nesse período, ter pés pequenos era condição essencial para a mulher conseguir se casar. O tamanho máximo desejável era de 10 centímetros e a perfeição era alcançada com os pés que não cresciam mais que 7,6 centímetros, chamados de lírio ou lótus de ouro. O ideal era que o pé se parecesse como uma extensão da perna, e não um suporte para o corpo.

Para os homens, os pés diminutos se transformaram em um fator de atração sexual e manuais eróticos da era imperial apresentavam várias maneiras pelas quais os maridos poderiam extrair prazer dos lírios de ouro. A maneira vacilante com que as mulheres eram obrigadas a caminhar e o aspecto de fragilidade que tinham ao tentarem se manter em pé também eram considerados elementos de sedução. Além disso, a deformidade era uma garantia de castidade, submissão e fidelidade da mulher, que não tinha a desenvoltura física necessária para sair de casa desacompanhada.

No livro *Splendid Slippers: A Thousand Years of an Erotic Tradition*, a norte-americana Beverley Jackson afirma que havia poderosos fatores de motivação que sustentaram a busca dos "lírios de ouro" durante um milênio. Segundo ela, a prática estava relacionada ao casamento, ao sexo, ao *status*, à beleza e à noção de dever. Jackson sustenta que a força que as mulheres tinham que fazer para caminhar fortalecia seus músculos vaginais, o que aumentava o prazer de seus parceiros durante o ato sexual. "Os homens diziam que era sempre como fazer amor com uma virgem", diz a autora.[2]

As mulheres na China | 129

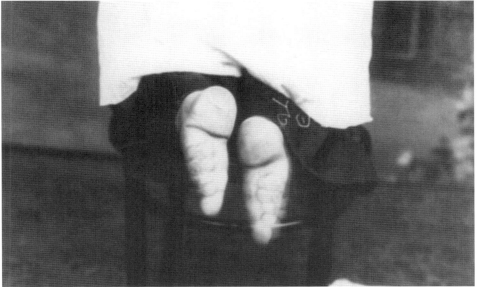

Durante um período de mil anos, as mulheres chinesas se sujeitaram à prática de amarrar os pés para que eles não crescessem, em uma brutal forma de mutilação. A tradição foi declarada ilegal depois do fim do Império, em 1911, mas só foi totalmente extinta depois da Revolução Comunista de 1949. Na primeira imagem, pares de sapatos de mulheres adultas que mediam até 10 centímetros.

Fotografia do fim do século XIX mostra mulheres com os pés amarrados trabalhando em Xangai na separação de folhas de chá. A dificuldade de locomoção imposta pelos pés diminutos restringia os tipos de atividades que as mulheres chinesas podiam realizar.

Há inúmeras lendas sobre o surgimento da tradição e a mais aceita é a que relata o fascínio do príncipe Li Yu por uma de suas concubinas, Yao Niang, que dançava uma forma primitiva de balé na ponta dos dedos. Outras mulheres da corte começaram a amarrar os pés para imitá-la e a prática se transformou em moda que se espalhou por todas as camadas da sociedade e se perpetuou durante séculos. A busca por essa forma de beleza incluía o uso de pequenos sapatos de pano, bordados com extremo cuidado. Em seu dote de casamento, a mulher deveria levar no mínimo quatro pares de sapatos, cujos bordados eram um reflexo de sua habilidade manual.

Os manchus, que conquistaram a China em 1644 e governaram até o fim do Império, em 1911, tentaram acabar com a prática, mas não tiveram sucesso. Os hans, etnia da maioria dos chineses, mantiveram a tradição de amarrar os pés de suas mulheres, algo que não era aceito pelos manchus para as suas. A diferença acabou se transformando em um elemento de identidade cultural e em barreira para casamentos entre os dois grupos.

Quando o Império chegou ao fim, o governo republicano tornou a prática ilegal, mas ela se manteve em vários lugares da China, principalmente na zona rural, e só foi erradicada totalmente depois da Revolução Comunista de 1949. As mulheres que já haviam amarrado seus pés se viram transformadas de objetos de desejo em símbolo de deformação e do atraso que devia ser deixado para trás.

Ainda hoje, milhares dessas mulheres estão vivas e sofrem a dor física e emocional de carregarem no corpo uma mutilação que passou a ser estigmatizada. "Eu me arrependo de ter amarrado os meus pés", disse Zhou Guizhen em entrevista à National Public Radio em março de 2007, quando tinha 86 anos. "Eu não posso dançar, eu não posso me mover de maneira apropriada. Eu me arrependo muito. Mas naquele tempo, se você não amarrasse os seus pés, ninguém iria querer casar com você."[3]

ADEUS, MINHA CONCUBINA?

O concubinato é outra instituição da China imperial que reforçou a posição subalterna da mulher na sociedade. As concubinas eram tratadas como propriedade do homem e podiam ser vendidas ou dadas como presente. Normalmente, as jovens se tornavam concubinas depois de serem vendidas por suas próprias famílias a homens de classe social mais elevada. O limite para o número de concubinas era dado pela fortuna do dono, que podia ter tantas quantas pudesse sustentar.

Essas mulheres viviam na mesma casa da família e deviam obediência à esposa legítima. Além de serem fonte de prazer sexual, elas aumentavam as chances de o senhor da casa produzir herdeiros do sexo masculino. O *status* da concubina era apenas ligeiramente superior ao de uma empregada doméstica e ela estava inteiramente sujeita aos caprichos do homem que a havia comprado. Não era impossível que, quando ele morresse, a concubina fosse enterrada viva com seu corpo, para lhe fazer companhia no além.[4]

A vida doméstica compartilhada por uma esposa e várias concubinas estava sujeita ao ciúme, intriga e disputa por poder. Há vários relatos de concubinas assassinadas em tramas urdidas por mulheres ciumentas. O filme *Lanternas vermelhas*, de Zhang Yimou, é um bom exemplo de como a vida dessas mulheres podia ser profundamente infeliz.

Apesar de ter um *status* mais elevado, as esposas legítimas também eram tratadas como propriedade do marido, que tinha sobre elas poder de vida e morte.

Ainda assim, o casamento era a melhor das opções diante das jovens chinesas. Se não conseguissem um marido, elas teriam que se tornar concubinas, se prostituir ou trabalhar como empregada doméstica. Mas, ainda que conseguissem casar, sua situação não era segura.

A legislação imperial previa seis condições pelas quais o marido podia repudiar a mulher e se divorciar: falta de um filho homem, infidelidade, ausência de devoção filial, roubo, ciúme, doença grave e o hábito de dizer coisas más. A mulher podia manter o casamento se provasse ter cumprido três requisitos: obedecido o período de luto pela morte dos pais do marido, ter-se casado quando ele era pobre e não ter mais a casa da família para a qual retornar.[5]

Os palácios dos imperadores eram habitados por centenas e até milhares de concubinas, escolhidas com base na sua beleza e juventude. As que davam ao imperador filhos homens tinham melhor sorte e podiam até chegar a ter poder na corte. O imperador também tinha um número limitado de esposas ou consortes, divididas em uma estrutura hierárquica que normalmente compreendia quatro diferentes níveis, que correspondiam a determinados privilégios dentro da corte. As concubinas e as consortes formavam o harém do imperador e estavam todas subordinadas à imperatriz.

O grau de intriga podia ser levado ao extremo e havia uma feroz concorrência pela chance de dar ao imperador seu primeiro filho homem, que assumiria o trono quando ele morresse, mesmo que fosse filho de uma concubina.

Depois do imperador, a pessoa mais poderosa na corte chinesa era sua mãe. Todas as mulheres da corte eram vigiadas pelos eunucos, os únicos homens autorizados a entrar na área íntima do palácio além do soberano. Castrados, eles eram a garantia de que os filhos das concubinas e das consortes não seriam ilegítimos. Depois de cortados, os testículos dos eunucos eram mumificados e guardados até sua morte, para serem enterrados junto com seu corpo.

Quando desejava, o imperador escolhia com qual das concubinas gostaria de passar a noite. A eleita era banhada e levada a um quarto pelos eunucos, onde era deixada nua ao pé da cama, uma maneira de evitar que carregasse qualquer arma.

Com esse passado, é surpreendente o grau de independência conquistado por muitas mulheres chinesas. Comparada a outros países asiáticos, inclusive o Japão, a mulher tem uma atuação muito mais ativa e autônoma na sociedade chinesa. Não há traços de submissão, como falar baixo ou andar atrás do marido, nem restrições na maneira de vestir, à diferença do que ocorre na Índia, por exemplo. Ainda que a sociedade continue a ser dominada pelos homens, há mulheres empresárias, executivas, engenheiras, motoristas de táxi, cientistas e em cargos de comando no governo. Mas as mudanças ainda não foram suficientes para a entrada de uma mulher no órgão de cúpula do Partido Comunista da China, o Comitê Permanente do Politburo, integrado pelos nove homens que de fato mandam no país.

Duas imagens de concubinas retratadas no fim do Império. Elas eram propriedade do imperador ou de qualquer homem com recursos suficientes para mantê-las. Além de serem fonte de prazer sexual, as concubinas aumentavam as chances de nascimento de um herdeiro do sexo masculino.

A condição feminina começou a mudar com o fim do Império, em 1911, mas a grande ruptura com o passado ocorreu na Revolução Comunista de 1949, que pôs fim ao concubinato, acabou com os casamentos arranjados, combateu a prostituição e adotou leis que previam a igualdade formal entre homens e mulheres – a prática de atar os pés já estava em desuso desde a década de 1930.

Muitas camponesas tiveram participação ativa na luta revolucionária, abandonaram suas vilas rurais e se engajaram na longa guerra civil lado a lado com os homens. Documentários da época mostram mulheres sorridentes, de cabelos curtos, vestidas com os mesmos uniformes azuis utilizados por seus camaradas. "As mulheres sustentam metade do céu" era a frase utilizada por Mao Tsé-tung para promover a igualdade entre os sexos. O líder comunista considerava a força de trabalho feminina essencial para o desenvolvimento do país e sabia que ela não poderia ser utilizada sob as restrições a que as mulheres estavam sujeitas na sociedade tradicional.

Meio século depois da Revolução Comunista, o enriquecimento e a mudança de valores levaram ao surgimento de uma nova forma de concubinato, com a proliferação do número de homens ricos e poderosos que mantêm amantes, batizadas de "segundas esposas". Essas novas concubinas não vivem na mesma casa que a família do amante, mas são mantidas financeiramente por ele. Jovens e bonitas, elas são exibidas por seus parceiros como mais um elemento de sua prosperidade, já que só os ricos têm condições de sustentar várias mulheres.

A prática se tornou uma fonte de constrangimento para o Partido Comunista, com a revelação de vários casos de corruptos ocupantes de altos escalões que mantinham amantes. Em 2007, o presidente do Conselho Político da Província de Shaanxi, Pang Jiayu, perdeu o cargo depois de ser denunciado por algumas de suas 11 amantes. Todas eram mulheres de funcionários subalternos de Pang, que consentiram com os relacionamentos extraconjugais em troca da promessa de receberem propinas em contratos de obras públicas. Quando seus maridos começaram a ser condenados à morte por corrupção, as mulheres revelaram o esquema, provocando um escândalo e a queda de Pang, que aguardava julgamento no fim de 2008.[6]

Segundo a imprensa oficial chinesa, dos 16 ocupantes de altos cargos acusados de corrupção entre 2003 e 2007, 14 tinham amantes. Para tornar mais prático o relacionamento com suas 8 amantes, o vice-chefe do Partido Comunista de uma cidade na província de Anhui, Yang Feng, nomeou uma delas como "gerente" do grupo. A queda do chefe do Partido Comunista em Xangai, Chen Liangyu, em 2006, também foi acompanhada da revelação de que ele tinha duas amantes, sustentadas com parte dos US$ 450 milhões que ele foi acusado de desviar dos cofres públicos.

Com a multiplicação de casos, o governo deu início a uma campanha moralizadora para combater a prática da manutenção de amantes, mas não há indícios de que ela esteja sendo abandonada.

Fora da esfera governamental, o crescente número de empresários ricos também mantém suas "segundas esposas", que costumam morar em apartamentos comprados por seus amantes. Com uma generosa mesada, elas frequentam os shoppings de luxo das grandes cidades e andam em carros que levam marcas como Mercedes ou BMW. À diferença das concubinas do Império, não se espera que elas tenham filhos. Sua função é um misto de prazer sexual e aumento de *status* do homem que a sustenta. Ter uma "segunda esposa" é um importante sinal exterior de riqueza e dá a medida do sucesso empresarial de quem a sustenta.

NOTAS

[1] China Statistical Yearbook 2007, Pequim, China Statistics Press, 2007.
[2] Entrevista a Nadine Kam, "Golden Lilies", em Honolulu Star-Bulletin, 10 mar. 1998, disponível em <http://starbulletin.com/98/03/10/features/story1.html>, acesso em 26 de março de 2009.
[3] Louisa Lin, "Painful Memories for China's Footbinding Survivors", em National Public Radio, 19 mar. 2007, disponível em <http://www.npr.org/templates/story/story.php?storyId=8966942>, acesso em 26 de março de 2009.
[4] "Marriage Accessory", em China Daily, 19 jun. 2003.
[5] Ahn Jung Won, em A Jesuit's Views on Chinese Marriage: Manuel Dias S. J. (1549-1639), Ricci Institute for Chinese-Western Cultural History, San Francisco, University of San Francisco, 2003, disponível em <http://www.usfca.edu/ricci/fellows/asian/ahn_paper.pdf>, acesso em 26 de março de 2009.
[6] Jonathan Watts, "Concubine Culture Brings Trouble for China's Bosses", em The Guardian, 08 set. 2007.

A COSMOLOGIA CHINESA

O IMPÉRIO DO MEIO

Para muitos chineses, a meteórica ascensão que a China experimenta representa o retorno ao lugar que historicamente lhe pertenceu, de Império do Meio ou País do Centro. As estatísticas comprovam que durante a era cristã, a China e a Índia disputaram a primeira posição entre as maiores economias do mundo. O Império do Meio passou a ocupar a liderança de maneira indiscutível a partir do século XV, onde se manteve até o início do século XIX, quando sucumbiu perante o Ocidente. Chamada atualmente de "fábrica do mundo", a China foi no passado a principal fonte de produtos manufaturados para outros países, com grandes exportações de seda, porcelana e chá.

A consciência de que fazem parte de um processo histórico longuíssimo e contínuo é outra das fortes características dos chineses. Há uma espécie de orgulho coletivo em relação à grandeza da civilização milenar, e o vínculo com o passado é estimulado pelo sistema de ensino. O bom aluno sabe de cor o nome das dinastias que se sucederam desde os anos 1700 a.C., quando a China ainda não era unificada, aprende que seu país foi a origem de algumas das invenções mais importantes para a humanidade, como a pólvora, a bússola e o papel, e sabe o poder de uma população de 1,3 bilhão de pessoas.

Mas, acima de tudo, a ligação com o passado e a percepção de continuidade histórica são dadas pelas duas grandes tradições filosóficas do país, o confucionismo e o taoísmo, cuja influência na concepção de mundo dos chineses sobreviveu ao longo dos séculos e se mantém até os dias de hoje.

A visão de que a China ocupa o centro do mundo e possui uma civilização superior às demais marcou a história do país e está refletida em seu próprio nome. Os chineses não chamam a China de China, mas de Zhongguó, palavra formada pela união de dois ideogramas: centro (中) e nação (国). O nome China adotado no Ocidente vem de *Chin* antiga versão romanizada de *Qin*, nome da primeira dinastia da China unificada

O portão de entrada da Cidade Proibida, em Pequim, centro do poder imperial durante quase cinco séculos, até a Revolução Republicana de 1911. A cosmologia chinesa colocava o antigo Império do Meio no centro do mundo, o que se refletia no nome do país em mandarim, utilizado até hoje: Zhongguó, ou País do Centro.

e que durou de 221 a.C. a 206 a.C. Essa concepção de mundo "sinocêntrica" começou a ser elaborada há quase quatro mil anos, na dinastia Shang (1600 a.C.-1046 a.C.),[1] a primeira cuja existência é confirmada por evidências arqueológicas.

O sentido de superioridade e centralidade era reforçado pelo fato de a civilização chinesa ter nascido em uma região isolada, às margens do rio Amarelo e longe do mar, e dominar tecnologias mais avançadas que as de outros povos próximos. Há cerca de 3,2 mil anos, os Shang já tinham um sistema completo de escrita, com cerca de 2,5 mil caracteres, um calendário com 12 meses de 30 dias e talento para fabricar sofisticados vasos de bronze utilizados em rituais religiosos e fúnebres.

A dinastia seguinte, Zhou, foi a maior da longa história chinesa, com quase novecentos anos de duração (1046 a.C.-256 a.C.), e continuou a construção da identidade do "Império do Meio". Nesse período, surge a concepção de Mandato do Céu, que legitimava o poder do imperador, a escrita é aperfeiçoada e nascem as escolas de pensamento que dariam as bases da filosofia chinesa.

As convicções que marcariam a história do país pelos séculos seguintes, até a queda do Império em 1911, já estavam sedimentadas na dinastia Han (206 a.C.-220 d.C.), a segunda e a mais duradoura depois da unificação promovida pelos Qin (221 a.C.-206 a.C.). Não por acaso, *han* é o nome utilizado para denominar os pertencentes à etnia dominante na China, que representa 91,6% da população de 1,3 bilhão. Existem outras 55 etnias, a maioria das quais com costumes, línguas e religião próprias.

A visão de mundo que se consolidou na China antes do início da era cristã sobreviveu a sucessivas quedas de dinastias, a períodos de desagregação do poder e a invasões por povos considerados bárbaros. Nada abalou a cosmologia que coloca a China no centro do mundo, em uma posição superior à dos demais reinos.

Nessa cosmologia, o imperador é o Filho do Céu e funciona como um elo entre o Céu, a Terra e os homens. O "Império Celestial" é dotado de uma harmonia perfeita entre a natureza, o homem e o universo, o que se reflete nos títulos dados aos edifícios imperiais. A enorme Cidade Proibida, em Pequim, tem entre seus monumentos os salões da Suprema Harmonia, da Harmonia Central e da Harmonia Preservada, além dos palácios da União Terrestre e Celestial, da Pureza Celestial e da Tranquilidade Terrestre. As entradas possuem nomes como Portão da Pureza Celestial, e em frente à Cidade Proibida está a Praça da Paz Celestial.

YIN-YANG

Coqueluches no Ocidente só a partir da década de 1960, os conceitos de *yin-yang*, *feng shui*, *qi*, *tai chi chuan*, *I Ching* e acupuntura fazem parte do universo dos chineses há milênios, permeiam sua visão de mundo e definem sua relação com a natureza e o próprio corpo. De todos esses princípios, *yin-yang* é o mais fundamental e o que exerce influência sobre todos os demais. O conceito está na base da concepção dualista e circular do universo que começou há ser desenvolvida há quatro mil anos, marcada pela interação e a busca de equilíbrio de forças contrárias. *Yin* é a energia feminina, associada à noite, à lua, ao frio, à introspecção, à inatividade e à terra. O mundo masculino é *yang*, que se manifesta no dia, no calor, na extroversão, na atividade, no sol e no céu. Os dois elementos estão em constante movimento e a relação entre ambos é o que move a existência de todas as coisas e dita o ritmo da natureza. Mais do que opostos, são duas forças complementares que se alternam e uma não existiria sem a outra.

O símbolo *yin-yang* é um círculo dividido em duas partes iguais por uma linha sinuosa. A metade preta simboliza a energia *yin* e a branca, a *yang*. O lado branco tem um ponto preto e vice-versa, em uma indicação de que cada um contém características de seu oposto e pode nele se transformar. O ideal chinês é o equilíbrio e a harmonia entre esses dois elementos, que formam a energia vital *qi*, presente em tudo o que existe, incluindo as emoções.

Essa visão dualista perpassa a cultura chinesa e é o principal modelo a partir do qual a natureza e a sociedade são interpretadas. *Yin-yang* podem ser usados para definir qualquer par de opostos, como silêncio e fala, filho e pai, receber e dar, números pares e números ímpares e assim por diante. Apesar de as duas energias aparecerem com o mesmo peso no símbolo que as representa, é evidente a subordinação de *yin* a *yang*, assim como da mulher ao marido, do filho ao pai e da Terra ao Céu.

O conceito surgiu em algum momento da dinastia Zhou (1046 a.C.-256 a.C.), mas só foi elaborado de maneira sistemática por Zou Yan (305 a.C.-240 a.C.), fundador da Escola Yin-Yang ou Naturalista. O filósofo uniu o princípio *yin-yang* a outro que ganhou enorme influência na explicação dos fenômenos naturais, sociais e políticos da China nos séculos seguintes, o *wuxing* ou cinco elementos, que são terra, madeira, metal, fogo e água.

Regidos pelas forças cósmicas *yin-yang*, os cinco estão em constante interação e cada um tem uma relação específica com os demais, podendo alimentá-lo ou destruí-lo. "Como no jogo infantil de papel, pedra e tesoura, cada um deles pode subjugar um dos demais, ao mesmo tempo em que é vulnerável a um dos outros", observa Bamber Gascoigne, em *A Brief History of The Dynasties of China*.[2] A água, por exemplo, pode apagar o fogo ou nutrir a madeira. Cabe ao homem intervir para que o fluxo de energia resultante da interação entre os elementos seja positivo ou produza determinado efeito. O primeiro imperador da dinastia Qin (221 a.C.-207 a.C.), que unificou a China, escolheu a água como elemento de seu reinado, na suposição de que ela tinha o poder de extinguir o fogo, elemento que regeu a dinastia anterior, Zhou (1046 a.C.-256 a.C.).

A cosmologia chinesa | 141

O símbolo *yin-yang*, que está na base da visão de mundo chinesa.
Yin é a energia feminina e é representada pela metade preta.
Yang é a energia masculina e corresponde à cor branca. As duas forças estão em constante interação e têm elementos da outra. A parte branca possui um ponto preto, o que indica que pode se transformar em seu oposto e vice-versa.

A visão de mundo chinês se estrutura sobre o que os filósofos chamam de *cosmologia correlativa*, que relaciona diferentes elementos do universo e da natureza ao mundo dos homens, incluindo seu corpo, criando um modelo de interdependência perfeita. Essa cosmologia não é estática e está em constante transformação, mas é regida por leis e ciclos da natureza. A tarefa dos homens e dos governantes é compreendê-los e se ajustar a eles para obter a harmonia e prosperidade. A incapacidade em se adaptar aos ritmos do universo está na origem da destruição, dos desastres e das doenças.

A cosmologia correlativa está presente em inúmeros aspectos da cultura chinesa perceptíveis até os dias de hoje. Os cinco elementos se relacionam a pontos cardeais, órgãos do corpo, astrologia, números, cores e estações do ano. O fogo é associado ao verão, ao sul e à cor vermelha, enquanto a água ao inverno, ao norte e ao preto. A madeira é ligada à primavera, quando as plantas crescem, ao leste, onde o sol nasce, e à cor verde. O metal é o elemento dominante no oeste, onde o sol se põe, e no outono, quando as plantas perdem suas folhas, e é associado à cor branca. A terra é o centro, associada a um curto período entre verão e outono e à cor amarela.

A criação de uma cosmologia intimamente associada à natureza e a seus ciclos é resultado do caráter agrário da sociedade chinesa antiga, em que a terra era a principal fonte de sobrevivência. A economia chinesa foi estruturada em torno da agricultura durante milênios, o que se refletiu na natureza quase imutável da organização social do país. A influência da natureza e dos cinco elementos sobreviveu ao longo dos séculos e em 1911, quando ocorreu a Revolução Republicana, o título do soberano chinês ainda era "Imperador [por meio do Mandato] dos Céus e de acordo com os Movimentos [dos Cinco Poderes]".[3]

I CHING

A noção de que o universo é o palco onde energias opostas interagem em um processo infinito de transformação está na base do *I Ching: o livro das mutações*, uma espécie de oráculo que durante quase cinco mil anos orientou os chineses em suas vidas privada e pública. Formado por 64 hexagramas (símbolos com seis linhas horizontais contínuas ou interrompidas), o *I Ching* é permeado pela ideia de interação entre homem e natureza e foi utilizado ao longo da história como manual de governo, fonte de princípios morais e guia para decisões pessoais. A crença dos chineses era a de que os símbolos revelavam os caminhos da natureza e do destino e podiam explicar o presente e apontar escolhas que deveriam ser realizadas no futuro. Os hexagramas são formados pelas combinações entre oito trigramas, cada um dos quais se relaciona a um elemento da natureza: céu, terra, água, fogo, trovão, montanha, ar/vento/madeira e lago/neblina. O primeiro e o segundo dos 64 hexagramas representam as forças opostas *yang* e *yin*, que por sua vez são relacionadas a números. Os ímpares têm natureza *yang* e os pares, *yin*. O 1 é "O Criativo", formado por seis linhas contínuas e associado ao céu, à energia masculina, à ação, à luminosidade:

O 2 é "O Receptivo", no qual aparecem seis linhas descontínuas , que simboliza a Terra e evoca a energia *yin*, feminina, acolhedora, maleável, obscura:

Os demais são formados por linhas contínuas e descontínuas e revelam a interação entre as energias *yin* e *yang*.

No passado, a consulta ao *I Ching* era feita por meio de varetas feitas com o caule de milefólio, que ditavam as combinações numéricas que revelariam o hexagrama apropriado para aquele momento. Números ímpares são *yang* e geram linhas contínuas, enquanto os pares são *yin* e produzem linhas descontínuas, refletindo a permanente interação entre as duas forças. Os hexagramas trazem nomes como "Estagnação", "A Influência (Cortejar)", "Oposição", "Dispersão" e "A Preponderância do Pequeno". Os que consultam o *I Ching* atualmente jogam varetas ou moedas para obter sequências matemáticas e descobrir quais hexagramas devem analisar para obter as respostas às suas indagações.

Originalmente, o *I Ching* era formado apenas pelos símbolos, sem qualquer texto, e cabia aos sábios interpretar seu significado. A mitologia chinesa atribui a descoberta dos símbolos ao imperador Fu Xi, o primeiro dos três lendários soberanos que deram origem ao Império do Meio. De acordo com o mito, Fu Xi viveu 197 anos e foi o criador da escrita e do matrimônio e ensinou os chineses a pescar com rede e a domesticar animais. O imperador viu os símbolos que viriam a formar o *I Ching* no corpo de um dragão com cabeça de cavalo que saiu de um rio por volta do ano 2800 a.C. — algumas versões sustentam que as imagens estavam no casco de uma tartaruga.

A partir desses sinais, Fu Xi criou os trigramas que seriam combinados nos 64 símbolos que compõem o *I Ching*. Mais tarde, os hexagramas ganharam comentários, atribuídos a três autores: o rei Wen (1099 a.C.-1050 a.C.), seu filho Dan, conhecido como o duque de Zhou, e Confúcio (551 a.C.-479 a.C.). Os comentários têm estrutura de poemas ou parábolas e devem ser reinterpretados pelos que consultam o *I Ching*, o que nem sempre é uma tarefa fácil, em razão da linguagem hermética que muitos utilizam.

O *I Ching* ganhou notoriedade no Ocidente no século XX em grande parte graças ao psicanalista suíço Carl Gustav Jung, que o via como um "método de explorar o inconsciente". Antes de jogar as varetas ou moedas, quem consulta o *I Ching* deve formular de maneira clara a pergunta que espera ver respondida. "Nossa própria personalidade está, com frequência, envolvida na resposta do oráculo", afirmou Jung no prefácio que escreveu à tradução da obra realizada pelo alemão Richard Wilhelm.

O *I Ching* teve profunda influência na cultura e na filosofia chinesas. Ecos de seus princípios são identificáveis tanto no taoísmo quanto no confucionismo, duas das mais importantes escolas de pensamento do Império do Meio. Os comentários realizados

O *ba gua* é um importante diagrama do *I Ching* e sua tradução literal significa oito trigramas (ou oito mutações). O símbolo também é usado no *feng shui* e cada um de seus lados corresponde a pontos cardeais, cores, elementos, números, animais e um aspecto da vida humana.

aos 64 hexagramas revelam a preocupação com a conduta moral e a virtude e traços normalmente associados à sabedoria oriental, como a prudência e a moderação. Em várias passagens há referência à perseverança, sinceridade, modéstia e benevolência. A ideia confuciana do homem superior virtuoso que influencia os demais com seu exemplo também emerge no *I Ching*.

O conceito básico é o de mutação incessante, resultado da interação e da transformação das energias opostas do universo, *yin* e *yang*. Cada hexagrama traz em si a ideia de mudança e a possibilidade de transformar-se em outro dos 64 símbolos, sempre que as energias *yin* e *yang* forem excessivas, a ponto de se tornar o seu oposto.

Mas essa mutação tem leis e uma lógica interna, concebida como um círculo fechado, no qual os elementos se sucedem e voltam ao início, em um movimento cíclico. "Muda constantemente a natureza, porém sempre ao longo das mesmas estações. Nunca as mesmas flores, mas sempre a primavera. Os fenômenos são incontáveis e distintos uns dos outros, porém regidos, em suas tendências de mudança, pelos mesmos e constantes princípios", observa Gustavo Alberto Corrêa Pinto no prefácio à edição brasileira do mesmo livro.

FENG SHUI

Os conceitos de *yin-yang*, dos cinco elementos e de dependência entre o homem e a natureza também influenciaram a construção das cidades e palácios chineses e deram origem a uma forma específica de adivinhação, o *feng shui*. Em sua origem, ele era utilizado para definir o melhor local para enterro dos mortos, mas evoluiu para abranger os lugares onde os vivos moram e trabalham. Seus princípios refletem a ideia de que o homem faz parte do universo e deve se harmonizar com as forças cósmicas que o regem. *Feng shui* literalmente significa *vento e água* e é interpretado como o caminho para se adaptar ao fluxo da natureza.

Todas as cidades imperiais chinesas eram construídas sobre o eixo norte-sul, com a face voltada para o sul, que no hemisfério norte é o ponto cardeal associado ao calor e ao verão. O paralelismo do conceito *yin-yang* se reflete na organização simétrica das cidades em torno desse eixo central e na construção de ruas.

Os especialistas em *feng shui* da Antiguidade definiam o melhor lugar para as construções a partir da observação da geografia do terreno e/ou por meio da astronomia e da numerologia. Como o corpo humano, a terra e o universo também têm correntes de *qi*, a energia vital presente em todas as coisas. O objetivo do *feng shui* é identificar as correntes de *qi* na natureza e descobrir a melhor posição na qual os humanos – vivos e mortos – poderiam se beneficiar delas. Os praticantes de *feng shui* acreditam que a organização do mundo físico pode melhorar o fluxo e aumentar a concentração de *qi*, o que tem influência positiva sobre sua saúde e seu destino.

O uso do *feng shui* decaiu na China continental depois da Revolução Comunista de 1949 e da chegada ao poder de Mao Tsé-tung, que via várias tradições chinesas como símbolo do atraso e da superstição. A prática continuou a ser utilizada em outras regiões habitadas por chineses, especialmente em Hong Kong, onde é comum escutar que tal prédio tem "bom *feng shui*" ou que uma construção "arruinou o *feng shui*" de outra. Há edifícios que trazem determinadas características arquitetônicas, como um vão livre bem no meio, com a intenção de conquistar um "bom *feng shui*".

Ter "mau *feng shui*" pode ser desastroso para os negócios e para a reputação de um prédio, que certamente verá seu valor de mercado ser reduzido – ao menos em Hong Kong. Quando isso ocorre, os especialistas são chamados para realizar mudanças físicas que devolvem o bom fluxo de energia para o lugar. Um caso clássico é o do edifício do banco HSBC na ilha, projetado pelo arquiteto britânico Norman Foster. Inaugurado em 1985, o prédio era considerado o de melhor *feng shui* de Hong Kong, por estar próximo de colinas e de água e ter sido levantado no único local da ilha em que havia a junção de cinco linhas do dragão.

Os bons fluidos cessaram de beneficiar o HSBC em 1990, quando o Bank of China inaugurou sua sede, desenhada pelo chinês radicado nos Estados Unidos I. M. Pei. Com suas formas geométricas semelhantes a instrumentos cortantes, o prédio destruiu o *feng shui* do vizinho, que só foi restabelecido depois da construção de um novo edifício entre eles.[4]

Desde as reformas econômicas de 1978, a tradição voltou gradualmente a ser aplicada na China, mas nada se compara à explosão que o *feng shui* experimentou nos Estados Unidos, onde é praticado por milhares de consultores, que cobram pequenas fortunas para harmonizar as casas de seus clientes com as forças da natureza. Na sua versão moderna, a tradição se combina com as aspirações da classe média e promete levar energias positivas a oito aspectos da vida: carreira, riqueza, fama, casamento, filhos, conhecimento, saúde e uma entidade chamada "benfeitor".

Além do *yin-yang*, os demais conceitos da cosmologia correlativa da China antiga são utilizados na busca do melhor *feng shui* de um lugar. O principal instrumento de trabalho atualmente são os oito trigramas do *I Ching*. Chamados de *ba gua*, eles são distribuídos em um desenho octogonal, no qual cada lado é associado a um dos aspectos mencionados anteriormente e a vários outros itens – pontos da bússola, números, cores, estações, os cinco elementos e animais do zodíaco.

A função do especialista é organizar a casa ou o escritório de forma que as relações entre esses componentes seja positiva e permita o livre fluxo de energia. Os cinco elementos, por exemplo, devem ser arranjados dentro do ciclo construtivo, onde a madeira alimenta o fogo, as cinzas criam a terra, a terra dá origem ao metal, o metal cria a água e a água nutre a madeira.

A popularidade do *feng shui* nos Estados Unidos é tanta que levou ao surgimento de uma nova escola, a Black Hat Sect Tantric Tibetan Buddhist (BTB). Fundada por Thomas Lin Yun nos anos 1980, a escola usa um diagrama organizado a partir da porta de entrada da casa ou de um aposento, o que simplificou a aplicação do *feng shui* nas grandes cidades verticalizadas, onde a orientação de acordo com os pontos cardeais nem sempre é possível.

A cosmologia chinesa | 147

O prédio do Bank of China na antiga colônia britânica de Hong Kong, que temporariamente destruiu o *feng shui* da sede do HSBC (mostrada no destaque), projetada pelo arquiteto inglês Norman Foster; o equilíbrio foi restabelecido com a construção de um novo prédio entre os dois edifícios.

O UNIVERSO NO CORPO HUMANO

A medicina ocidental ganhou enorme espaço na sociedade chinesa depois do início do processo de reforma e abertura econômica, em 1978, mas a milenar medicina tradicional chinesa (MTC) continua a ser utilizada pela população, muitas vezes de maneira suplementar ou preventiva. Os princípios que a regem estão intimamente ligados à cosmologia correlativa e à visão do corpo humano como um microcosmo do universo, no qual circula a energia vital *qi*.

As doenças ocorrem quando há desequilíbrio entre as forças *yin-yang*, como distúrbios no fluxo de *qi* ou dos fluidos corporais. A função da MTC é manter ou restabelecer a harmonia e permitir a livre circulação de energia. Os princípios da MTC começaram a ser desenvolvidos no Período de Estados Guerreiros (475 a.C.-221 a.C.), durante a dinastia Zhou, e se consolidaram na dinastia Han (206 a.C.-220 d.C.). A mitologia chinesa atribui a criação da medicina ao Imperador Amarelo, que teria vivido de 2697 a.C a 2598 a.C e seria o autor do clássico *O cânone Interior do Imperador Amarelo*, utilizado até hoje como texto básico nas escolas de MTC.

Com algumas adaptações, o sistema se mantém até os dias de hoje e tem espaço crescente nos países ocidentais entre pessoas que buscam métodos alternativos de tratamento. A MTC tem uma concepção holística do homem, que olha não apenas os sintomas da doença, mas investiga o estado global do paciente, incluindo questões emocionais e seu ritmo de vida.

O diagnóstico demanda uma grande experiência clínica, já que não é direcionado por exames de laboratório, ainda que eles sejam cada vez mais utilizados atualmente. A consulta é constituída de quatro elementos: inspecionar, escutar e cheirar, perguntar e tomar o pulso, prática fundamental da medicina chinesa.

O tratamento envolve a prescrição de fórmulas elaboradas com ervas, raízes, cascas de árvores ou partes de animais, a utilização de dietas específicas, o uso de acupuntura, massagens e exercícios físicos. As receitas são absolutamente individuais e variam de paciente para paciente. "A MTC acredita que nenhuma pessoa é exatamente igual a outra. Portanto, não haverá uma doença que seja exatamente igual às demais e não haverá um tratamento padrão, que possa ser usado repetitivamente sem nenhuma modificação", explica Liao Yuqun no livro *Traditional Chinese Medicine*.[5]

A medicina tradicional chinesa vincula os cinco elementos a órgãos do corpo e a emoções específicas e dá prescrições de acordo com a necessidade de aumentar ou reduzir sua presença no organismo. Essa relação reflete a convicção chinesa de que o homem é um microcosmo do universo e sua harmonia interior tem efeito sobre o mundo exterior. O fogo está ligado ao coração, intestino delgado e ao sentimento de

A cosmologia chinesa | 149

Utilizados antigamente no ensino da acupuntura, bonecos mostram os meridianos e os inúmeros pontos distribuídos no corpo humano. Com uma história milenar, a terapia é realizada com a inserção de agulhas nos pontos indicados e tem a função de desobstruir o fluxo da energia vital pelo corpo.

alegria. Ele pode ser usado para controlar a presença do metal, associado à tristeza, aos pulmões e ao intestino grosso.

Os órgãos também são relacionados às energias *yin* e *yang*, dependendo da função que exercem. Os que "estocam", como o fígado e os rins, são *yin*, enquanto a natureza *yang* é atribuída aos que realizam o "transporte", entre os quais o estômago e o intestino. Mas cada um deles age sob a influência das duas forças: a energia *yang* é a que rege as funções dos órgãos e a *yin* está presente na sua substância.

Dos tratamentos "externos", o mais fundamental é a acupuntura. Na base dessa terapia está a ideia de que o corpo humano é permeado por canais ou meridianos nos quais circula a energia vital, *qi*, que se move pela interação entre as forças *yin* e *yang*. Se esse fluxo é insuficiente, excessivo, desequilibrado ou bloqueado, o resultado é a ocorrência de doenças ou mal-estar físico e emocional. O objetivo da acupuntura é desobstruir eventuais pontos de "congestionamento" e restabelecer o equilíbrio entre *yin-yang* e a livre circulação de *qi*.

A terapia prevê a inserção de agulhas em algumas das centenas de pontos que se espalham ao longo dos meridianos, que são escolhidos de acordo com a situação do paciente. Cada um tem um papel específico e está relacionado a um órgão ou função do organismo. Os pontos e meridianos não têm uma existência anatômica, como a dos órgãos internos, mas sua localização é apresentada em inúmeros diagramas do corpo, que começaram a ser desenvolvidos há centenas de anos. A relação entre eles e os órgãos e as funções aos quais estão relacionados não é dada pela proximidade. O intestino pode ser estimulado por pontos localizados na mão, enquanto o estômago está ligado a pontos que ficam abaixo do joelho.

A acupuntura identifica 12 meridianos principais, cada um relacionado a um órgão ou função vital, como coração, pulmão, fígado, rim ou baço. Os canais estão distribuídos verticalmente no corpo, são paralelos e simétricos. Metade deles tem natureza *yin* e metade, *yang*.

Vista com ceticismo por muitos médicos ocidentais, a acupuntura se mostra eficaz no tratamento de alguns tipos de doenças, dores e distúrbios emocionais. Entre as indicações aprovadas pela Organização Mundial de Saúde estão desordens gastrintestinais, sinusite, dores na coluna, dores de cabeça, artrite e ansiedade. A acupuntura também é usada na China como método anestésico e várias cirurgias são realizadas apenas com a introdução de agulhas no paciente para evitar a percepção de dor. No documentário *Chong Kuo*, realizado em 1972, o cineasta italiano Michelangelo Antonioni filma uma cesariana de uma mulher anestesiada com duas enormes agulhas introduzidas nas laterais de sua barriga. Enquanto os médicos realizam a cirurgia, ela ri e conversa com o cineasta.

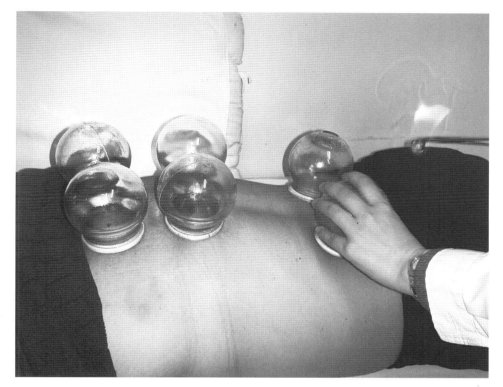

A terapia da medicina tradicional chinesa chamada *ba guan*, que consiste no aquecimento com fogo de pequenos recipientes e sua imediata colocação nas costas do paciente. A pele é sugada para dentro do pote de vidro, o que ativa a circulação de sangue e de energia, além de "retirar o frio" do corpo do paciente.

A teoria dos meridianos e pontos deu origem a outras terapias na MTC, que utilizam os mesmos conceitos. A moxibustão é um tratamento complementar à acupuntura e implica no aquecimento de determinados pontos por meio da queima de pequenos cones formados por ervas. Os pontos também podem ser estimulados com massagem ou pressão com os dedos, o que deu origem ao *shiatsu* japonês, por exemplo.

Algumas das terapias externas da MTC envolvem dor e deixam marcas no corpo, o que pode levar a desentendimentos quando elas se encontram com o Ocidente. O filme *O tratamento*, de 2001, é centrado em uma família chinesa que vive nos Estados Unidos e recebe a visita do avô. Diante do neto doente, ele decide aplicar uma terapia chamada *gua sha*, que consiste em esfregar as costas do paciente com uma espátula de metal, plástico ou chifre de búfalo. As marcas que ficam nas costas do garoto fazem com que as autoridades dos Estados Unidos o retirem da família e acusem os parentes de abuso físico. A confusão só é resolvida quando um amigo do pai do garoto se submete ao mesmo tratamento e vê os seus benefícios.

Outra técnica que deixa marcas é o *ba guan*, pela qual copos que funcionam como ventosas são colocados nas costas do paciente. O médico esquenta o interior do recipiente com fogo e o prende imediatamente à pele da pessoa, que é sugada para seu interior. O objetivo é ativar a circulação de sangue e de *qi* e retirar o frio de dentro do organismo do paciente e, assim, curar gripes, febres e resfriados.

NOTAS

[1] Martin Stuart-Fox, A Short History of China and Southeast Asia: Tribute, Trade and Influence, Australia, Allen & Unwin, 2003.
[2] Bamber Gascoigne, A Brief History of The Dynasties of China, London, Constable & Robinson, 2003.
[3] Fung Yu-lan, A Short History of Chinese Philosophy, New York, The Free Press, 1976, p. 138.
[4] Cláudia Trevisan, China: o renascimento do Império, São Paulo, Planeta do Brasil, 2006.
[5] Liao Yuqun, Traditional Chinese Medicine, Beijing, China Intercontinental Press, 2006, p. 17.

A HISTÓRIA CIRCULAR

O MANDATO DO CÉU

Na concepção chinesa de mundo, a história é circular – e não linear. A história é formada por uma sucessão de dinastias, e não por uma linha evolutiva, como no Ocidente, onde a passagem do tempo está associada à ideia de progresso, com classificações como Idade Média e Idade Moderna. Cada dinastia começava com o recebimento pelo imperador do Mandato do Céu, que ele deveria honrar com sua retidão moral e uma série de rituais, que incluíam o culto aos ancestrais e cerimônias nos templos do Céu e da Terra.

O Mandato Celestial terminava quando o imperador se mostrava indigno dele e a dinastia que representava chegava ao fim. Novo mandato seria concedido ao que fundasse a dinastia seguinte, que repetiria o mesmo ciclo. Essa concepção circular do tempo e da história iria perdurar até a derrubada do Império por uma revolução republicana, em 1911. Na primeira década do século xx, a Cidade Proibida ainda era habitada por eunucos e concubinas e o imperador se dirigia regularmente ao Templo do Céu para realizar os rituais que deveriam garantir boas colheitas.

O detalhado registro da história é uma prática que antecede a era cristã na China e o passado e a tradição eram sempre olhados como fonte de inspiração para o presente. O primeiro grande historiador chinês foi Sima Qian (145 a.C.-87 a.C.), que dedicou sua vida à narrativa dos dois mil anos que o antecederam, desde o mítico Imperador Amarelo até o seu soberano han, o imperador Wudi (157 a.C.-87 a.C.). Sua obra-prima, *Registros da história*, foi escrita ao longo de 18 anos e estabeleceu os padrões que seriam seguidos pela historiografia chinesa nos séculos seguintes. Desde então, a história de cada dinastia foi escrita pelos mandarins da dinastia seguinte, com base em registros minuciosos realizados pelos funcionários da corte. O resultado são 25 títulos, que cobrem um período de quatro mil anos, em uma narrativa histórica contínua que não tem paralelo no mundo. O volume sobre a última dinastia, a Qing (1644-1911), foi publicado apenas em 1961, em Taiwan.[1]

Na cosmologia chinesa, a existência se dá em ciclos, nos quais interagem as forças *yin* e *yang*. Na essência de tudo está o *qi*, a energia cósmica vital. Essa concepção de mundo foi apropriada e moldada por diferentes escolas de pensamento que surgiram na China entre os séculos v e iii a.C., período marcado pelo enfraquecimento do poder central e pela instabilidade política. De todas, o confucionismo e o taoísmo teriam a mais ampla e duradoura influência sobre a identidade chinesa. A mesma época viu o surgimento de pensadores fundamentais para a história da humanidade em outros lugares do mundo, como Sócrates (470 a.C.-399 a.C.), Platão (429 a.C.-347 a.C.) e Aristóteles (384 a.C.-322 a.C.) na Grécia. Na Índia, no século v a.C., surgiu o budismo, que se propagou na China mais tarde e viria a ser considerado uma das três principais filosofias do país, ao lado do confucionismo e do taoísmo.

Confúcio, o filósofo que viveu de 551 a.C. a 479 a.C., definiu como nenhum outro a perene identidade chinesa. Suas ideias moldariam para sempre a estrutura do Império, a organização familiar e as instituições políticas e sociais do país. Em meio à desagregação política do Período da Primavera e do Outono, Confúcio mostrou enorme preocupação com a restauração da ordem social, a estabilidade e a definição de um código moral de conduta. Seu olhar se dirigia ao passado, para a longevidade da dinastia Zhou (1046 a.C.-256 a.C.) e, mais ainda, para os cinco imperadores e três soberanos criados pela mitologia chinesa como paradigmas de governantes exemplares.

Entre eles, o mais venerado é Huangdi, o Imperador Amarelo, visto como o ancestral de todo o povo han. O imperador Huangdi (2697 a.C.-2598 a.C.) é apontado como o inventor da agulha magnética das bússolas e pai da medicina chinesa tradicional. Sua boa saúde teria permitido que ele vivesse até os 99 anos – ou 100, segundo o cálculo chinês, pelo qual os bebês já nascem com um ano de idade. Sua mulher, a imperatriz Leizu, teria desenvolvido a técnica de produção da seda, depois de descobrir acidentalmente que os casulos existentes nas amoreiras do palácio eram formados de fios de seda. E o principal ministro de Huangdi é apontado como o inventor da escrita.

A todos os governantes mitológicos é atribuída alguma criação que contribuiria para a grandiosidade da civilização chinesa. Mas o elemento que Confúcio mais ressaltava nesses governantes míticos era sua retidão moral, sabedoria e benevolência. "À diferença de outros povos que apontavam para deuses como seus criadores e progenitores, os chineses atribuíram a uma série de seres humanos extraordinariamente brilhantes as invenções que passo a passo transformaram os chineses de um povo primitivo em um altamente civilizado", afirma a historiadora Patricia Buckley Ebrey.[2]

As ideias de Confúcio tiveram pouco impacto durante o período em que ele viveu e há uma enorme controvérsia entre especialistas sobre a autoria dos livros que viriam a ser incluídos entre os clássicos do confucionismo. Muitos deles, como o *I Ching*

A história circular | 155

Estátua de Confúcio no templo em sua homenagem, em Pequim. Filósofo que viveu entre 551 e 479 a.C. marcou como nenhum outro a identidade chinesa. Sua influência sobreviveu aos ataques da Revolução Cultural e renasceu com força nos *slogans* que ressaltam a "harmonia" propagados pelos atuais dirigentes chineses.

e o *Livro dos rituais*, já existiam quando o filósofo nasceu e é provável que os textos posteriores tenham sido escritos por seus discípulos, que transmitiam o confucionismo de geração a geração.

Os analectos é a obra que condensa a orientação de Confúcio para o homem virtuoso, apresentada na forma de pequenos diálogos entre o mestre e seus discípulos ou entre seus discípulos. O primeiro deles evidencia a relevância da educação em sua visão de mundo: "Confúcio disse: 'Não é um prazer, tendo aprendido alguma coisa, tentar aplicá-la de tempos em tempos?'"[3] Até hoje, a figura do filósofo é associada ao ensino. É aos templos de Confúcio que pais e filhos se dirigem quando querem pedir sucesso nos exames escolares.

Apesar da enorme influência de seu pensamento, não foi Confúcio que inspirou o governante responsável pela unificação da China, Qin Shi Huangdi, que em 221 a.C. conquistou os Estados independentes da região e se tornou o primeiro imperador de toda a China. Cruel e implacável, Qin Shi Huangdi se identificou com o legalismo, uma escola que via intelectuais e livros com profunda desconfiança e defendia o governo pelo uso da força. Logo que chegou ao poder, o novo imperador declarou o confucionismo ilegal e mandou queimar todos os livros que não fossem documentos do Estado. Também determinou que 460 intelectuais seguidores de Confúcio fossem enterrados vivos.

O confucionismo foi interpretado, modificado e ampliado por inúmeros seguidores ao longo dos séculos. Deles, um dos mais importantes foi Mencius (372 a.C.-289 a.C.), que acreditava na bondade inata do ser humano e defendia a revolta contra o soberano que se mostrasse indigno do Mandato do Céu. Mencius também reforçou uma concepção fundamental do confucionismo: a de que o aperfeiçoamento individual é possível por meio da educação e do cultivo de qualidades morais.

O CONFUCIONISMO CONQUISTA A ÁSIA

As ideias de Confúcio e de seus seguidores ultrapassaram as fronteiras do Império do Meio e se espalharam a outros países da Ásia, como Coreia, Japão e Vietnã. Na base da filosofia está a concepção de que cada um tem um lugar definido na sociedade e deve desempenhar seu papel de maneira apropriada. As noções de harmonia e de hierarquia estão relacionadas; o universo estará equilibrado se cada um atuar da maneira que lhe corresponde. Na visão de Confúcio, os homens devem cultivar a virtude e seguir uma série de princípios morais, entre os quais benevolência, lealdade, coragem, sinceridade, boa-fé e respeito filial.

O Templo do Céu, em Pequim. Localizado ao sul da Cidade Proibida, era o local onde os imperadores realizavam os rituais que supostamente deveriam garantir boas colheitas para o reino. A tradição se manteve até o início do século passado, quando a Revolução Republicana colocou fim ao Império.

O ideal confuciano de *cavalheiro* era um homem virtuoso, que se dedicava ao estudo e, acima de tudo, sabia a maneira apropriada de se comportar dentro da família e da sociedade. As ações desse homem superior são um modelo para os demais e inspiram a obediência aos princípios morais. O soberano também deve ter comportamento exemplar e, dessa forma, levar seus súditos a agirem com retidão.

Entre as virtudes exaltadas por Confúcio, duas reforçavam a hierarquia social e familiar: lealdade ao superior, que tem a responsabilidade de agir moralmente, e respeito filial. Confúcio propunha ainda a reciprocidade no relacionamento humano, que se traduz no respeito ao próximo e aprofunda o caráter humanista de sua filosofia. A ideia aparece em várias passagens dos clássicos confucianos, entre os quais *Os analectos*:

> Tzu Kung perguntou: "Existe um único princípio que possa guiar nossas ações ao longo de toda a vida?"
> O mestre respondeu: "Que tal 'shu' – nunca faça aos outros o que você não gostaria que fizessem a você mesmo?"[4]

Rituais e cerimônias eram os mecanismos pelos quais os chineses exercem o papel que lhes cabia na sociedade, e o exemplo do soberano e dos superiores era a principal arma para inspirar o comportamento virtuoso de todos. No Império do Meio, os rituais e símbolos tinham a função essencial de indicar o lugar de cada um e reforçar laços e obrigações em relação aos demais. O irmão mais novo tinha de se comportar de maneira específica em relação ao irmão mais velho. Os mandarins usavam um tipo determinado de chapéu, de cores diferentes, que indicavam qual a sua posição na hierarquia imperial e impunham gestos de respeito aos demais cidadãos. Aos filhos cabia demonstrar veneração pelos pais e cuidar de seu bem-estar na velhice. A devoção filial deveria ser demonstrada em relação aos vivos e aos mortos, e o culto aos ancestrais era um dos rituais centrais do confucionismo.

A noção de ritual está intimamente ligada à de propriedade ou adequação (*li*), segundo a qual cada um deve se comportar de acordo com o lugar que ocupa na sociedade. Entre os *cinco clássicos* do confucionismo está o *Livro das cerimônias*, que trata de rituais da corte, de sacrifícios, do luto, do comportamento familiar, de banquetes e até das atividades nos momentos de lazer, como o jogo de dardos, que deveria ser executado de acordo com instruções bastante específicas. A obediência a essas regras levava à aceitação e à introspecção dos valores morais do Império.

O confucionismo aprofundou o forte aspecto formalista da China imperial, com rituais e gestos que filhos, súditos e subalternos deveriam realizar diante de seus pais ou superiores, previstos nos *cinco clássicos* – *O livro da poesia*, *Anais da primavera e do outono* (sobre a história da China), *Livro das cerimônias* (que prescreve os rituais a serem seguidos por todos), *Livro dos documentos* e *O livro das mutações* (o *I Ching*, que trata de adivinhação e eventos metafísicos) – ou criados pelas sucessivas dinastias. No ápice dessa rede de relações formais estava o imperador, que tinha a responsabilidade de realizar as cerimônias diante dos céus e agir de acordo com os princípios morais exigidos de sua posição.

A veneração do imperador levou à criação do *kowtow*, uma elaborada reverência que deveria ser realizada por todos em sua presença e que consistia em ajoelhar-se três vezes e, em cada uma delas, encostar a testa no chão por três vezes, em um total de nove. O movimento era feito não apenas diante do imperador, mas de tudo o que pudesse estar a ele relacionado, como quadros que reproduziam sua imagem. Também era realizado nas cerimônias de culto aos ancestrais e por missões estrangeiras que se apresentavam diante do "Filho do Céu". Amarelo era a cor do imperador e pessoas comuns estavam proibidas de utilizá-la. Além de aparecer nas roupas do soberano, o amarelo cobria os telhados dos edifícios imperiais, entre os quais a Cidade Proibida, em Pequim.

Para Confúcio, a obediência aos rituais era o mecanismo mais eficaz de controle social, superior à imposição de leis e castigos, como fica claro nesta passagem de *Os analectos*:

> Confúcio disse: "Governe com o uso de leis e controle por meio de punições e o povo evitará o crime, mas sem um sentimento de vergonha. Governe com virtude e controle por meio de rituais e as pessoas, além de ganharem um sentido de vergonha, se corrigirão".[5]

No Império Celestial, o imperador tinha uma função litúrgica, que era tão relevante quanto o exercício do governo. Como Filho do Céu, ele era o responsável por executar os rituais que garantiriam a harmonia do reino. Com o passar do tempo, o próprio Confúcio passou a ser venerado e milhares de templos em sua homenagem foram erguidos em toda a China, muitos dos quais existem até hoje. Cerimônias em sua homenagem eram realizadas pelas famílias e, acima de todos, pelo próprio imperador. Apesar de existir a discussão sobre se o confucionismo é uma religião ou uma filosofia, seu pensamento se aproxima mais de uma ética política, social e familiar. A reverência ao Céu, que tem um aspecto transcendente, está presente na obra de Confúcio, mas seu foco é o comportamento moral do homem.

A importância central da família na vida dos chineses é outro elemento que existe desde a Antiguidade e que foi reforçado pelo confucionismo. Talvez em nenhuma outra cultura a instituição familiar tenha relevância comparável à que possui na China e tenha desempenhado um papel tão fundamental na coesão social e na perpetuação de sua civilização, como explica John King Fairbank:

> Até bem pouco tempo, a família chinesa era um microcosmo, como um Estado em miniatura. A família, não o indivíduo, representava a unidade social e o elemento responsável pela vida política e por sua localidade. A devoção e a obediência dos filhos, incutidas no seio familiar, propiciaram a formação da lealdade para com o governante e a obediência para com a autoridade constituída no Estado.[6]

A filosofia de Confúcio é marcada pela exaltação do respeito e obediência ao pai, vista como condição da submissão ao soberano e às regras sociais:

> Yu Tzu disse: "É raro que um homem, cujo caráter seja tal que ele é bom como filho e obediente quando jovem, venha a ter a inclinação de ofender seus superiores; não se sabe de alguém que não tendo essa inclinação tenha tentado iniciar uma rebelião. O cavalheiro dedica seus esforços às raízes, porque uma vez que as raízes tenham sido fixadas, o Caminho crescerá a partir daí. Ser bom como filho e obediente quando jovem é, talvez, a base do caráter de um homem."[7]

O culto aos ancestrais é central na família e na sociedade chinesa e estende para além da morte o sentimento de solidariedade que une diferentes gerações. Os vivos acreditam que seus ancestrais mortos podem interferir em favor de seu bem-estar, mas para receber seus favores devem se empenhar para que sua vida no além seja confortável. Nas cerimônias festivas, como o Ano-Novo, há oferendas de comida no altar dos ancestrais e, no Dia dos Mortos, os vivos queimam notas de dinheiro – ou imitações vendidas em lojas – para que elas cheguem nas mãos dos mortos no outro mundo. Até hoje, os enterros na zona rural são acompanhados da queima de objetos feitos de papel que representam tudo o que o morto pode necessitar na outra vida, incluindo televisão, carro, casa e computador.

As relações no interior do núcleo familiar são bem definidas e há uma rede de direitos e deveres entre seus integrantes. Cada um deve ser chamado por um título determinado, de acordo com a posição que ocupa em relação a quem lhe dirige a palavra. Tios maternos e paternos recebem denominações distintas, que também leva em conta suas idades em relação aos pais. Existe o "tio paterno mais velho", a "tia materna mais nova" e a mesma lógica se aplica a outras relações, como "o marido da tia paterna mais velha" e assim por diante. Ainda hoje, os mais novos jamais pronunciam os nomes de seus parentes mais velhos e sempre se dirigem a eles por meio dessas expressões. Também há títulos para o "primeiro irmão mais velho", o "segundo irmão mais velho" e para o mais velho de todos, "o grande irmão".

A política de filho único adotada no fim da década de 1970 tornou as relações familiares menos numerosas e complexas, mas pouca coisa mudou no peso da instituição e na sua forma de organização. Ao se casar, o filho homem não constitui uma família independente e continua a fazer parte do grupo comandado por seu pai, ao qual é incorporada sua mulher. Esse modelo existe até hoje e é comum três gerações dividirem a mesma casa: os pais do marido, o casal e o filho – hoje, único.

Nesse sistema de convivência intergerações, cabe à geração do meio trabalhar e garantir o sustento da casa, enquanto os avós cuidam do neto. Não é raro os pais se mudarem para outros lugares em busca de emprego e deixarem seus filhos aos cuidados dos mais velhos.

Nas saídas das escolas e nos parques de Pequim não são babás que tomam conta das crianças, mas sim os seus avós. Apesar da hierarquia e da rigidez na estrutura familiar, os pais chineses são extremamente afetuosos e o próprio confucionismo defende que eles também têm responsabilidades em relação a seus filhos, principalmente a de serem justos e bons.

No terreno político, o confucionismo se transformou na ideologia oficial do Império Chinês desde a dinastia Han (206 a.C.-220 d.C.) e manteria essa posição até o fim do Império, no início do século XX. Mesmo quando ofuscada pelo budismo e o taoísmo em momentos de enfraquecimento do poder central, a filosofia foi o principal guia da organização social, familiar e política da China. Ao longo dos séculos, garantiu a continuidade da civilização chinesa e sua sobrevivência em períodos de turbulência e comoção social. Observa John King Fairbank que

> Se analisarmos essa visão confuciana no seu contexto sociopolítico, veremos que a preferência pela velhice à juventude, pelo passado ao presente, pela autoridade estabelecida à inovação criou, de fato, uma das grandes respostas históricas ao problema da estabilidade social. Foi o sistema conservador que mais sucesso alcançou.[8]

OS MANDARINS DO IMPÉRIO

Em meio a seu conservadorismo, Confúcio teve uma posição revolucionária, ao defender que o soberano deveria ser aconselhado por ministros e funcionários capazes, selecionados por mérito em exames abertos a todos, nos quais classe social ou origem familiar não teriam influência. Além do preparo intelectual, esses homens deveriam seguir os princípios morais propagados por Confúcio e, com seu exemplo, inspirar toda a sociedade. A ênfase no mérito e a eliminação de restrições sociais abriram caminho para o enfraquecimento da aristocracia hereditária e o surgimento de uma nova fonte de poder na China: os mandarins. Espécie de burocracia estatal civil e estável, esses funcionários eram recrutados nos exames imperiais, que passaram a ser adotados de maneira pouco institucionalizada a partir da dinastia Han (206 a.C.-220 d.C.) e ganharam contornos formais entre os séculos VI e VII, na dinastia Sui (581 d.C.-618 d.C.).

Os imperadores Sui adotaram o sistema em reação ao aumento do poder das famílias aristocráticas entre os séculos III e VI, durante um dos períodos de desagregação do Estado chinês e enfraquecimento da autoridade central. Com base na hereditariedade, essas famílias detinham os principais postos na administração da corte e, na prática, dividiam o poder com o imperador. Os exames de seleção dos mandarins debilitaram a aristocracia familiar e criaram uma nova aristocracia, a dos funcionários civis responsáveis pela gestão do Império.

Os exames tiveram enorme importância na sociedade chinesa durante séculos e só foram extintos em 1905, em uma tentativa desesperada de modernização e sobrevivência da última dinastia, a Qing (1644-1911). Aberto a todos os homens, eles se tornaram o principal meio de ascensão social e permitiram a formação de uma elite intelectual.

A ideia de uma burocracia selecionada com base no mérito só ganharia espaço no Ocidente a partir do século xix. Na China, ela foi adotada de maneira formal quando a Europa iniciava seu mergulho na Idade Média e ainda se organizava em uma sociedade feudal. A antiga aristocracia não teve escolha a não ser se submeter aos exames. Entre os casos mais célebres está o da família Lu, de Fan-yang, que produziu 116 mandarins. A resistência ao novo sistema foi lamentada por outros. Hsüeh Yüan-ch'ao, um eminente aristocrata, reconheceu com amargura na velhice que entre os três grandes erros que havia cometido na vida estava a decisão de não se submeter aos exames imperiais. Os outros dois eram o casamento com a mulher de uma família de *status* inferior e a incapacidade de conseguir o cargo de diretor cultural da corte.[9]

A aprovação nos exames era o principal sonho dos pais em relação a seus filhos homens, já que o funcionalismo público passou a ser a mais lucrativa e honrosa carreira da China imperial,[10] com *status* superior ao de qualquer outra ocupação, incluindo a atividade militar e o comércio. A disputa era acirrada e a preparação, árdua. Junto com o início de sua alfabetização, aos 7 anos, os garotos já começavam a estudar para as provas que enfrentariam anos mais tarde. Apesar de aberto a todos, os exames acabavam destinados aos filhos de famílias com recursos para pagar por sua educação e sustentá-los até a eventual aprovação, que estava longe de ser assegurada.

A concorrência por uma vaga no serviço público era muito mais intensa do que a existente nos vestibulares do Brasil para os cursos de Medicina. Na dinastia Song (960-1279), a relação era de cinquenta candidatos por vaga. Na Qing, a última da história chinesa, de cada cem candidatos, apenas um era aprovado. Como nos vestibulares brasileiros, havia editoras que se especializavam na publicação de livros que tentavam facilitar a vida dos estudantes, e alguns desesperados apelavam para métodos "heterodoxos" na busca de aprovação. Entre eles, a tradicional "cola", com a reprodução de textos clássicos em ideogramas minúsculos na roupa usada embaixo das longas túnicas chinesas ou a contratação de pessoas mais preparadas para realizar os testes no lugar do candidato.

Apesar de existentes, os casos de corrupção e favorecimento não eram generalizados e os exames eram acompanhados de perto pela elite ilustrada. Diz Ichisada Miyazaki, em livro que traça a história do sistema de exames imperiais, que

Jardim construído por mandarim do Império em Suzhou, cidade vizinha de Xangai. Os jardins chineses eram o local por excelência do cultivo do espírito e das artes para os eruditos confucianos. Era nesses locais que eles liam, escreviam poesia, escutavam e tocavam música e praticavam caligrafia.

> O público examinava as listas [de aprovados] com olhos atentos e se nomes de muitos filhos de altos oficiais governamentais ou de muitos amigos dos examinadores aparecessem, a opinião pública era imediatamente mobilizada. Na China, isso tinha um grande impacto. Quando a injustiça era muito grande, a opinião pública era capaz de produzir um golpe tão severo que um homem não se recuperaria jamais.[11]

De maneira geral, os exames eram isentos e realizados de acordo com regras de impessoalidade utilizadas até hoje ao redor do mundo, como a identificação da prova por um número ao invés do nome do candidato.

Os reprovados voltavam a fazer os exames e muitos insistiam até uma idade avançada, consumidos pela impossibilidade de alcançar a posição que lhes traria o maior reconhecimento social que um chinês podia almejar. Para alguns, a frustração foi tanta que os levou à revolta contra o Império que sonhavam integrar.

Os líderes de algumas das principais rebeliões contra dinastias chinesas foram candidatos reprovados nos exames imperiais. O mais célebre foi Hong Xiuquan (1814-1864), o quarto de cinco filhos de uma família camponesa que quase derrubou a dinastia Qing (1644-1911) ao comandar a Rebelião Taiping (1850-1864). Aos 22 anos, Hong conseguiu ser aprovado na fase inicial do processo de seleção, o que lhe dava uma posição de baixo escalão na hierarquia oficial local e permitia que realizasse os exames imperais, sua grande aspiração. Hong fez quatro tentativas, todas frustradas. Na terceira, teve um colapso nervoso, acompanhado de visões e delírios, nos quais um homem de barba lhe dava uma espada e outro, mais jovem, ensinava-lhe como deveria utilizá-la para matar maus espíritos.

Seis anos mais tarde, ao ser reprovado pela quarta vez, Hong concluiu que os dois personagens eram Deus e Jesus Cristo. A interpretação totalmente alheia à cultura chinesa foi influenciada por um folheto que ele havia recebido de um missionário protestante anos antes, mas que só leu depois da última reprovação nos exames imperiais. Como em sua visão Hong se referia a Jesus Cristo como "irmão mais velho", ele se convenceu de que era o filho mais jovem de Deus. Os princípios que marcaram a pregação e a rebelião comandada por ele eram "cristãos fundamentalistas e igualitários que atentavam diretamente contra o núcleo dos valores confucionistas e imperiais", como afirma o sinólogo Jonathan D. Spence.[12]

Chineses com trajetórias semelhantes à de Hong já haviam comandado ou participado de grandes revoltas contra o Império nas dinastias Ming (1368-1644), Song (960-1279) e Tang (618-907). Li Chen, reprovado nos exames imperiais, foi conselheiro do líder de uma rebelião que chegou a destronar momentaneamente o imperador no fim da dinastia Tang. Consumido pelo ressentimento contra os que haviam tido sucesso nos exames imperiais, Li executou trinta altos funcionários civis assim que chegou ao poder e jogou seus corpos no rio Amarelo. Com a supressão da revolta, ele e sua família foram mortos.

Inspirados em Confúcio, os exames também foram o principal veículo de propagação e perpetuação de sua filosofia, o que contribuiu para a percepção de imutabilidade da estrutura social chinesa. A partir da dinastia Sui, as provas testavam os conhecimentos dos candidatos em relação aos *cinco clássicos*. Mais tarde, na dinastia Song (960-1279), a relação foi ampliada para incluir os *quatro livros*, que são *Os analectos* (ditos de Confúcio), *O grande aprendizado* (sobre a virtude) *A doutrina do meio* (que ressalta a importância da moderação) e *Mencius* (livro de seu principal seguidor). Sob a influência de Zhu Xi (1130-1200) e do neoconfucionismo que floresceu durante os Song, os *quatro livros* ganharam proeminência em relação aos *cinco clássicos*.

Esse currículo básico se manteve durante séculos, até a eliminação dos exames imperiais, em 1905, quando se mostrou totalmente inadequado às exigências da sociedade chinesa e do mundo de então. A estrutura administrativa do Império também se manteve imutável do século VII até o fim da dinastia Qing, no início do século XX. Durante esses 1,3 mil anos, a corte chinesa era organizada em torno dos mesmos seis ministérios: administração pessoal, fazenda, ritos, exército, justiça e obras públicas.[13]

A incapacidade de adaptar suas instituições educacionais foi um fator decisivo para o atraso tecnológico do Império do Meio em relação ao Ocidente a partir do século XVI e sua inexorável decadência no século XIX. Os exames imperiais perpetuaram o confucionismo e, paradoxalmente, evitaram o desenvolvimento de um sistema de ensino público na China. Separados no início, os exames para as escolas e para o serviço civil terminaram por se unificar, e a principal meta dos estudantes era dominar o pensamento de um filósofo que viveu quinhentos anos antes de Cristo.

A situação foi agravada pelo fato de a preparação para as provas ser de responsabilidade dos candidatos e de suas famílias, e não do Estado, como relata Ichisada Miyazaki:

> A educação pública na China alcançou seu ápice cerca de mil anos atrás, na dinastia Song, depois da qual sua história é de declínio absoluto. Durante as dinastias Ming e Qing, as universidades na capital e as escolas dos governos, prefeituras e distritos eram escolas apenas no nome, porque nenhuma forma de ensino realmente ocorria nelas. Como resultado, a China ficou para trás em educação e, em consequência, em progresso social.[14]

A filosofia que durante séculos esteve relacionada ao sentimento de superioridade e longevidade da civilização chinesa terminou por cristalizar instituições que não serviam para o enfrentamento dos novos tempos, nos quais o centro do mundo não estava mais na China.

O TAO DO TAOÍSMO

O rigor e o formalismo de Confúcio foram temperados pelo misticismo, a espontaneidade e a comunhão com a natureza do taoísmo. Mais do que adversárias, as duas escolas de pensamento se complementavam. Enquanto o confucionismo professava uma ética política, moral e social, o taoísmo supria o desejo de transcendência dos chineses, principalmente dos milhões que habitavam o campo. "O confucionismo enfatiza as responsabilidades sociais do homem, enquanto o taoísmo enfatiza o que é natural e espontâneo nele", observa Fung Yu-lan em *A Short History of Chinese Philosophy*.[15]

O caractere chinês usado para designar o "Tao". O mesmo símbolo também significa caminho, estrada, direção, doutrina, princípio e os verbos falar, dizer e conversar.

Como no dualismo que permeia a visão de mundo chinesa, o taoísmo pode ser comparado à energia feminina *yin*, enquanto o confucionismo é relacionado à masculina, *yang*. "Confucionismo e taoísmo são ao mesmo tempo opostos e complementares. Eles representam o campo e a cidade, o prático e o espiritual, o racional e o romântico", escreve Bamber Gascoigne em *A Brief History of The Dynasties of China*.[16]

A criação do taoísmo é atribuída a Lao Zi, um filósofo sobre cuja existência há dúvidas e que teria vivido no século VI a.C., pouco antes de Confúcio – o significado de seu nome é "Velho Mestre". Lao Zi é comumente apontado como autor do *Tao Te Ching*,[17] o texto básico do taoísmo, que pode ser traduzido de várias formas, entre as quais *O clássico do caminho e da virtude* ou *O clássico do caminho e do poder*. Mas muitos estudiosos acreditam que o *Tao Te Ching* foi escrito três séculos depois do período em que Lao Zi teria vivido.

Composto de pequenas máximas organizadas em 81 capítulos, o livro teve profunda influência no pensamento e no comportamento dos chineses nos séculos seguintes.

A exemplo dos clássicos do confucionismo, também foi reinterpretado por inúmeros filósofos e até hoje é fonte de inspiração para os que buscam paz interior.

Falar sobre os empecilhos em definir o taoísmo se transformou em lugar-comum entre os estudiosos da cultura chinesa, que lembram as palavras do próprio Lao Zi para justificar a dificuldade. *Tao* significa caminho, mas na filosofia chinesa ganhou um sentido mais amplo, relacionado à origem de tudo o que existe e aos princípios que regem o universo. As duas primeiras linhas do *Tao Te Ching* falam justamente da impossibilidade de traduzi-lo: "O Tao que pode ser nomeado não é o eterno Tao; O nome que pode ser dito não é o eterno nome".[18]

O taoísmo dá ênfase à relação entre o homem e a natureza e se tornou receptáculo de diversas tradições chinesas ligadas à busca de paz interior, à quietude, ao vazio, à harmonia com o exterior e ao bem-estar espiritual, físico e mental. De todas as escolas filosóficas do país, é a que mais valoriza a compreensão das leis que regem o movimento de eterna mudança e transformação do universo. "Estar em harmonia com e não em rebeldia contra as leis fundamentais do universo é o primeiro passo para o caminho do Tao", observa Arthur Waley no texto introdutório à sua tradução do *Tao Te Ching* para o inglês.[19] Nas palavras de Lao Zi: "Conhecer o invariável é chamado de iluminação; não conhecê-lo significa ir cegamente para o desastre."[20]

O estado de inocência infantil e a maleabilidade e flexibilidade da água são alguns dos principais símbolos do taoísmo. A vida deve ser simples, espontânea, sem desejos e desprovida de artificialismo:

> Não há desastre maior do que não conhecer o contentamento com o que se tem; Nenhum prenúncio do mau maior do que os homens desejarem ter mais; Realmente: "Aquele que conheceu o contentamento, que vem simplesmente de estar contente, não vai estar outra coisa além de contente".[21]

O sábio deve se desfazer do conhecimento, não ter preconceitos e estar vazio para perceber o movimento do universo. Os primeiros taoístas levaram esses conceitos ao extremo e optaram por uma vida de isolamento e reclusão em meio à natureza, distante do artificialismo da sociedade. O conceito *wu wei*, que significa "não-ação" é central no pensamento taoísta e implica a não-intervenção e a aceitação do fluxo natural das coisas.

A visão de mundo taoísta também possui uma filosofia política, que considera como ideal de governo a mínima ação e interferência na vida da população. Lembra J. J. Clarke no livro *The Tao of the West: Western Transformations of Taoist Thought*:

> Do século IV a.C. em diante, os taoístas eram associados com a oposição à sociedade feudal e, mais tarde, ao centralismo econômico e burocrático que se seguiu à unificação

do Império. Eles se apegavam a uma mítica sociedade do passado de simplicidade frugal, com igualdade social e coletivismo espontâneo, uma característica que continuou a ser associada aos taoístas ao longo da história chinesa.[22]

A principal lei que rege o universo é a da interação dos contrários, da sucessão de ciclos e do eterno retorno. A ideia de que algo se transforma no seu oposto quando atinge qualidades extremas está presente em outra máxima de Lao Zi: "A reversão é o movimento do Tao". Em *A Short History of Chinese Philosophy*, o autor Fung Yu-lan observa que esse conceito está na base da valorização da moderação e do comedimento que marca a cultura chinesa e que está presente tanto no taoísmo quanto no confucionismo. "Nunca demais" é o mote das duas escolas, que elegem o meio-termo como o caminho ideal. "Por ter muito ou fazer em excesso, a pessoa corre o risco de receber o oposto daquilo que quer", ressalta Fung.[23] "O sábio, portanto, descarta o excessivo, o extravagante, o extremo", professa Lao Zi.[24]

Outro conceito básico é o da relatividade de todas as coisas, que encontrou sua máxima expressão poética em uma clássica passagem de Zhuang Zi (369 a.C.-286 a.C.), o segundo mais importante filósofo do taoísmo, no livro que leva seu nome:

> Certa vez, Zhuang Zi sonhou que era uma borboleta, uma borboleta voando e feliz consigo mesma, fazendo o que queria. Ele não sabia que era Zhuang Zi. Subitamente ele acordou e era, visivelmente, Zhuang Zi. Mas ele não sabia se era Zhuang Zi que havia sonhado que era uma borboleta ou se a borboleta estava sonhando que era Zhuang Zi. Entre Zhuang Zi e a borboleta deve haver alguma distinção. Isso é chamado a Transformação das Coisas.[25]

O mesmo conceito aparece inúmeras vezes no *Tao Te Ching*:

> É porque todos sob os céus reconhecem a beleza como beleza que a idéia de feiúra existe. Da mesma forma, se todos reconhecem a virtude como virtude, isso simplesmente cria novas concepções de maldade. Porque na verdade "Ser e Não-Ser" nascem um do outro. Dificuldade e facilidade se complementam uma à outra.[26]

Zhuang Zi tinha uma posição muito mais radical que a de Lao Zi em seu desprezo pelas coisas do Estado. Seu ideal de felicidade era uma vida privada e em harmonia com os caminhos da natureza. Segundo o autor A. C. Graham, os chamados "Capítulos Internos" de *Zhuang Zi* são marcados pelo "humor, a poesia, a fascinação com pássaros, animais e árvores e por temas como o valor da inutilidade, a violação dos ritos funerais que para os chineses são os mais sagrados de todos e, acima de tudo, pela lírica, extática aceitação da morte".[27]

Além de ser uma escola filosófica, o taoísmo deu origem a uma religião organizada, que tem por símbolo o círculo branco e preto que representa as energias *yin-yang*. Do taoísmo, também surgiram diversas formas de religiosidade popular, ligadas a um panteão de espíritos que habitam os diversos elementos da natureza.

Músicos tocam em templo taoísta de Pequim. Filosofia deu origem a uma religião organizada e divide com o confucionismo e o budismo a influência sobre a espiritualidade dos chineses. Simbolizado pelo círculo *yin-yang*, o taoísmo valoriza a harmonia com a natureza e a obediência a seus ciclos.

Paradoxalmente, da tradição filosófica que enfatiza a aceitação do fluxo natural do universo e da vida nasceu o culto à imortalidade, entendida não apenas como um conceito metafísico. Ao longo dos séculos, gerações e gerações de chineses, incluindo vários imperadores e altos funcionários do Estado, buscaram a fórmula que lhes garantiria a vida eterna. Mesmo sem encontrar o elixir da imortalidade, eles deixaram como herança o desenvolvimento da alquimia e a extrema valorização da longevidade na sociedade chinesa. Em algumas correntes do taoísmo, o sexo ocupava papel de destaque entre as atividades que tinham o poder de prolongar a vida. Mas ele deveria ser praticado sem a ejaculação, considerada uma das maiores ameaças à longevidade, o que deu origem a inúmeros exercícios para o retardamento do gozo masculino. Por trás dessas práticas estava a crença de que a energia vital existente no corpo humano (*jing*) era reduzida com a perda dos fluidos corporais, dos quais o mais poderoso era o sêmen.

A abstenção sexual nem sempre era o antídoto recomendado porque havia no taoísmo a convicção de que a união entre homem e mulher era uma poderosa fonte de energia, por representar o encontro das forças *yin* e *yang*. O prazer feminino era valorizado, já que, quanto maior ele fosse, maior seria a criação de *jing* a ser absorvida por seu parceiro. Portanto, quanto mais sexo um homem fizesse e menos ejaculações tivesse, maior seria seu benefício em termos de saúde e longevidade.

O BUDISMO ACHINESADO

O budismo chegou à China no século I d.C., por meio de rotas comerciais da Ásia Central que ligavam o Império do Meio à Índia. Mas sua propagação só ganhou impulso a partir do século III, no período de decadência do poder central e de dominação do norte do país por invasores estrangeiros que durou até o fim do século VI. A desestruturação do Império, transferido para o sul, abalou a crença no confucionismo, ao mesmo tempo em que o enfraquecimento do controle estatal permitiu o florescimento de filosofias que ofereciam respostas transcendentes às questões da existência.

Com sua crença na reencarnação e na transmutação do homem em outros elementos da natureza, o budismo se chocava frontalmente com o modo de pensar chinês, principalmente o confucionismo, preocupado com as questões da existência presente e desprovido de crença na vida após a morte. Esses conceitos contrariavam a tradição de culto aos ancestrais, que seria impossível na hipótese de reencarnação e transmutação. Além disso, o budismo se organizava em torno de monastérios, nos quais o celibato era obrigatório, outra prática que atentava contra os princípios chineses de valorização da família e de culto aos ancestrais, que seria interrompido sem o nascimento de novas

O budismo gerou uma rica tradição artística na China, até hoje copiada em estátuas produzidas em série, como essas do Panjiayuan, o maior mercado de antiguidades de Pequim, onde nem tudo é realmente antigo. A veneração de imagens era estranha à tradição chinesa antes da expansão do budismo.

gerações. Para se propagar na China, o budismo se adaptou, sofreu influência do confucionismo e do taoísmo e também influenciou as duas tradicionais filosofias do país.

As escrituras budistas foram traduzidas para o chinês, em um esforço de interpretação e reinterpretação realizado ao longo de quase mil anos, muitas vezes com apoio do Império. Quando a China se reunificou em 581, o budismo foi adotado por imperadores da dinastia Sui (581-618) e chegou a seu apogeu na dinastia seguinte, a Tang (618-907), uma das mais vibrantes da história chinesa. Os tangs reforçaram o caráter confuciano da organização do Império, com o aperfeiçoamento do sistema de exames, ao mesmo tempo em que fomentaram a expansão do taoísmo, ao lado do budismo.

A religião importada da Índia gerou uma rica tradição artística, traduzida em estátuas de divindades, gigantescas imagens de Buda esculpidas em rochas, monastérios encravados em montanhas, pinturas que retratam passagens da vida de Buda e inúmeros templos ao redor do país. A veneração de imagens era estranha à tradição chinesa antes da expansão do budismo, o que fez com que essa religião tivesse a mais visível expressão artística no Império do Meio.

A escola que se estabeleceu na China foi a mahayana (o grande veículo), para a qual a iluminação é universal e pode ser alcançada por qualquer pessoa – à diferença da tradição theravada, que não vê possibilidade de salvação fora da vida monástica. A mahayana contemplava a existência de divindades, chamadas *bodhisattvas*, que haviam adiado sua ida ao nirvana para auxiliar os que ficaram em seu processo de iluminação. A ideia de salvação encontrou eco na alma dos chineses, que passaram a venerar divindades budistas. De todas, a mais celebrada é Guanyin, a deusa da misericórdia, cuja imagem está em vários templos da China. O Império do Meio também foi o local de nascimento de uma das correntes do budismo que se tornaria mais popular no Ocidente no século XX, o chan, ou zen, na língua japonesa. Amálgama do budismo com o taoísmo chinês, o chan surgiu entre os séculos VI e VII e pregava a iluminação por meio da prática da meditação, relegando a segundo plano o estudo das escrituras sagradas e os rituais religiosos. Da China, o chan budismo se espalhou para o Japão, Coreia e Vietnã.

Confucionismo, taoísmo e budismo se transformaram a partir de influências recíprocas e se desenvolveram na China e no Leste Asiático sob uma forte tradição de sincretismo. Não é raro encontrar chineses que se orientem pelas três filosofias, sem que isso represente um conflito, ou japoneses que se declaram xintoístas e confucionistas, ou xintoístas e budistas. Ressalta o estudioso do taoísmo J. J. Clarke que

> Os confucianos tiveram sempre uma preocupação central com questões ético-políticas, em contraste com o taoísmo, focado na harmonia com a natureza, ou a preocupação budista com *karma* e reencarnação. Mas, ao mesmo tempo, há uma identificável tendência na direção da harmonização dessas escolas e uma interfertilização filosófica e cultural que têm pouco paralelo com instituições religiosas ocidentais.[28]

A tendência ao sincretismo e à harmonização não significou ausência de disputas e conflitos entre as três correntes. No fim da dinastia Tang (618-907), o budismo foi banido da China por pressão dos taoístas e confucionistas. Novamente com poder na corte, os mandarins viam com desconfiança a crescente popularidade do budismo, considerada uma ameaça potencial à estabilidade imperial. A relação de desconfiança com a religião e seu controle pelo Estado foi uma constante na história da China. A hostilidade chegou a seu ápice depois da Revolução Comunista de 1949, durante os dez anos da Revolução Cultural, quando milhares de templos foram destruídos e adeptos do confucionismo, taoísmo, budismo e de qualquer outra religião, duramente perseguidos (veja, no capítulo "Sob o domínio de Mao", o subitem "O ataque à tradição").

Além dessas grandes escolas, os chineses tradicionalmente praticam diversas formas de religiosidade popular, nas quais cultuam elementos da natureza, personagens mitológicos e heróis históricos.

A HEGEMONIA NA ÁSIA

A China pode não ter sido o centro do mundo, mas foi seguramente o centro do Extremo Oriente, para o qual teve importância equivalente à da Grécia e Roma antigas no Ocidente. O Império do Meio exerceu influência decisiva sobre países como Japão, Coreia e Vietnã, em esferas tão distintas como governo, religião, arte, arquitetura, costumes e escrita. Como observa John King Fairbank, "o Império da dinastia Han foi contemporâneo e maior que o Império Romano. A China, inquestionavelmente, foi outrora a maior civilização do mundo, não apenas em comparação a Roma, mas superior à Europa Medieval".[29]

A antiga China era cercada de Estados tributários, que periodicamente enviavam missões que simbolizavam a submissão à civilização vista como superior. O Japão não tinha um sistema de escrita até por volta do ano 400 d.C., quando passou a adotar os caracteres chineses. Como eles são símbolos que carregam um significado, mas não uma pronúncia específica, podem ser usados por povos que falam línguas distintas. Assim, japoneses e chineses podem ter diferentes sons para a ideia de "sol", mas o símbolo que adotam para representá-lo é o mesmo. O Japão hoje tem três sistemas de escrita, dos quais o mais antigo é o *kanji*, que significa "caracteres hans". O zen-budismo fortemente associado ao Japão também nasceu na China e a arte do *bonsai* tem sua origem em uma tradição chinesa chamada *penjing* ou *penzai*, que consistia na criação de paisagens com árvores e rochas em miniatura.

Os avanços tecnológicos chineses ao longo da história foram cruciais para sua posição cultural hegemônica no Oriente. Durante séculos, o Império do Meio descobriu algumas das invenções mais importantes para a humanidade. As que foram batizadas de "as quatro invenções da China antiga" tiveram especial impacto sobre os rumos da história: o papel, a impressão, a pólvora e a bússola. Introduzido na Europa apenas no século XII, o papel foi descoberto na China no ano 105, por um eunuco da corte Han chamado Cai Lun. Produzido com casca de árvores, o papel era uma superfície de melhor qualidade para a escrita do que a seda, utilizada anteriormente, além de ser muito mais barato.

No século VIII, setecentos anos antes de Gutenberg, os chineses desenvolveram o processo de impressão com uso de blocos de madeira, o que permitiu a produção de livros em série. O mais antigo livro que sobreviveu até os nossos dias é o texto

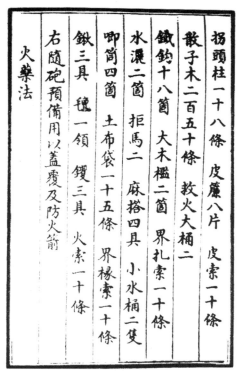

O mais antigo manuscrito conhecido que descreve a fórmula para produção de pólvora. O texto integra o compêndio militar *Wujing Zongyao*, elaborado em 1044, durante a dinastia Song, pelos eruditos Zeng Gongliang, Ding Du e Yang Weide. O título do manuscrito é "método para elaboração do químico de fogo".

budista Sutra do Diamante, produzido na China em 868 d.C. e que hoje faz parte do acervo da Biblioteca Britânica. O processo foi aperfeiçoado no século XI, na dinastia Song, com a criação dos tipos móveis, mas a inovação não teve o mesmo impacto que a invenção do tipo móvel por Gutenberg, por volta de 1450. A principal razão é o fato de um texto elementar em chinês demandar a utilização de pelo menos quatro mil caracteres diferentes, enquanto na Europa eram necessárias apenas as 26 letras do alfabeto romano.

Ainda assim, a descoberta da tecnologia da impressão deu impulso à indústria editorial chinesa, dedicada à reprodução de textos budistas e taoístas e dos clássicos do confucionismo utilizados nos exames imperiais. Em 953, durante a dinastia Song, a elite chinesa podia comprar uma edição de 130 volumes dos clássicos do confucionismo, entre várias outras publicações. Os editores também imprimiam romances e almanaques com informações práticas para os agricultores sobre técnicas de cultivo da terra ou orientações sobre medicina e culinária.

No século IX, alquimistas chineses em busca da poção taoísta da imortalidade descobriram por acidente a pólvora, inovação que teria enorme impacto na história da humanidade. Utilizada inicialmente em fogos de artifício – outra invenção chinesa –, a partir do século XI, a pólvora passou a ser usada em bombas, foguetes, granadas e canhões de bambu. Mas o desenvolvimento de armas mais sofisticadas e a utilização da pólvora para fins militares de maneira sistemática ficou a cargo dos europeus, que adquiriram o produto no século XIII, provavelmente dos mongóis que comandaram a dinastia chinesa Yuan (1271-1368).

A bússola é outra descoberta atribuída aos chineses cujo desenvolvimento tecnológico acabou sendo realizado pelos europeus. O Império do Meio conhecia o princípio do magnetismo desde o século IV a.C., mas ele só começou a ser utilizado para orientação entre os séculos XI e XII d.C. Até então, os navegadores se guiavam principalmente pela posição dos astros no céu. O mecanismo desenvolvido pelos chineses consistia em uma agulha magnética colocada em uma vasilha com água, que apontava para um dos polos da terra. O Império do Meio adotava o sul como primeiro ponto cardeal, à diferença do Ocidente, que daria prioridade ao norte. A bússola que seria universalmente utilizada na navegação foi criada pelos europeus no século XIV – uma agulha giratória fixada em uma caixa seca, que aponta sempre para o norte.

Apesar de não ser incluída entre "as quatro invenções", a seda antecede todas as grandes criações do Império do Meio. Descoberta por volta de 3.000 a.C., ela foi durante séculos o produto de exportação por excelência da China, a ponto de batizar as rotas comerciais terrestres que ligavam o país à Ásia Ocidental e à Europa. As rotas da seda formavam a mais extensa rede internacional de comércio do mundo, até serem suplantadas pelo incremento das grandes navegações, a partir do século XV. A mais célebre delas partia de Xi'an, antiga capital imperial chinesa, atravessava o árido norte do país, passava pela Ásia Central e chegava ao Mediterrâneo, em um trajeto de 6,4 mil quilômetros. De lá, barcos levavam seda até Roma, onde o produto era popular para a confecção de roupas e de objetos de decoração, como cortinas.

Depois da queda do Império Romano do Ocidente, no século V, o destino das caravanas passou a ser Constantinopla (atual Istambul), capital do Império Romano do Oriente, mas a Rota da Seda não era mais tão segura. Sua utilização voltou a ganhar impulso nos séculos XIII e XIV, durante a dinastia Yuan, e foi seguindo este caminho que Marco Polo (1254-1324) chegou à China, em 1274.

O Cabral chinês

Os chineses também tiveram seu grande navegador, Zheng He (1371-1433), antes que portugueses e espanhóis desbravassem o Novo Mundo. Muçulmano, o futuro almirante tinha o nome de Ma Sanbao e 10 anos de idade quando foi capturado por tropas da dinastia Ming (1368-1644) na região que hoje é a província de Yunnan, no sudoeste chinês. Castrado e transformado em eunuco, recebeu o nome chinês de Zheng He e foi enviado para estudar no Colégio Imperial, onde se revelou um aluno brilhante. O almirante realizou sete grandes expedições entre 1405 e 1433, à frente de uma esquadra que superava de longe as que viriam a ser comandadas por Pedro Álvares Cabral e Cristóvão Colombo algumas décadas mais tarde.

A primeira expedição de Zheng He teve 317 navios e cerca de 27 mil pessoas, um colosso se comparada às dez naus e três caravelas que trouxeram Cabral e cerca de 1,5 mil homens à costa do Brasil em 1500. Com nove mastros e 137 metros de comprimento, as embarcações do almirante chinês eram cinco vezes maiores que Santa Maria, uma das três caravelas comandadas por Colombo no descobrimento da América. Apesar de estar à frente da maior Marinha do mundo no século xv, Zheng He não descobriu novos territórios – em 2002, o inglês Gavin Menzies lançou o livro *1421: o ano em que a China descobriu o mundo*, no qual sustenta que o almirante esteve na América antes de Colombo, mas a tese foi questionada por inúmeros especialistas.

A principal missão das viagens de Zheng He era promover a grandiosidade da civilização do Império do Meio e aumentar o número de Estados tributários que reconheciam a superioridade do Filho do Céu. Carregado de presentes que refletiam a sofisticação chinesa, como seda e porcelana, o almirante esteve no Sudeste Asiático, na Índia, no Golfo Pérsico e na costa oriental da África, em um total de pelo menos 37 países. Em quase todos os lugares, a simples dimensão das expedições já era suficiente para despertar um sentimento de respeito diante da superioridade chinesa. A ampliação do comércio e do horizonte de influência do Império Celestial foram as principais consequências das expedições de Zheng He.

A aventura das grandes navegações chinesas terminou de maneira abrupta depois da morte do imperador Yongle, em 1424. Considerado um dos maiores governantes chineses, ele era o principal incentivador das expedições de Zheng He. Yongle também foi responsável pela mudança da capital do Império de Nanquim para Pequim e pela construção da Cidade Proibida, o imponente complexo de palácios que seria o centro do poder na China por quase quinhentos anos, até a queda do último imperador, Puyi, em 1911. Outra marca de seu governo foi a *Enciclopédia Yongle*, a mais extensa realizada até então, que reuniu tudo o que havia sido escrito na China sobre os mais diferentes temas – religião, governo, filosofia, astronomia, medicina, geologia etc.

Ainda hoje não existe consenso sobre as razões que levaram à interrupção das expedições, mas a teoria mais aceita é a reação conservadora dos burocratas confucianos do Império, que temiam a abertura ao exterior e o aumento do poder dos navegadores e dos comerciantes. Outros fatores concorrentes foram o alto custo das viagens e da manutenção de quase trinta mil marinheiros e o crescimento do comércio interno depois da restauração do Grande Canal, o que facilitou o transporte de mercadorias entre o norte e o sul do país.

A revista *Time Asia* publicou reportagem em 2001 na qual investigava as razões pelas quais Zheng He não é venerado como herói dentro da China. "Uma explicação, ao certo, é que os chineses tipicamente não reverenciam aventureiros. Esta é uma sociedade que por séculos foi dominada por uma ideologia confuciana que atribuía uma esmagadora importância à ordem", diz o texto. "O medo da mudança é um legado duradouro do confucionismo", declarou à revista Henry Tsai Shih-shan, professor da Universidade de Arkansas, Estados Unidos, especialista no período da dinastia Ming.[30]

Com o fim das navegações de Zheng He, a China se fechou e o Império passou a controlar todas as formas de contato com o mundo exterior. O monopólio do Estado sobre o comércio internacional foi reforçado e todas as viagens de caráter privado, proibidas.

A SUPERIORIDADE AMEAÇADA

A noção de superioridade da cultura chinesa estabelecida desde a dinastia Han (206 a.C.-220 d.C.) foi fortemente abalada pela invasão e posterior dominação do Império por povos estrangeiros, entre os séculos X e XIV. A convicção confuciana de que os bárbaros se achinesariam voluntariamente quando entrassem em contato com a civilização do Império do Meio se chocou com a determinação dos conquistadores mongóis de manterem sua identidade cultural.

O temor de invasões por povos nômades e caçadores do norte e do leste foi uma constante na história do país e levou o primeiro imperador da China unificada, Qin Shi Huang (259-210 a.C.), a determinar a ligação das fortificações de antigos Estados na fronteira norte, dando início à Muralha da China. O mesmo imperador foi o criador dos célebres guerreiros de terracota, um exército de soldados e cavalos em tamanho natural que guardam o seu mausoléu em Xi'an, antiga capital chinesa. As esculturas foram realizadas ao longo de 11 anos sob a supervisão de Qin Shi Huang, que dedicou boa parte da sua vida à construção do lugar para onde iria depois da morte. Os nômades que mais preocupavam o imperador eram os das tribos xiongnus, que tiveram grande poder na Ásia Central por quinhentos anos, a partir do século III a.C. A muralha foi expandida, reformada e fortificada ao longo dos séculos, até chegar à atual extensão de 6,7 mil quilômetros na dinastia Ming (1368-1644).

A barreira não foi suficiente para impedir a ocupação de uma faixa do Império por tribos khitans entre 907 e 1125 e o posterior domínio de todo o norte do país pelos jurchens, de 1125 a 1234. Os jurchens conquistaram a então capital do Império, Kaifeng, e obrigaram os governantes da dinastia Song a fugirem para a região ao sul do rio Amarelo e instalarem sua corte na que hoje é a cidade de Hangzhou, próxima de Xangai. A dominação dos jurchens começou a chegar ao fim em 1215 com a conquista de Pequim, no norte da China, por tropas mongóis chefiadas por Genghis Khan (1162-1227), na espetacular campanha militar que o levou a comandar um Império que ia do Pacífico até o mar Cáspio.

Enquanto esteve vivo, Genghis não conseguiu estender seus domínios ao sul do rio Amarelo, tarefa que foi executada por seu neto, Kublai Khan (1215-1294), o último dos grandes *khan*, título que identificava a autoridade máxima do Império Mongol. Com o sucesso de Kublai, cerca de 1,5 milhão de nômades semianalfabetos conseguiram subjugar 120 milhões de chineses detentores de uma civilização milenar. Pela primeira vez, todo o Império Celestial seria totalmente governado por "bárbaros".

Os invasores não impuseram sua cultura aos chineses e se adequaram à mitologia que cercava o exercício do poder. Kublai se declarava o detentor do novo Mandato dos Céus, deu um nome chinês à dinastia que fundou, Yuan, e exerceu muitos dos rituais que cabiam ao imperador. Seus sucessores abandonaram o título de *khan* e passaram a se identificar apenas como imperadores da China. Mas os mongóis adotaram uma política de brutal discriminação e repressão contra os chineses. Os casamentos com os conquistados eram desaconselhados e os chineses não podiam realizar reuniões públicas nem possuir armas.

A maior violência contra as instituições do Império do Meio ocorreu no preenchimento de cargos do serviço público civil. Os invasores mantiveram o sistema de exames imperiais, mas os altos postos acabavam sendo preenchidos por indicações, que beneficiavam os próprios mongóis ou estrangeiros. Apenas uma minoria de funções pouco relevantes era ocupada por chineses aprovados com base no mérito. O descaso dos conquistadores em relação ao sistema burocrático desenvolvido ao longo de séculos deixou como herança o fortalecimento do poder do imperador, que passou a ser menos limitado pela obediência de práticas e procedimentos previamente estabelecidos.

A exclusão de um grande número de chineses cultos do serviço público civil acabou fomentando a atividade literária e o período de dominação mongol viu uma explosão de criatividade na dramaturgia. Além da enorme oferta de autores talentosos, o teatro floresceu porque era uma forma de arte estimulada pelos invasores, a maioria dos quais não lia mandarim. Em contraste com a reclusão que seria imposta na dinastia seguinte, a Ming, o breve Império Mongol foi um período de intensas trocas comerciais e culturais e de fortalecimento das rotas de ligação entre a China e a Europa. Entre os ocidentais que viajaram para a China nesta época pela rota da seda, o mais célebre foi Marco Polo (1254-1324), que ficou no Império do Meio durante 17 anos e relatou suas aventuras no clássico *As viagens de Marco Polo*. No período em que permaneceu na China, o veneziano cumpriu várias missões diplomáticas a pedido de Kublai Khan e foi funcionário da cidade comercial de Yangzhou.

A conquista da China pelos mongóis foi devastadora. Destruição de cidades inteiras, confisco de terras, expropriação de bens, cobrança de impostos abusivos e assassinatos em massa marcaram a expansão do poder dos invasores. A dominação mongol chegou ao fim com a rebelião de chineses, que se engajaram em uma guerra que deixou outro grande saldo de mortos. O período também foi marcado por epidemias que tiraram a vida de milhares de pessoas. A consequência foi o desaparecimento de metade da população da China em menos de cem anos: no início do século XIII, ela era de 120 milhões; às vésperas do século seguinte, havia sido reduzida a 60 milhões.

Os quase 450 anos de invasões e dominação não abalaram a crença dos chineses em sua civilização. Os intelectuais formados na tradição confuciana continuaram a transferir de geração em geração os valores e princípios que moldavam sua milenar visão do mundo. Esses intelectuais se viam como depositários da missão de perpetuar sua cultura e fundaram inúmeras academias, nas quais os clássicos eram ensinados e debatidos. "Esses eram os lugares onde eruditos podiam tentar afirmar a importância de valores civis em oposição aos militares e sustentar a confiança em sua própria autonomia moral e intelectual", observa Patricia Buckley Ebrey.[31] Muitos deles também serviram como conselheiros dos imperadores mongóis, em obediência ao princípio confuciano de lealdade ao soberano e na esperança de levá-los a governar com base na moral e nos valores chineses.

Em meados do século XVII, outras tribos do norte invadiram e subjugaram o Império do Meio. Dessa vez não foram os nômades mongóis, mas os manchus, um povo caçador que se dedicava à agricultura e vivia no extremo leste, ao norte da Muralha, entre a China e a Rússia. Novamente, os chineses eram conquistados por tribos pouco numerosas, que tiravam sua força do poderio militar. Os manchus fundaram a última dinastia chinesa, a Qing, que sobreviveria quase trezentos anos, de 1644 a 1911.

Declarando-se detentores do Mandato do Céu, os invasores triplicaram o território chinês, com a anexação da Mongólia, Tibete e Xinjiang, regiões habitadas por diferentes etnias e com costumes totalmente distintos dos da maioria han. Com a incorporação da própria Manchúria, a China atingiu no século XIX a conformação semelhante à atual, com 55 minorias étnicas que representam 8% da população e ocupam 60% do território do país.

Os manchus respeitaram a burocracia civil e governaram de acordo com os valores confucianos e a tradição cultural da China. Os conquistadores adotaram a terminologia, os rituais e as instituições do Império Celestial e se transformaram em grandes defensores da civilização chinesa. Segundo John King Fairbank

> Eles promoveram o estudo dos clássicos e a veneração aos ancestrais, estabeleceram o culto estatal de Confúcio. Falaram e escreveram sobre "o caminho do governante" (como os japoneses em Manchukuo, três séculos mais tarde), louvaram as virtudes confucianas e aceitaram a ideia de que o governante governa em virtude de sua retidão moral.[32]

Porém os manchus adotaram normas que explicitavam seu domínio sobre os chineses hans. A mais visível delas era a obrigatoriedade de todos os homens usarem o mesmo estilo de cabelo, com a metade da frente da cabeça raspada e o cabelo arrumado em uma enorme trança atrás. A desobediência era punida com a morte, ameaça lembrada

Com 6,7 mil quilômetros de extensão, a Muralha da China começou a ser construída pelo imperador Qin Shi Huang (259-210 a.C.), que unificou a China e determinou a ligação das fortificações existentes anteriormente. O objetivo era proteger o império dos povos nômades do norte e do leste.

por um ditado da época: "mantenha seu cabelo ou perca sua cabeça". Quando o Império estava próximo do fim, um dos principais gestos de rebeldia dos chineses era o corte da trança que simbolizava sua submissão ao invasor.

Batizada de Qing, a dinastia comandada pelos manchus levou o Império do Meio a seu apogeu territorial e, mais tarde, viu o início do período de maior humilhação da China perante o mundo, que tem seu marco zero na derrota para a Inglaterra na Primeira Guerra do Ópio.

A EVOLUÇÃO TERRITORIAL DO IMPÉRIO CHINÊS

Dinastia Shang (1600 a.C.-1046 a.C): a primeira cuja existência é comprovada por indícios históricos. O período vê o nascimento dos elementos que viriam a caracterizar a cultura chinesa.

Dinastia Qin (221 a.C.-206 a.C.): promove a unificação do Império, que antes era dividido em vários reinos. O imperador Qin Shi Huang criou a Muralha da China, impôs um único sistema de pesos e medidas a todo o país e unificou a língua chinesa.

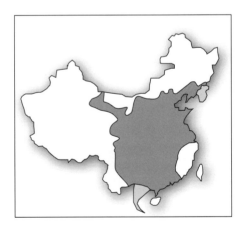

Dinastia Han (206 a.C-220 d.C.): considerada uma das mais prósperas da história chinesa. Seu título dá nome à etnia majoritária da China, os han. Nesse período, o confucionismo se tornou a filosofia oficial do Estado.

Dinastia Tang (618-907): a mais cosmopolita da história, que viu a propagação de ideias estrangeiras e uma explosão de criatividade artística. O sistema de exames para seleção de burocratas do Estado foi reforçado e o budismo ganhou ainda mais relevância.

A história circular | 183

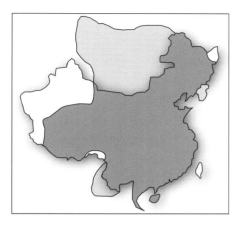

Dinastia Yuan (1271-1368): fundada pelos invasores mongóis chefiados por Kublai Khan, neto de Gengis Khan. O território é ampliado com a incorporação da Mongólia ao Império, que seria temporária e deixaria de existir com a queda da dinastia.

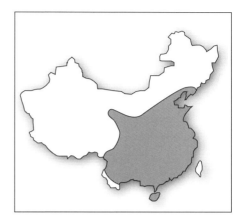

Dinastia Ming (1368-1644): representa a retomada do poder pelos chineses da etnia han. O imperador Yongle transfere a capital de Nanquim para Pequim e promove a construção da Cidade Proibida, concluída em 1420.

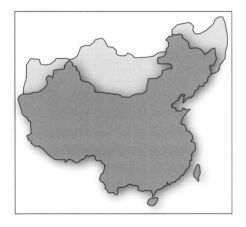

Dinastia Qing (1644-1911): outra fundada por invasores, desta vez os manchus que viviam ao nordeste da Muralha da China. A dinastia levou o Império chinês a seu apogeu territorial, mas também viu sua decadência e derrocada em 1911.

A China atual. Após um período de desagregação depois da Revolução Republicana, os comunistas que chegaram ao poder em 1949 anexaram grande parte dos territórios que compunham o Império durante a dinastia Qing, como o Tibete e Xinjiang

NOTAS

1. Bamber Gascoigne, A Brief History of The Dynasties of China, London, Constable & Robinson, 2003.
2. Patricia Buckley Ebrey, The Cambridge Illustrated History of China, Londres, Cambridge University Press, 2006, p. 10.
3. Confucius, The Analects, Livro I, verso 1, London, Penguin, 1979, p. 59.
4. Idem, Livro XV, verso 24, London, Penguin, 1979, p.135.
5. Idem, Livro II, verso 3, p. 63.
6. John King Fairbank e Merle Goldman, China: uma nova história, Porto Alegre, L&PM, 2006, p. 35.
7. Confucius, op. cit., Livro I, verso 2, pág. 59.
8. John King Fairbank e Merle Goldman, "China – Uma Nova História", Porto Alegre, L&PM, 2006, p. 66.
9. Ichisada Miyazaki, China's Examination Hell: The Civil Service Examinations of Imperial China, New York, Weatherhill, 1976.
10. Idem.
11. Idem, p. 120.
12. Jonathan D. Spence, Em busca da China moderna, São Paulo, Companhia das Letras, 1996, p. 151.
13. John King Fairbank e Merle Goldman, op. cit.
14. Ichisada Miyazaki, op. cit., p. 124.
15. Fung Yu-lan, A Short History of Chinese Philosophy, New York, The Free Press, 1976, p. 22.
16. Bamber Gascoigne, op. cit., p. 43.
17. Arthur Waley (ed.), The Way and Its Power: A Study of the Tao Te Ching and Its Place in Chinese Thought, London, George Allen & Unwin, 1934.
18. "Tao Te Ching, Capítulo I", em Arthur Waley (ed.), op. cit., p. 141.
19. Arthur Waley (ed.), op. cit., p. 55.
20. "Tao Te Ching, Capítulo XVI", em Arthur Waley (ed.), op. cit., p. 162.
21. Idem, p. 199.
22. J. J. Clarke, The Tao of the West: Western Transformations of Taoist Thought, London, Routledge, 2000, p. 104.
23. Fung Yu-lan, op. cit., p. 20.
24. "Tao Te Ching, Capítulo XXIX", em Arthur Waley (ed.), op. cit., p. 179.
25. Burton Watson, "The Complete Works of Chuang Tzu" (Chuang Tzu é antiga transliteração do nome de Zhuang Zi), New York, Columbia University Press, 2002, p. 49
26. "Tao Te Ching, Capítulo II", em Arthur Waley (ed.), op. cit., p. 143.
27. A. C. Graham, Disputers of the Tao: Philosophical Argument in Ancient China, Illinois, Open Court Publishing Company, 1989, p. 175.
28. J. J. Clarke, op.cit., p. 23.
29. John King Fairbank e Merle Goldman, op. cit., p. 20.
30. Time Aisa, "The Asian Voyage: In the Wake of the Admiral", disponível em <http://www.time.com/time/asia/features/journey2001/intro.html>, acesso em 27 de março de 2009.
31. Patricia Buckley Ebrey, op. cit., p. 179.
32. John King Fairbank e Merle Goldman, op. cit., p. 147.

A CHINA ENCONTRA O OCIDENTE

AS DUAS "ABERTURAS"

Nos últimos dois séculos, a China protagonizou dois encontros decisivos com o Ocidente, que tiveram desfechos opostos e definiram o destino do país durante décadas.

O primeiro se deu em 1793, quando a Inglaterra bateu às portas da China em busca da abertura comercial do país a seus produtos. Sem perceber que seu Império não ocupava mais o centro do mundo e sucumbiria à emergência britânica, o imperador Qianlong recusou o pedido do rei George III, apresentado por seu emissário lorde Macartney. No emblemático encontro, a China se agarrou à tradição, tratou a missão de Macartney como a de um Estado inferior, tributário do Império do Meio, e preferiu permanecer fechada em si mesma.

"Não precisamos de seus produtos" foi a resposta de Qianlong ao rei inglês, entregue a Macartney. Narrado de maneira inesquecível por Alain Peyrefitte em *O império imóvel ou o choque dos mundos*, o encontro é a semente da ocupação posterior da China pela Inglaterra, que se seguiu à Guerra do Ópio, de 1842. A recusa de Qianlong de se integrar a uma economia que se expandia por meio do comércio levou a um longo período de humilhação e decadência, no qual os portos do país foram abertos a bala e o Império, obrigado a aceitar o domínio estrangeiro dentro de seu território. A missão de Macartney também revelou a distância das concepções de mundo da China, que se julgava o centro de tudo sob os céus, e da emergente potência britânica, que estenderia seus domínios até a Ásia no século XIX.

O outro encontro com o Ocidente é o arquitetado por Deng Xiaoping, o líder comunista que conquistou o comando da China depois da morte de Mao Tsé-tung, em 1976. Nos dois anos seguintes, Deng enfrentou com habilidade a luta interna do Partido Comunista e conseguiu afastar o sucessor indicado por Mao, Hua Guofeng.

Sua consagração ocorreu em dezembro de 1978, no XIII Congresso do Partido Comunista, que aprovou sua proposta de modernização da economia chinesa. Antes de o mundo bater novamente à sua porta, a China decidiu se abrir ao mundo.

O país começou a embarcar na globalização 11 anos antes da queda do Muro de Berlim, que pôs fim ao bloco comandado pelo Partido Comunista Soviético. As reformas de Deng promoveram uma integração sem precedentes da China ao restante do mundo ao mesmo tempo em que garantiram a perpetuação no poder do Partido Comunista. Para muitos chineses, o atual período de crescimento e prosperidade representa o resgate do esplendor ofuscado pelo período de decadência iniciado no século XIX. "Os meus amigos na China me dizem 'nós tivemos duzentos anos realmente ruins, mas agora estamos de volta'", diz o norte-americano Clyde Prestowitz, autor de *Three Billion New Capitalists: The Great Shift of Wealth And Power to the East*.

O CHOQUE DOS MUNDOS

A missão de lorde Macartney foi a mais importante tentativa oficial britânica de abrir os portos da China a seus produtos. O representante do rei George III chefiou um expedição de setecentas pessoas e levou seiscentas caixas "cheias de instrumentos científicos, tapetes, tecidos de lã, facas, vidros laminados e outros presentes com a intenção de atrair o interesse chinês em manufaturas britânicas", relata Alain Peyrefitte.[1]

No fim do século XVIII, o comércio da China com o exterior era realizado apenas pelo porto de Cantão (Guangzhou), no sul do país, e sob total controle do Império. A presença de estrangeiros era limitada à "temporada de comércio", que ia de outubro a março, e a uma determinada região da cidade. Além disso, os negócios só podiam ser feitos com agentes credenciados pelo Império.[2] Na época, a China vendia à Inglaterra seda, porcelana e quantidades crescentes de chá e não comprava nada em troca, o que gerava um enorme déficit comercial para o país europeu. As importações britânicas de chá explodiram durante o século XVIII e passaram de 400 mil libras em 1720 para 23 milhões de libras em 1800. A expansão das exportações levou ao aumento das transferências em prata da Inglaterra para a China, que saltaram de cerca de 3 milhões de onças (85,05 toneladas) ao ano em 1760 para 16 milhões de onças em 1780, o equivalente a 453,6 toneladas.[3]

O objetivo de lorde Macartney era conseguir a abertura de outros portos ao comércio e obter autorização de Qianlong para instalar uma embaixada de seu país em Pequim. Os pedidos foram recusados com o argumento de que contrariavam a imutável ordem imperial. A resposta do imperador ao rei George III evidencia o peso do ritual e da tradição na corte chinesa:

A porcelana chinesa, como este vaso da dinastia Qing, era um dos principais produtos de exportação do país, ao lado da seda e do chá. A Inglaterra tinha um enorme déficit comercial com o antigo Império do Meio. Sem conseguir aumentar suas exportações, os ingleses começaram a vender ópio aos chineses.

> Quanto à sua petição para enviar um de seus cidadãos para ser credenciado junto à minha Corte Celestial e ter o controle do comércio de seu país com a China, esse pedido contraria todos os usos de minha dinastia e não pode de nenhuma maneira ser atendido. É verdade que europeus, a serviço da dinastia, receberam permissão para viver em Pequim, mas eles são compelidos a adotar vestimentas chinesas, estão estritamente confinados a suas circunscrições e não podem nunca retornar a seus países. O senhor é supostamente familiarizado com nossas regulamentações dinásticas. Seu enviado à minha Corte não poderia ser colocado em posição similar a de outros oficiais europeus em Pequim, que estão proibidos de deixar a China, nem poderia ele, por outro lado, ter a liberdade de movimento e o privilégio que teria em seu próprio país; portanto, o senhor nada ganharia com sua residência em nosso meio.[4]

A missão de Macartney também foi azedada pela recusa dos ingleses de realizarem o *kowtow* diante do imperador. O gesto consistia em ajoelhar-se e tocar o chão com a cabeça e era repetido pelos súditos chineses na presença do imperador e de todos os objetos que pudessem representá-lo. O impasse em torno do *kowtow* ocupou grande parte dos encontros de Macartney com os mandarins chineses que precederam sua entrevista com o imperador. O argumento dos ingleses era o de que não poderiam realizar diante de um dignatário estrangeiro um ritual mais extremo do que o normalmente feito para seu próprio soberano, o rei George III. Como eles representavam a coroa, o gesto significaria o reconhecimento de submissão do Império Britânico diante do Império do Meio. A intransigência britânica venceu e Macartney pôde repetir o mesmo ritual que realizava diante de seu rei.

O enviado britânico permaneceu na China por cerca de sete meses e, apesar de seus esforços para seduzir o imperador, a missão foi um fracasso. Qianlong não só recusou os pedidos do rei como demonstrou desprezo pelos inúmeros presentes entregues por Macartney, na tentativa de seduzi-lo com as criações da nascente indústria britânica. "Como seu embaixador pôde ver com seus próprios olhos, nós possuímos tudo. Eu não dou valor a objetos estranhos ou engenhosos, e não tenho utilidade para as manufaturas de seu país", escreveu o imperador.[5]

Qianlong ressaltou ainda que os europeus tinham necessidade absoluta da seda, porcelana e chá produzidos pela China e que a permissão para que fossem exportados era um sinal de benevolência do Império do Meio. A carta também revelava a convicção de que a China detinha uma posição superior em relação a todas as outras nações do mundo:

> Seu embaixador apresentou requerimentos que falham em reconhecer o princípio do Trono de "tratar estranhos que vêm de longe com indulgência" e exercer um controle pacífico sobre as tribos bárbaras ao redor do mundo. Mais ainda, nossa dinastia, dominando uma miríade de raças ao redor do globo, estende a mesma benevolência em relação a todas elas. Sua Inglaterra não é a única nação a fazer comércio no Cantão. Se outras nações, seguindo seu mau exemplo, erroneamente importunarem meus ouvidos com mais pedidos impossíveis, como será possível para mim tratá-las com branda indulgência?[6]

Sem conseguir ampliar suas exportações e tendo de utilizar cada vez mais prata para cobrir o déficit com o país, o Império Britânico começou a vender ópio aos chineses. O produto vinha da Índia e seu consumo cresceu rapidamente, o que criou um grave problema social na China. Dados levantados por Jonathan Spence indicam que as exportações de ópio dos ingleses para o Império do Meio saltaram de mil caixas, em 1773, para 23.570 caixas em 1832. O comércio não era feito diretamente pela coroa, mas por comerciantes credenciados pela Companhia das Índias Orientais, que troca-

A China encontra o Ocidente | 189

A derrota da China nas duas Guerras do Ópio, a colonização por potências estrangeiras e a abertura dos portos do país ao comércio exterior levaram à entrada de bens estrangeiros, que começaram a aparecer nos cartazes de publicidade a partir da década de 1920, como este de produtos Palmolive.

vam a prata que recebiam por cartas de crédito entregues por agentes da companhia no Cantão. Estes, por sua vez, usavam a prata para comprar os produtos exportados para a Inglaterra, que eram principalmente chá, seda e porcelanas.

A venda de ópio se expandiu apesar de seu uso ser formalmente proibido na China. A droga provoca extrema dependência e o número de viciados se multiplicava a cada ano no início do século XIX. As diversas tentativas do governo chinês de conter o comércio de ópio foram infrutíferas. No início de 1839, o imperador Daoguang (1782-1850) enviou ao Cantão um de seus mais respeitados burocratas, Lin Zexu, com a missão de pôr fim ao comércio de ópio. Com sólida formação confuciana e reconhecido por sua retidão moral, Lin tomou medidas extremas, que acabaram provocando a primeira Guerra do Ópio entre os Impérios Britânico e Chinês. Logo que chegou ao Cantão, Lin determinou a suspensão de todo o comércio com os estrangeiros, que viviam juntos em uma área em frente ao rio das Pérolas. Barricadas foram construídas nas imediações para impedir o contato dos chineses com os comerciantes e navios de guerra do Império se alinharam no rio.

Lin comunicou os ingleses que o comércio só seria retomado depois da entrega de todo o ópio em seu poder e do compromisso de que o tráfico da droga seria interrompido. Alguns dias depois do início do bloqueio, os britânicos concordaram em entregar o ópio ao governo chinês. Lin confiscou e destruiu vinte mil caixas da droga, o que correspondia a quase todo o comércio anual. O funcionário também escreveu uma inusitada carta à rainha Vitória, na qual apelava a princípios morais para exigir a suspensão da venda de ópio à China pelos britânicos:

> Eu fui informado de que o consumo de ópio é proibido de maneira estrita em seu país; isso porque o dano causado pelo ópio é claramente entendido. Desde que não se permite que ele provoque dano em seu próprio país, com mais razão ainda não deveria ser permitido que ele provocasse dano a outros países – muito menos para a China! De tudo o que a China exporta a países estrangeiros, não há uma só coisa que não seja benéfica às pessoas.[7]

Lin exigiu ainda que os comerciantes ingleses assinassem termos pelos quais se comprometiam a não mais vender ópio e eram notificados de que seriam executados caso viessem a ser surpreendidos realizando o tráfico ilegal. A tensão se agravou em julho, quando um grupo de marinheiros ingleses bêbados assassinou um chinês em Kowloon, perto de Hong Kong. O representante da coroa britânica no Cantão, capitão Charles Elliot, se recusou a entregar os acusados a Lin, para que fossem julgados pelo crime. Elliot sustentou que eles só poderiam ser punidos de acordo com as leis britânicas e realizou um julgamento considerado insatisfatório pelos chineses, no qual nenhum deles foi condenado por homicídio.

A China encontra o Ocidente | 191

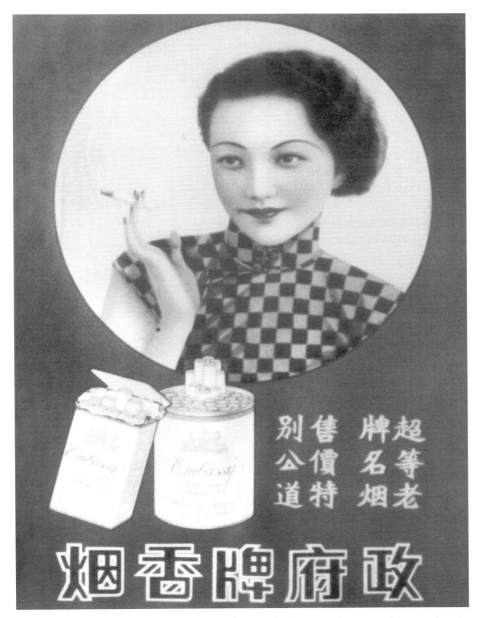

Os cartazes também propagavam o estilo e os hábitos ocidentais e ficaram ligados de maneira indelével a Xangai, a cidade que concentrou o maior número de concessões estrangeiras a partir da segunda metade do século XIX e que se tornaria o polo de produção cinematográfica do país nos anos 1920 e 1930.

No mês seguinte, agosto, o primeiro navio de guerra inglês chegou à costa chinesa. Depois de vários incidentes entre embarcações dos dois países, a guerra teve início em novembro de 1839. O confronto foi devastador para a China, que se rendeu em 1842, no primeiro de uma série de atos que marcaram a ocupação do Império do Meio por potências estrangeiras. Nas décadas seguintes, a dinastia Qing, a última da história chinesa, teria que ceder parcelas crescentes de seu território a outros governos. À diferença do atual processo de globalização, a primeira integração da China ao mundo se deu pela força.

Com a derrota, a China foi obrigada a assinar o Tratado de Nanquim, em agosto de 1842, pelo qual cedia à Inglaterra a ilha de Hong Kong, que se transformaria em um entreposto da coroa britânica. Além disso, cinco portos foram abertos ao comércio com a Inglaterra, e o Império do Meio teve de pagar uma indenização de 21 milhões de dólares de prata pelos danos causados aos comerciantes ingleses, incluindo a destruição de ópio pelo oficial Lin Zexu.

A COLONIZAÇÃO DA CHINA

O de Nanquim foi o primeiro de uma série de "tratados desiguais" que deram a governos estrangeiros domínios de regiões dentro da China, nas quais vigoravam suas próprias leis, dentro do princípio da extraterritorialidade. Depois da Inglaterra, os Estados Unidos, a França, a Rússia e a Alemanha também conseguiram privilégios comerciais e controle sobre parcelas do território chinês. Impostos pelos vitoriosos, esses documentos davam enormes privilégios às potências estrangeiras dentro do país asiático e reduziram o Império a uma espécie de semicolônia.

Menos de duas décadas depois de sua derrota perante a Inglaterra, a China entrou novamente em rota de colisão com as potências ocidentais na Segunda Guerra do Ópio (1856-1860). Mais uma vez, o Império Qing saiu humilhado. A origem do conflito foi a pretensão inglesa de revisar o Tratado de Nanquim em 1854 e ampliar ainda mais os privilégios de seus súditos em solo chinês. Suas reivindicações incluíam a legalização do comércio de ópio, a abertura do interior da China aos comerciantes britânicos, isenção de tributos sobre a circulação de mercadorias importadas e supremacia da versão em inglês do tratado sobre a escrita em chinês quando houvesse divergências de interpretação.

Diante da recusa dos Qing de aceitar as reivindicações, os ingleses utilizaram um incidente menor como pretexto para atacar a China. Em 1856, oficiais chineses subiram a bordo do navio Arrow, registrado em Hong Kong, baixaram a bandeira britânica e realizaram uma busca que os britânicos consideraram ilegal. A Inglaterra iniciou a Segunda Guerra do Ópio (1856-1860) ao lado da França, que aproveitou o assassinato de um de seus missionários no interior da China para aderir ao conflito e ampliar suas vantagens comerciais com o país.

O confronto terminou quando tropas inglesas e francesas invadiram Pequim, dizimaram o exército que guardava a cidade e forçaram a fuga do imperador Xiangfeng para a Manchúria, terra de origem da dinastia Qing. Mas o maior símbolo da derrota foi o saque e a total destruição do antigo Palácio de Verão (Yuan Ming Yuan), local de residência dos imperadores Qing que reunia inúmeros objetos de arte valiosos, jardins, lagos e palácios construídos ao longo dos séculos XVIII e XIX.

Com 3,5 quilômetros quadrados, o local era um enorme museu, no qual havia obras de com mais de três mil anos. A destruição do antigo Palácio de Verão foi ordenada no dia 18 de outubro de 1860 por lorde Elgin, alto comissário britânico para a China, como retaliação pela tortura e morte de quase vinte prisioneiros ocidentais. Foi o caminho encontrado pelos vitoriosos de punir a corte Qing sem atingir a população civil ou devastar a capital do Império. Cerca de 3,5 mil soldados participaram da destruição do local, que foi incendiado e ardeu em chamas por três dias. Por sorte, não prosperou a ideia de destruição da Cidade Proibida, discutida entre os comandantes britânicos na época.

Enfraquecida e desmoralizada, a dinastia Qing sofreu nova derrota na Primeira Guerra Sino-Japonesa, em 1894 e 1895, na qual os dois países disputaram a influência sobre a Coreia, que durante séculos havia sido tributária do Império do Meio. O confronto simbolizou a decadência da China como principal potência asiática e a ascensão de um Japão moderno, forte e com ambição expansionista. A dinastia Qing foi obrigada a ceder aos japoneses o controle das ilhas de Taiwan e Pescadores, abrir portos ao comércio com o país e pagar uma pesada indenização de 200 milhões de onças (5.670 toneladas) de prata. Também autorizou a instalação de fábricas japonesas em solo chinês, cláusula que foi estendida a outras potências que haviam imposto tratados à China.

O Japão emergiu no século XIX como a nova potência asiática, depois de adotar uma estratégia distinta da chinesa diante do assédio ocidental. Sob ameaça de bombardeio pela esquadra comandada pelo oficial norte-americano Matthew Perry, os japoneses assinaram, em 1854, um tratado que franqueava alguns dos portos do país aos Estados Unidos. Abandonando sua milenar reclusão, o Japão decidiu se abrir ao Ocidente e se transformar para evitar destino semelhante ao da China.

O xogunato que havia comandado o país por quase três séculos perdeu o poder e a Restauração Meiji iniciada em 1868 deu início a uma revolução para modernizar e ocidentalizar as instituições políticas, econômicas, sociais, educacionais e militares, ao fim da qual o Japão tinha condições de se colocar ao lado dos invasores e deixar de ser um país colonizável.

194 | Os chineses

Enquanto o Japão se fortalecia, a China se esfacelava. O ápice da humilhação veio em 1901, quando o Império do Meio teve de assinar tratado com oito potências estrangeiras depois da Rebelião dos Boxers, uma violenta reação popular contra a presença estrangeira que teve apoio do governo chinês. O movimento durou de novembro de 1899 a setembro de 1901 e provocou a morte de cerca de 250 estrangeiros e dezenas de milhares de chineses considerados aliados das forças externas. Missionários cristãos e chineses convertidos ao cristianismo foram o principal alvo dos ataques – o catolicismo e o protestantismo eram vistos como instrumentos do imperialismo estrangeiro e se chocavam com as tradições chinesas.

O CHOQUE RELIGIOSO

Pregadores católicos e protestantes desembarcaram na China junto com os mercadores europeus e norte-americanos. Com quase 400 milhões de habitantes, o Império do Meio prometia uma oferta inesgotável de almas para o cristianismo. Em 1894, a Igreja Católica tinha no país 750 missionários europeus e 400 padres chineses convertidos. No mesmo ano, os protestantes mantinham 1,3 mil missionários, espalhados em cerca de 350 cidades e vilas rurais. Da mesma forma que os comerciantes, os religiosos foram beneficiados pelos "tratados desiguais", que lhes garantiam o direito de pregar e atuar em solo chinês.[8]

Os jesuítas foram os primeiros cristãos a pregar na China, a partir do fim do século XVI. Além da Bíblia, levaram na bagagem tratados ocidentais sobre ciências, astronomia, cartografia, geografia e matemática. O pioneiro dessa empreitada foi o italiano Matteo Ricci (1552-1610), que chegou a Macau em 1582 e se dedicou ao estudo da língua e da cultura chinesas. Assim, conseguiu contornar a proibição da presença estrangeira no Império e, no ano seguinte, instalou-se na China continental, na província sulista de Guangdong. O jesuíta obteve autorização para viver em Pequim em 1601 e foi o primeiro ocidental a entrar na Cidade Proibida, o complexo de palácios construído pelos imperadores da dinastia Ming. Ricci ganhou o título de erudito ocidental e passou a receber um estipêndio da corte. Viveu na capital do Império até sua morte e sua tumba integra hoje o roteiro turístico de Pequim.

O esforço de Ricci em conquistar a confiança dos chineses foi destruído pela arrogância de representantes da Igreja que chegaram à China depois de sua morte. Em 1701, o papa enviou um emissário a Pequim com a tarefa de transmitir ao imperador a censura da Igreja Católica a práticas milenares da civilização chinesa: o culto doméstico aos ancestrais e o culto público a Confúcio. O resultado foi a proibição de os missionários pregarem o cristianismo em solo chinês a partir de 1724, que só viria a ser cancelada em 1846, quando a China já havia sido derrotada na Guerra do Ópio.

Os tratados desiguais que davam privilégios aos estrangeiros que viviam no Império do Meio se estendiam aos católicos e protestantes, o que só aumentava a hostilidade popular contra os cristãos.

Os boxers reuniam camponeses miseráveis, afetados por enchentes e secas no norte da China, e moradores pobres das cidades que viviam de "bicos". Todos enfrentavam dificuldades crescentes de sobrevivência, com a degradação da situação econômica da China. Sob influência de seitas secretas e misticismo popular, eles realizavam rituais que supostamente os tornavam invulneráveis a ataques com espadas ou balas e praticavam lutas marciais. A revolta começou na província de Shandong, espalhou-se para Shaanxi, Hebei e Henan e atingiu a capital do Império. As ideias dos boxers eram propagadas por meio de canções, versos e cartazes, carregados de xenofobia e ataques ao cristianismo. Três cartazes reproduzidos no livro *The Boxer Uprising: A Background Study* revelam o grau de hostilidade contra os estrangeiros:

> Nós apoiamos o regime Qing e nosso objetivo é acabar com os estrangeiros; deixem-nos fazer o máximo para defender nosso país e preservar os interesses de nossos camponeses; Proteja seu país, expulse os estrangeiros e mate os cristãos;
> A heresia [cristianismo] não tem respeito por deuses ou Budas. Não permite a queima de palitos de incenso nem obedece aos preceitos budistas. Seus seguidores são arrogantes em relação ao nosso grande Império Qing.[9]

A tensão chegou ao máximo no dia 20 de junho de 1900, quando os boxers cercaram as representações de países estrangeiros em Pequim. Durante 55 dias, um grupo de 475 civis estrangeiros, cerca de 3 mil cristãos chineses e 450 soldados resistiu graças à construção de barricadas com móveis, sacos de areia e troncos de árvores. Dentro do cerco também estavam 150 pôneis de corrida, que foram usados para alimentar o grupo.[10]

Diante do fortalecimento dos boxers, a imperatriz regente Cixi e os conservadores que ampliaram sua presença na corte passaram a vê-los como uma arma para enfrentar as forças invasoras. No dia 21 de junho de 1900, a China declarou guerra contra as potências externas. Afirmou Cixi na declaração de guerra:[11]

> Os estrangeiros foram agressivos conosco, infringiram nossa integridade territorial, pisotearam nosso povo [...]. Eles oprimem nosso povo e blasfemam contra nossos deuses. A gente comum sofre muito nas mãos deles e deseja vingança. Sendo assim, os bravos seguidores dos boxers vêm queimando igrejas e matando cristãos.

O cerco às representações estrangeiras acabou no dia 14 de agosto de 1900 com a chegada de vinte mil soldados das oito nações aliadas – Inglaterra, Japão, Rússia, França, Alemanha, Estados Unidos, Itália e Áustria-Hungria. As tropas saquearam Pequim e mataram milhares de boxers. Cixi e o imperador – seu sobrinho Guangxu – fugiram para a cidade de Xi'an, onde ficariam até janeiro de 1902.

A derrota impôs à China mais um tratado humilhante, que debilitaria ainda mais as finanças e a autoridade da dinastia Qing. Assinado em setembro de 1901, o documento autorizava a manutenção de tropas estrangeiras em Pequim, proibia por dois anos a importação de armas pelo Império e determinava a execução de dez altos funcionários que haviam dado suporte à rebelião.

Além disso, a China teria de pagar indenização às nações vencedoras no valor de 450 milhões de taéis, que correspondia a quase o dobro de toda a receita do Império em um ano, estimada em 250 milhões de taéis. A indenização deveria ser paga em ouro no período de 39 anos, durante os quais incidiriam juros anuais de 4%, o que elevou seu valor total a quase 1 bilhão de taéis.

AS REBELIÕES MÍSTICAS

O movimento dos boxers foi o último de uma série de seis grandes revoltas populares que chacoalharam a China desde o fim do século XVIII e contribuíram para o fim da longa história imperial do país. Enquanto os boxers dirigiram sua fúria contra os estrangeiros, a maioria dos movimentos que os antecederam tinha como principal alvo os manchus da dinastia Qing, vistos cada vez mais como invasores destituídos de legitimidade para o exercício do poder.

O fator subjacente às rebeliões foi a explosão populacional registrada na segunda metade da dinastia Qing. Em apenas um século, o total de habitantes da China duplicou e chegou a quatrocentos milhões em 1850. O principal efeito da multiplicação de pessoas foi a enorme pressão sobre a agricultura, com fragmentação da terra e diminuição da eficiência em seu cultivo. Entre 1695 e 1790, a população chinesa triplicou, para trezentos milhões de pessoas, enquanto a quantidade de terras aráveis apenas duplicou. Com isso, o tamanho das propriedades individuais diminuiu, o que dificultou a adoção de técnicas mais avançadas de cultivo. "A China continuou sendo uma nação de pequenos proprietários dedicados a uma agricultura de trabalho altamente intensivo sem qualquer ajuda de inovações tecnológicas significativas", relata Jonathan D. Spence.[12]

Antes de registrar crescimento vertiginoso a partir do século XVIII, a população do Império havia diminuído na transição das dinastias Ming e Qing, passando de 150 milhões para cerca de 100 milhões. Esse foi um dos principais fatores que permitiram a explosão posterior, já que a população sobrevivente pôde ocupar grandes extensões de terras férteis que estavam abandonadas. Outro elemento importante foi a introdução de culturas estrangeiras, como amendoim, batata-doce, batata irlandesa e milho, que elevaram o consumo de calorias dos camponeses.

O Bund era o coração da concessão britânica em Xangai, cidade que reunia o maior número de estrangeiros durante a colonização da China. Seus edifícios em estilo europeu hoje abrigam uma série de empreendimentos de luxo de grifes europeias, como Giorgio Armani, Ermenegildo Zegna e Salvatore Ferragamo.

A pressão populacional encontrou uma estrutura governamental insensível, corrupta e incapaz de se adaptar para atuar de maneira eficaz em áreas que tradicionalmente cabiam ao poder central, como assistência em momentos de inundações, distribuição emergencial de cereais, controle de enchentes, e manutenção de estoques nos celeiros do Império. A situação foi agravada pelos confrontos com as potências ocidentais, que drenaram recursos dos cofres do Império para os esforços de guerra e as pesadas indenizações que a China foi obrigada a pagar aos vencedores. A consequência nefasta sobre a administração do país é narrada por Jonathan D. Spence:

> No final do século XVIII muitas das instituições governamentais dos qings começaram a falhar: os celeiros de emergência estavam amiúde vazios, partes do Grande Canal ficavam atravancadas por resíduos, tropas regulares de estandartes comportavam-se

com incompetência ou brutalidade, esforços para deter projetos ecologicamente perigosos de ocupação de terras eram abandonados, a burocracia estava infestada de faccionismos e a corrupção era profunda.[13]

Empobrecidos e abandonados, os camponeses se voltaram a líderes messiânicos e movimentos milenaristas que prometiam a salvação ou se organizaram em grupos que se dedicavam ao banditismo.

A Rebelião do Lótus Branco eclodiu em 1796 e teve sua origem em uma seita secreta que existia desde o século XIII. Seus líderes prometiam a restauração da dinastia Ming, a vinda à terra do Buda Maytrea (uma futura reencarnação de Buda) e o fim do sofrimento humano. O estopim da revolta foram protestos contra extorsões praticadas por pequenos coletores de impostos do Império. Os qings só conseguiram debelar o movimento em 1804, depois de o sucessor do imperador Qianlong, Jiaqing, organizar e apoiar os chefes militares manchus encarregados de reprimir os rebeldes. A vitória custou aos cofres do Império o equivalente a cinco anos de receita bruta e destruiu a reputação de invencibilidade das forças manchus.[14]

Qianlong e Heshen

Qianlong realizou o mais longo reinado da história chinesa e levou o Império do Meio ao seu apogeu, ao mesmo tempo em que permitiu o surgimento dos fatores que levariam à inexorável decadência da dinastia manchu. A forte tradição de respeito aos ancestrais levou Qianlong a anunciar sua renúncia em 1796, para que a duração de seu reinado não superasse os 61 anos durante os quais seu avô Kangxi governou. Na prática, Qianlong manteve seu poder até a sua morte, em 1799, o que elevou seu período de governo a 64 anos.

As fronteiras do Império do Meio se expandiram de maneira considerável durante seu reinado. A mais importante conquista foi Xinjiang, no extremo oeste, que agregou à China uma área de 1,6 milhão de quilômetros quadrados que hoje é a maior província do país. O imperador também consolidou o domínio do Império no sudoeste da China e no Tibete, a segunda maior província atualmente.

No terreno cultural, Qianlong foi responsável pela *Biblioteca completa em quatro categorias*, uma extensa compilação de escritos nas quatro tradicionais áreas de conhecimento da civilização chinesa: clássicos, trabalhos históricos, filosofia e obras literárias. A empreitada levou dez anos para ser concluída e foi acompanhada da destruição de uma série de obras condenadas pelo imperador. As mais visadas eram as que traziam alusões negativas aos governantes manchus. Estima-se que 2,6 mil títulos tenham sido destruídos no processo de escrutínio das obras que acompanhou a realização da antologia. Ainda assim, o trabalho final alcançou 36 mil volumes.

Visto como um grande líder militar, Qianlong adotou uma postura menos enérgica nos últimos vinte anos de seu reinado e abandonou muitos dos procedimentos instituídos por seu pai, Yanzheng, para se informar sobre o que ocorria no Império. Entre os fatos que minaram a autoridade dos qings está o relacionamento entre o imperador e o que veio a ser o seu preferido na corte, Heshen, um belo, astuto e inteligente integrante da guarda manchu que caiu nas graças de Qianlong em 1775. O imperador tinha 65 anos quando conheceu Henshen, então com 25. O jovem oficial teve uma trajetória meteórica na estrutura de poder da corte e em pouco tempo chegou a posições como grão-conselheiro, ministro da Receita e ministro da Casa Civil.

A confiança cega de Qianglong em seu funcionário e a liberdade com que este se movia na corte levantaram especulações de que ambos tinham uma relação homossexual. Há uma versão romântica de que o imperador viu em Heshen a reencarnação de uma das concubinas de seu pai, Machia, por quem se apaixonou na adolescência. Quando a mãe de Qianlong descobriu a paixão que ele nutria pela concubina, ordenou que ela se enforcasse com um cordão de seda, fato que teria afetado de maneira profunda o futuro imperador.[15]

Amante ou não, o fato é que Heshen desfrutou de enorme poder até o fim da vida do imperador, o que contribuiu para a degradação da corte. Corrupto, amealhou uma fortuna estimada em US$ 1 bilhão em valores atuais.[16] Em 1796, Heshen foi encarregado de liderar os esforços do Império para combater a Rebelião do Lótus Branco, que se prolongaria por oito anos. O preferido do imperador e seus aliados na corte desviaram a maior parte dos recursos destinados às tropas para seus próprios bolsos, o que minou a autoridade qing de maneira indelével.

O imperador Qianlong em pintura feita por artista anônimo da corte Qing. Qianlong governou a China durante 64 anos, no maior período de influência de um único imperador. O governante manchu viu o apogeu do Império do Meio, mas também contribuiu para o agravamento dos problemas que levariam à sua derrocada em 1911, com a Revolução Republicana.

A ligação de Qianlong com Heshen era tão forte que sua filha preferida foi dada em casamento ao filho do funcionário, cuja queda foi tão meteórica quanto a ascensão. Assim que Qianlong morreu, o novo imperador, Jiaqing, o acusou de corrupção e o forçou a cometer suicídio. "Esse final melancólico, de certo modo, foi adequado para encerrar um dos séculos mais ricos da longa história da China, um final que destacou a curiosa mistura de força e fraqueza que começava a despontar como parte do âmago da dinastia Qing."[17]

O IRMÃO DE CRISTO

O maior desafio à autoridade qing surgiu na metade do século XIX, com as rebeliões Taiping (1850-1864) e Nian (1851-1868), que estiveram bastante próximas de derrotar a dinastia manchu.

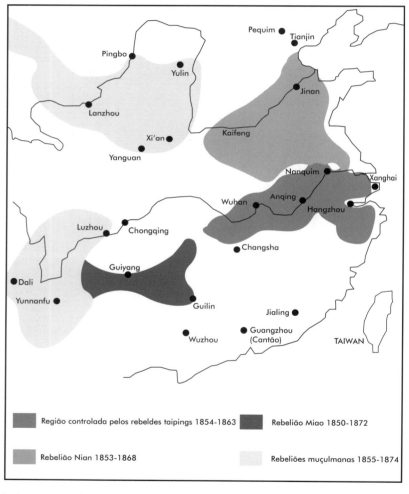

Rebeliões iniciadas por líderes messiânicos quase levaram ao fim do Império do Meio no século XIX. A principal delas foi a Taiping, que durou 14 anos, reuniu 30 milhões de seguidores e se espalhou por 16 províncias chinesas. Também houve levantes no norte, sul e sudoeste do país.

Monumento em homenagem à Revolução Taiping em Wuzhou, cidade da província sulista de Guangxi. A rebelião se concentrou na região centro-leste da China e seu centro de poder era Nanquim, que foi capital imperial de várias dinastias, até a mudança da corte para Pequim no século xv.

O candidato frustrado a mandarim Hong Xiuquan, da etnia hakka, liderou a Rebelião Taiping, que se espalhou por 16 províncias chinesas e conseguiu reunir 30 milhões de seguidores no Reino da Grande Paz Celestial. Nos seus 14 anos de duração, o movimento deixou como saldo a destruição de 600 cidades e a morte de 20 milhões de pessoas.[18] Em 1853, os rebeldes tomaram a cidade de Nanquim, que havia sido capital do Império, e a transformaram em sua própria capital.

Apresentando-se como irmão mais novo de Jesus Cristo, o que lhe dava a condição de filho de Deus, Hong Xiuquan professava um cristianismo fundamentalista, que enfatizava o igualitarismo. Explica Patricia Buckley Ebrey que

> Atraído especialmente pelo monoteísmo do Velho Testamento e austeramente puritano, ele instruiu seus seguidores a destruir ídolos e templos aos ancestrais e deixar o ópio

e álcool, além de colocar um fim à prática de amarrar os pés e à prostituição. Havia ainda um virulento elemento antimanchu em seus ensinamentos: esses pecaminosos opressores eram a encarnação do demônio que Deus lhe havia ordenado destruir.[19]

De acordo com ela, o governo fundado pelos taipings na cidade de Nanquim promovia "a utopia de um novo tipo de sociedade baseada na igualitária posse da terra e na igualdade entre homens e mulheres". Os exames para o serviço civil foram mantidos, mas eram abertos a homens e mulheres e testavam os conhecimentos dos candidatos em relação aos ensinamentos de Hong e às traduções da Bíblia para o chinês.[20]

Enquanto os taipings atacavam na parte sul da China, o Império enfrentava no norte a Rebelião Nian (1851-1868), que também contribuiu de maneira decisiva para o fim da dinastia Qing. Enfraquecido e desarticulado, o Império não reagiu de maneira eficaz a uma série de catástrofes naturais que atingiram as províncias de Jiangsu e Hunan, entre as mais ricas da China na época, o que criou o caldo de cultura necessário para a organização dos rebeldes em grupos que adotavam táticas de guerrilha e praticavam banditismo. Organizados em bandos, os nians saqueavam a colheita dos camponeses, roubavam comerciantes e sequestravam pessoas ricas para exigir resgates em troca de sua libertação.[21] A guerra entre os nians e a dinastia Qing ampliou a devastação da região, reduziu a produção agrícola e golpeou a arrecadação de impostos pelo poder central, o que debilitou ainda mais os manchus.

Antes que conseguisse derrotar os taipings e os nians, o Império foi assaltado por duas outras rebeliões, ambas originadas em comunidades muçulmanas. O islamismo começou a se propagar na China durante a dinastia Tang (618-907), uma das mais cosmopolitas da história, com a chegada de comerciantes árabes e persas. Mas foram os mongóis da dinastia Yuan (1271-1368) que promoveram assentamentos de grandes grupos de imigrantes muçulmanos, em uma estratégia para reduzir a desvantagem numérica que tinham diante da maioria de chineses da etnia han. A dinastia Qing (1644-1911) adotou uma série de restrições à prática do islamismo e à construção de novas mesquitas, além de impor políticas discriminatórias contra os muçulmanos.

A primeira grande revolta islâmica do século XIX explodiu em 1855 na província de Yunnan, no sudoeste chinês, e só terminaria em 1873. Os rebeldes protestavam contra tributos extraordinários cobrados pela corte qing e logo caminharam para a tentativa de declarar um Estado independente, a exemplo dos taipings. Chamado de Reino do Sul Pacificado, ele era liderado por Du Wenxiu e tinha sua capital na cidade de Dali. A outra revolta islâmica durou de 1862 a 1873 e teve como estopim conflitos entre chineses muçulmanos e da etnia han na província de Shaanxi, no norte. O movimento se espalhou em direção ao oeste e só foi controlado depois da intervenção de um erudito chamado Zuo Zongtang, que havia atuado na repressão da Rebelião Taiping.

O IMPÉRIO AGONIZA

Mergulhado em revoltas internas e humilhado pelas potências estrangeiras, o Império parecia a ponto de se desintegrar em 1860. Diante dessa ameaça, a corte manchu iniciou um esforço de modernização e de adaptação à nova ordem internacional batizado de "autofortalecimento". O objetivo era pacificar as relações com as potências estrangeiras e dar à China fôlego para poder se apropriar dos avanços tecnológicos que garantiram a vitória dos ocidentais nos confrontos com o Império do Meio. A reforma estava longe da revolução que a Restauração Meiji representou no Japão e não provocou mudanças nas instituições básicas da sociedade chinesa.

O "autofortalecimento" teve início em 1861, com a morte do imperador Xianfeng e a ascensão ao trono de seu único filho homem, Tongzhi, que tinha apenas 5 anos. A mãe de Tongzhi, Cixi, orquestrou um golpe palaciano com apoio do príncipe Gong, irmão de Xianfeng, que afastou os oito regentes indicados pelo antigo imperador para governarem durante a minoridade de seu filho. Ambos foram os principais personagens da corte no período de "autofortalecimento".

O príncipe Gong se tornou aliado da ala reformadora e defendia uma política de boas relações com o exterior, refletida na frase "paz aberta com as nações ocidentais com o objetivo de ganhar tempo para recuperar o exaurido poder do Estado". Cixi assumiu as funções de imperatriz regente e ecoava os interesses dos conservadores, que se fortaleceram na medida em que as tímidas reformas se mostraram incapazes de resgatar a grandiosidade do Império do Meio e seu lugar central na cosmologia mundial.

O movimento de "autofortalecimento" durou até 1895 e avançou com dificuldade em meio a resistências da elite chinesa e de crenças populares. A construção de ferrovias, por exemplo, era limitada pela convicção de que elas destruiriam o *feng shui* dos locais por onde passassem e perturbariam o sono dos mortos enterrados nas proximidades. Mas a maior barreira era a convicção, partilhada até pelos reformistas, de que a civilização do Império do Meio era superior à ocidental e deveria ser preservada, ideia refletida no mote do principal ideólogo do "autofortalecimento", Feng Guifen: "usar as técnicas superiores dos bárbaros para controlar os bárbaros". Apesar de seu ímpeto reformador, o objetivo principal do movimento era resgatar e fortalecer princípios básicos do confucionismo.

O "autofortalecimento" levou à criação de estaleiros e arsenais, que passaram a produzir navios, canhões e armas. Eruditos formados na mais estrita escola confuciana conseguiram derrotar os inúmeros levantes internos. No âmbito da diplomacia, foi constituído em 1861 o Escritório para a Administração dos Negócios de Todos os Países Estrangeiros, o Zongli Yamen, uma espécie de Ministério das Relações Exteriores rudimentar, que ficou a cargo do príncipe Gong. O Zongli Yamen atendia a uma antiga reivindicação das potências ocidentais e representou uma inovação drástica no relacionamento da China com o restante do mundo.

A dinastia Qing ainda concebia suas relações internacionais dentro do modelo de estados tributários, no qual o Império do Meio ocupava uma posição de supremacia em relação aos demais. A noção ocidental de representações diplomáticas e de regras previstas no direito internacional aplicáveis a todos pressupunha – ao menos em tese – a igualdade formal entre países, o que era estranho à visão de mundo chinesa.

No ano seguinte ao da criação do Zongli Yamen, o Império fundou a primeira escola destinada ao ensino de línguas estrangeiras e à preparação de chineses para negociações diplomáticas. Com o auxílio dos ingleses, a China criou um modelo de controle do comércio exterior, que incluiu um sistema alfandegário e a cobrança de tributos sobre as operações de importação e exportação, o que aumentou a receita do Império. Apesar das resistências, houve alguns avanços no campo econômico, com a abertura de ferrovias e minas de carvão e a construção de fábricas, mas a modernização acabou se chocando com estruturas milenares da sociedade chinesa.

As mudanças permitiram a vitória dos qings nos sucessivos confrontos internos do século XIX, mas foram insuficientes para defender a China da agressão externa e sintonizar o Império com a nova ordem internacional. A relativa calma nas relações com o Ocidente chegou ao fim em 1870, quando a escalada do sentimento anticristão levou ao Massacre de Tianjin, no qual um grupo de chineses matou dez freiras, dois padres, dois oficiais e um cônsul francês, além de três comerciantes russos mortos por engano. A partir daí, o esforço de "autofortalecimento" se focou na criação de indústrias que pudessem impulsionar a economia chinesa. Supervisionados pelo Império, esses empreendimentos acabaram naufragando sob a incompetência administrativa, a corrupção e o nepotismo.

As limitações do movimento ficaram evidentes na Guerra Sino-Francesa, de 1884 e 1885. Apesar dos esforços de reforma e modernização, as forças chinesas foram incapazes de derrotar a França e sofreram nova humilhação diante dos "demônios estrangeiros". Esse cenário fortaleceu a ala conservadora da corte ligada à imperatriz regente Cixi, que conseguiu neutralizar e finalmente afastar o príncipe Gong de suas funções. A decepção com os transformadores aumentou ainda mais na década seguinte, depois da derrota para o Japão em 1895, e o ressentimento em relação aos estrangeiros chegaria ao ápice com a Rebelião dos Boxers.

Os qings conseguiram sobreviver aos levantes e manter seu Império unificado, mas saíram das batalhas enfraquecidos em todas as frentes. O poder central foi sensivelmente reduzido com o fortalecimento da autoridade de líderes regionais da etnia

A China encontra o Ocidente | 207

A imperatriz regente Cixi, a pessoa mais poderosa do período final da longa história imperial chinesa. Selecionada aos 15 anos para ser uma das concubinas do imperador Xianfeng, Cixi deu a ele seu único filho homem, o futuro imperador Tongzhi. Depois da prematura morte de seu filho, ela manteve o poder na corte.

han que haviam sido cruciais na derrota dos revoltosos. As finanças do Império foram consumidas nos esforços de guerra, enquanto a autoridade moral da dinastia manchu sofreu um abalo irrecuperável.

As mais importantes vitórias foram obtidas graças à intervenção de mandarins e generais formados na mais estrita escola confuciana, e não por ação dos comandantes manchus. Além de reduzir o poder da dinastia Qing e empurrá-la para sua derrocada, as rebeliões que chacoalharam o império no século XIX provocaram a devastação de extensas regiões e acabaram com a vida de milhões de chineses. A população mais uma vez encolheu: os 400 milhões de 1850 foram reduzidos a 350 milhões em 1873.[22]

Selecionada para ser uma das inúmeras concubinas do imperador Xianfeng quando tinha 15 anos, a imperatriz regente Cixi está indelevelmente associada à derrocada da dinastia Qing, a última da longa história chinesa. Obtusa, conservadora e xenófoba, ela teve influência decisiva na corte manchu por quase cinquenta anos, até sua morte, em 1908. Foi também uma das poucas mulheres que teve poder de fato na história imperial chinesa.

Com a sorte de ter dado a Xianfeng seu único filho homem, o imperador Tongzhi, ela soube manipular as facções da corte a seu favor e se manter no poder. Quando Tongzhi morreu aos 18 anos, Cixi conseguiu que o trono fosse ocupado por seu sobrinho Guangxu, então com 3 anos. Cixi o adotou como filho, o que lhe permitiu continuar no posto de imperatriz regente. Como era mulher, concedia audiências aos funcionários da corte atrás de uma cortina, uma exigência do decoro imperial.

Guangxu só conseguiu governar de maneira independente em 1898, quando já tinha 26 anos, mas sua liberdade durou pouco tempo. Influenciado por jovens eruditos confucianos, o imperador lançou um audacioso programa de modernização, batizado de "Cem Dias de Reforma", e passou a ordenar mudanças radicais no governo, nas forças armadas e nas instituições de ensino. Respaldada pelos conservadores, Cixi interveio, determinou a execução dos reformadores, enclausurou o sobrinho no palácio e espalhou o rumor de que o imperador estava terrivelmente doente. Guangxu manteve o título de imperador, mas Cixi continuou a ser a pessoa mais poderosa da corte.

A imperatriz regente também ficou associada a um dos maiores escândalos de corrupção da história da China. Enquanto o Império ruía diante de agressões internas e externas, Cixi decidiu construir um novo Palácio de Verão, para substituir o que havia sido destruído pelas forças franco-britânicas em 1860, na Segunda Guerra do Ópio. Cerca de 36 milhões de taéis de prata – o equivalente a US$ 50 milhões – destinados ao fortalecimento e modernização da Marinha chinesa foram desviados para a construção do palácio,[23] onde a imperatriz regente passaria a maior parte de sua última década de vida. A consequência foi a fragorosa derrota do Império do Meio na guerra com o Japão, na qual a China se apresentou com navios ultrapassados e com munição insuficiente. Ironicamente, uma das principais atrações do Palácio de Verão é um barco de mármore onde Cixi costumava receber convidados.

A influência da imperatriz regente se estendeu até o fim do Império. Em seu leito de morte, Cixi escolheu o menino Puyi, que tinha menos de 3 anos, para ser o futuro imperador. Guangxu morreu no dia 14 de novembro de 1908, aos 37 anos, e Cixi, no dia seguinte, com 72 anos. Estudos divulgados pelo governo chinês em 2008 confirmaram a suspeita de vários historiadores de que Guangxu fora assassinado. A equipe que analisou durante cinco anos seus restos mortais concluiu que ele foi envenenado por arsênico, mas a autoria do assassinato continua envolta em mistério.[24] Puyi assumiu o trono e foi o último imperador da China.

NOTAS

[1] Alain Peyrefitte, O império imóvel: ou o choque dos mundos, Rio de Janeiro, Casa Jorge Editorial, 1997, p. 235.
[2] Jonathan D. Spence, Em busca da China moderna, São Paulo, Companhia das Letras, 1996, p. 133.
[3] Patricia Buckley Ebrey, The Cambridge Illustrated History of China, London, Cambridge University Press, 1999.
[4] Trecho da carta do imperador Qianlong ao rei George III da Inglaterra, disponível em <http://acc6.its.brooklyn.cuny.edu/~phalsall/texts/qianlong.html>, acesso em 27 de março de 2009.
[5] Idem.
[6] Idem.
[7] Trecho da carta à rainha Vitória, disponível em <http://acc6.its.brooklyn.cuny.edu/~phalsall/texts/com-lin.html>, acesso em 27 de março de 2009.
[8] John King Fairbank e Merle Goldman, China: uma nova história, Porto Alegre, L&PM, 2006.
[9] Victor Purcell, The Boxer Uprising: A Background Study, Cambridge, Cambridge University Press, 1963, pp. 224-5.
[10] John King Fairbank e Merle Goldman, op. cit.
[11] Victor Purcell, The Boxer Uprising: a Background Study, Cambridge, Cambridge University Press, 1963, p. 225.
[12] Jonathan D. Spence, op. cit., p. 108.
[13] Idem, p. 126.
[14] John King Fairbank e Merle Goldman, op. cit.
[15] Alain Peyrefitte, op. cit.
[16] John King Fairbank e Merle Goldman, op. cit.
[17] Jonathan D. Spence, op. cit., p. 128.
[18] Patricia Buckley Ebrey, op. cit.
[19] Idem, p. 242.
[20] Idem, p. 243.
[21] Idem.
[22] John King Fairbank e Merle Goldman, op cit.
[23] Idem.
[24] Lin Qi, "The Poisoned Palace", em China Daily, 21 nov. 2008.

SOB O SIGNO DA REVOLUÇÃO

O FIM DOS MANDARINS

Os chineses, que durante séculos se agarraram à tradição confuciana e imperial, viveram no século XX sob o signo da revolução e enfrentaram um dos mais turbulentos períodos da história mundial, que jogou por terra instituições milenares e atingiu valores centrais de sua visão de mundo. O fim de dois mil anos de Império foi seguido de fragmentação do poder, invasão estrangeira, guerra civil e a revolução que instituiu o regime comunista em 1949. Novas revoluções dentro da revolução mantiveram o clima de conflagração, que só terminaria com a morte de Mao Tsé-tung, em 1976, e o embarque do país mais populoso do mundo em uma nova transformação, desta vez na direção da riqueza e do consumo.

Em 1901, Cixi e a corte manchu finalmente cederam à necessidade de transformações radicais nas instituições do Império, em uma última tentativa de manter a dinastia Qing. As mudanças incluíram a reforma administrativa do governo central e a criação de um novo sistema de ensino, no qual os clássicos chineses seriam substituídos pelas matérias típicas de escolas ocidentais, essenciais para o novo mundo no qual a China se encontrava.

A mais radical das transformações foi a eliminação, em 1905, do sistema de exames para seleção de funcionários civis, que durante séculos havia concedido o *status* máximo para os homens da elite educada. As reformas continuaram ao longo da primeira década do século XX, e pouco antes de sua morte, em 1908, Cixi anunciou que o Império do Meio adotaria princípios constitucionais de maneira gradual, durante um período de nove anos. Assembleias provinciais foram eleitas em 1909 e uma espécie de iluminismo tardio passou a agitar a crescente elite urbana.

O Japão era a grande fonte de inspiração para os reformistas e revolucionários. Além de ter vencido a China na Guerra de 1894-1895, a dinastia Meiji conseguiu derrotar a Rússia czarista em 1905, quando ambos os poderes disputaram o controle de parte da

Manchúria, no nordeste chinês. Os pilares da veloz modernização empreendida pela Restauração Meiji no século XIX eram apontados como causa do fortalecimento dos japoneses diante das potências ocidentais: monarquia constitucional, profissionalização das forças armadas, industrialização e reforma educacional que instituiu o estudo de ciências e tecnologia ocidentais. Graças ao seu fortalecimento, o Japão conseguiu revogar em 1894 os tratados desiguais que havia sido obrigado a assinar na primeira metade do século XIX, conquista que a China só obteve em 1943, depois de a ordem mundial ter sido sacudida por duas grandes guerras.

No ano de 1906, o número de chineses estudando no Japão chegava a dez mil[1] e era intenso o debate sobre as razões da decadência do Império do Meio, tornado ainda mais agudo pela experiência de viver em um país que havia conseguido se fortalecer enquanto a China se desintegrava.

Com a decadência da dinastia Qing, crescia o movimento antimanchu entre os chineses da majoritária etnia han. O nacionalismo estimulava a criação de sociedades secretas dentro e fora da China e a publicação de textos de caráter reformista ou revolucionário. Entre os maiores atos de rebeldia estava o corte da trança, cujo uso os manchus haviam imposto a todos os homens, e a adoção de roupas ocidentais, à exemplo do que já haviam feito os japoneses. O *slogan* comum às sociedades secretas era "expulsar os manchus, restaurar os hans".

O herói da revolução que levou ao fim do Império em 1911 e à fundação da República no ano seguinte é Sun Yat-sen (1866-1925), venerado até hoje como o pai da China moderna. O respeito por ele ultrapassa barreiras ideológicas e une comunistas e nacionalistas, adversários na guerra civil que chegou ao fim com a Revolução de 1949.

À diferença dos reformadores que o antecederam, Sun não era um erudito confuciano nem sonhava em ser um mandarim da corte. Filho de camponeses pobres, emigrou com seu irmão para o Havaí, onde foi exposto a valores ocidentais. Estudou em uma escola de missionários britânicos e se interessou pelo cristianismo, o que levou o irmão a enviá-lo de volta à China. Sun mudou-se para Hong Kong e, em 1883, foi batizado por um missionário norte-americano.

Depois de se formar em Medicina em 1892, passou a se dedicar à revolução republicana. Logo depois da derrota da China para o Japão, em 1895, Sun organizou um levante contra os qings em sua província natal, Guangdong, no sul da China, mas o movimento foi derrotado e ele teve que se exilar. Durante os 16 anos seguintes, Sun ficou no exterior, onde fundou células de sua Liga Revolucionária e conseguiu apoio financeiro para as atividades rebeldes. Seus objetivos eram condensados nos "Três Princípios do Povo": república, democracia e "equalização" da terra. No entanto, todas as rebeliões promovidas pelo grupo nos anos seguintes seriam derrotadas.

O Império começou a ruir no dia 10 de outubro de 1911, quando uma bomba explodiu de maneira acidental em uma célula revolucionária em Wuchang, na província

Sun Yat-sen, o líder da revolução republicana que colocou fim ao Império chinês em 1911. Venerado como herói tanto por comunistas quanto por nacionalistas, não conseguiu apoio militar para governar o país e renunciou à presidência provisória em 1912, em favor de Yuan Shikai.

central de Hubei. Quando a polícia começou a investigar o incidente, descobriu ligação entre os rebeldes e militares locais, que organizaram uma reação armada para evitar a punição, que certamente levaria à execução dos envolvidos. A corte qing demorou a reagir e os revoltosos telegrafaram para as demais províncias, incitando-as a declarar independência. Em pouco mais de um mês o Império havia sido derrotado, mas o sonho de uma República constitucional e democrática nunca chegou a se concretizar.

Sun Yat-sen soube da revolução por meio de jornais norte-americanos, quando estava em Denver, no Colorado. Ele retornou à China em dezembro e foi eleito presidente provisório por delegados da Liga Revolucionária reunidos em Nanquim. Puyi, o último imperador da China, abdicou em fevereiro de 1912. No ano seguinte, Sun se rendeu ao fato de que não possuía apoio suficiente para governar e renunciou à presidência provisória. O cargo de primeiro presidente da China republicana acabou sendo entregue a um ex-ministro reformista dos qings, o chefe militar Yuan Shikai (1859-1916), visto por revolucionários e conservadores como o único nome capaz de evitar a guerra civil e o fracionamento da sociedade chinesa.

O parlamento eleito no mesmo ano teve existência efêmera. Quando o Partido Nacionalista de Sun, que tinha mais da metade das cadeiras, se opôs à sua proposta de contrair um pesado empréstimo internacional, Yuan Shikai mandou assassinar um de seus principais membros, Song Jiaoren. Seis províncias se levantaram contra o poder central, mas Yuan conseguiu reprimir a rebelião e instalou um governo ditatorial. No fim de 1915, o chefe militar anunciou que iria se autodeclarar imperador da China no início de 1916, o que gerou protestos generalizados em todo o país. Diante da resistência, Yuan não levou adiante sua pretensão, e a possibilidade de a China voltar a ser um Império foi enterrada com sua súbita morte, em junho de 1916.

Os 12 anos que se seguiram foram marcados pela desintegração do poder central e o fortalecimento de chefes militares regionais. Enquanto os "senhores da guerra" lutavam para manter suas áreas de influência, as potências estrangeiras continuavam a administrar os portos que lhes haviam sido concedidos pelos "tratados desiguais", que abrangiam a maioria dos grandes centros urbanos da China. Formalmente, existia um governo instalado em Pequim, mas ele era fraco demais para administrar o país. No período dos senhores da guerra, seis presidentes e 25 gabinetes se sucederam na capital chinesa.

COMUNISTAS E NACIONALISTAS

O nacionalismo dos chineses da República recém-criada voltou a aflorar em 1919 no Movimento Quatro de Maio, uma das maiores manifestações populares já realizadas na China. A origem da revolta foi a decisão dos vitoriosos da Primeira Guerra Mundial de darem ao Japão as concessões que a derrotada Alemanha possuía na província chinesa de Shandong. A animosidade em relação ao Japão crescia desde 1915, quando o país apresentou uma série de exigências que transformariam a China em uma espécie de protetorado japonês.[2] A revolta chinesa foi ainda maior porque o país havia mandado cem mil trabalhadores à Europa para ajudar os Aliados durante a guerra,[3] mas, ainda assim, continuava a ser tratado como uma colônia de segunda classe.

Assim que as informações sobre o Tratado de Versalhes chegaram à China, estudantes se reuniram e organizaram manifestações para protestar contra a decisão dos Aliados e defender a integridade territorial do país. Na tarde do dia 4 de maio, cerca de três mil pessoas se reuniram na Praça da Paz Celestial, em Pequim. O principal alvo do protesto eram dois ministros identificados como pró-Japão: o das Comunicações teve sua casa incendiada pelos manifestantes e o responsável por assuntos japoneses foi espancado até ficar inconsciente.

Os protestos se espalharam pelo país e ganharam apoio de diferentes grupos sociais. Em Xangai, empresários e trabalhadores fecharam estabelecimentos comerciais por uma semana, a partir do dia 5 de maio, e campanhas de boicote a produtos japoneses ocorreram em toda a China. Cerca de mil estudantes foram presos e vários outros morreram nas manifestações. Diante do crescente descontentamento, o governo foi forçado a demitir três ministros identificados como aliados do Japão e se recusou a assinar o Tratado de Versalhes, o que legitimaria a transferência das antigas concessões alemãs para os japoneses.

Além de designar os protestos de 1919, a expressão "Movimento Quatro de Maio" tem uma conotação mais ampla e se refere à efervescência intelectual que tomou conta da elite chinesa entre 1917 e 1926, na busca de soluções que permitissem a modernização e a sobrevivência de seu país. Instituições tradicionais, como o confucionismo, casamentos arranjados e a posição subalterna da mulher passaram a ser atacados, enquanto a liberdade individual, a democracia e a ciência ocidentais eram exaltadas. O espírito reformista levou à renovação da escrita chinesa, que havia se mantido praticamente imutável por dois mil anos e era inacessível à maioria da população.

O Quatro de Maio foi marcado por uma intensa reflexão sobre os caminhos que a China deveria seguir e houve debates sobre inúmeros "ismos", do liberalismo ao anarquismo. Havia diferenças ideológicas entre as diferentes correntes do movimento, mas todos perseguiam o objetivo comum de resgatar a unidade e a soberania nacionais e modernizar as instituições do país. O anseio comum era a expulsão dos "demônios estrangeiros" que pareciam prestes a retalhar o antigo Império.

Entre todos os "ismos", o comunismo foi o que seduziu alguns dos principais líderes do Quatro de Maio, entre os quais Chen Duxiu, que teve papel crucial na fundação do Partido Comunista da China, em maio de 1920. Outros mais moderados, como Cai Yuanpei, acabaram se aliando ao Kuomintang, o Partido Nacionalista. Pelos quase trinta anos seguintes, essas duas forças se enfrentariam em uma acirrada disputaria pelo poder, personificada nas figuras de seus líderes máximos – Mao Tsé-tung e Chiang Kai-shek.

No início da década de 1920, os dois partidos receberam auxílio do seu vizinho comunista do norte, a recém-fundada União Soviética (URSS). Enviados do Comintern (Internacional Comunista) participaram da fundação do Partido Comunista da China e apoiaram o esforço de reestruturação do Kuomintang empreendido por Sun Yat-sen. Durante um breve período, as duas forças se aliaram para combater o imperialismo estrangeiro e os chefes militares regionais e comunistas foram aceitos no Partido Nacionalista por pressão dos soviéticos.

Mas a aliança acabou de maneira abrupta em 1927, com um ato de traição de Chiang Kai-shek. Com a morte de Sun Yat-sen em março de 1925, Chiang Kai-shek assumiu o comando do Kuomintang e iniciou uma agressiva campanha militar, a Expedição ao Norte, que partiu do sul do país com o objetivo de unificar o território e neutralizar o poder dos senhores da guerra. Os comunistas tiveram participação ativa na ofensiva, que permitiu a rápida conquista de regiões antes dominadas por líderes locais. A expedição conquistou Xangai em 1927 e chegou a Pequim em 1928.

Depois de tomar Xangai com o apoio dos comunistas, Chiang ordenou em 12 de abril ataques às sedes dos principais sindicatos da cidade, que menos de um mês antes haviam saudado a chegada das tropas nacionalistas. No dia seguinte, o exército abriu fogo contra pessoas que protestavam contra os ataques, provocando a morte de quase cem manifestantes. Ao longo de abril, líderes comunistas foram perseguidos, presos e executados. Sindicatos e demais organizações ligadas ao movimento se tornaram ilegais. A traição colocou fim à colaboração entre comunistas e nacionalistas, que se transformaram em inimigos mortais e só voltariam a se unir de maneira episódica em 1937, para enfrentar os invasores japoneses.

Chiang tornou-se o chefe do novo governo nacionalista instalado em Nanquim, cujo nome que dizer "capital do sul". Apesar de formalmente ter durado até 1949, sua administração teve apenas um breve período de precária estabilidade, antes de ser chacoalhada pela invasão japonesa e pelo confronto com os revolucionários comunistas. Além da turbulência política, o poder dos nacionalistas foi minado por sua própria incompetência e crescente corrupção. Chiang Kai-shek estabeleceu um governo autoritário, que perseguia opositores e censurava a imprensa, e flertou com o fascismo em 1934. Também enfrentava dificuldades para dominar um país de quatrocentos milhões de habitantes no qual os caciques regionais continuavam a ter poder expressivo.

Os principais avanços do regime de Chiang Kai-shek foram vistos nos grandes centros urbanos. Houve investimentos em infraestrutura de transporte, energia e comunicação, a moeda foi unificada e os serviços de saúde e educação melhoram. Os costumes se ocidentalizaram, homens passaram a usar terno e gravata e os cinemas se

Chiang Kai-shek, o homem que disputou o comando da China com Mao Tsé-tung na guerra civil entre comunistas e nacionalistas, que acabou com sua derrota em 1945. Na foto, tirada em 1942, Chiang Kai-shek aparece com sua mulher, Soong May-ling, e o general norte-americano Joseph Stilwell.

popularizaram. Na zona rural, onde vivia a maioria esmagadora da população, a luta pela sobrevivência continuava árdua e a existência era marcada pela escassez e pobreza. Foi nesse grupo de camponeses esquecidos que Mao Tsé-tung plantou as raízes do movimento revolucionário que o transformaria em líder absoluto da China depois de 1949.

O ESTUPRO DE NANQUIM

De todas as potências estrangeiras que ocuparam a China a partir do século XIX, o Japão é a que deixou a maior e mais profunda ferida, que não cicatrizou até hoje. A ambição expansionista levou o país do sol nascente a tomar controle total da

Manchúria em 1931 e a invadir o restante da China em 1937. Com a decadência do Império do Meio, o Japão passou a se considerar o guardião da civilização oriental, e intelectuais do país tentavam justificar a invasão como um discurso que defendia o resgate da milenar cultura chinesa.

Na Manchúria, no nordeste chinês, os japoneses criaram em 1932 o Estado de Manchuko, comandado pelo último imperador da China, Puyi, que era na verdade um preposto das forças invasoras. Puyi vivia desde 1925 na concessão japonesa de Tianjin, 120 quilômetros ao leste de Pequim, e foi seduzido pela possibilidade de retomar as tradições imperiais na terra de seus antepassados manchus.

Mas o maior símbolo do ressentimento chinês em relação aos japoneses é o Massacre de Nanquim, também conhecido como o Estupro de Nanquim, no qual pelo menos duzentas mil pessoas morreram, incluindo milhares de civis – os chineses sustentam que o número de mortos chegou a trezentos mil. Nanquim foi a capital do governo do Kuomintang de 1928 a 1937, até ser destruída pelos japoneses, que entraram na cidade no dia 13 de dezembro de 1937.

Nas seis semanas seguintes, os soldados invasores cometeram uma série de atrocidades contra prisioneiros de guerra e a população civil. Ao menos vinte mil mulheres foram estupradas e mortas, muitas delas crianças com menos de 10 anos. Grupos de centenas – às vezes milhares – de chineses eram reunidos e metralhados. Vários outros foram decapitados com espadas durante competições realizadas entre os oficiais japoneses. Imagens da violência podem ser vistas no documentário *Nanking*, lançado em 2007 e dirigido por Bill Guttentag e Dan Sturman. O filme é baseado em relatos escritos e filmes feitos por estrangeiros que estavam na cidade na época do massacre. Também traz entrevistas com sobreviventes chineses e soldados japoneses que participaram da guerra.

Até hoje os chineses carregam um profundo ressentimento em relação aos crimes de guerra cometidos pelo Japão e afirmam que o país invasor não se desculpou de maneira apropriada pelas atrocidades cometidas, que não se limitaram a Nanquim. Na cidade de Harbin, na Manchúria, o governo transformou em museu o hospital militar onde os japoneses faziam experiências biológicas com chineses. A exibição é um show de horror, com montagens que reproduzem os experimentos realizados durante a guerra na população civil: cirurgias sem anestesia e inoculação de vírus ou bactérias mortais que os japoneses pretendiam usar como armas biológicas.[4]

Antes do fim de 1938, o Japão já controlava grande parte da costa leste, a região mais rica e com maior densidade populacional do país. Cidades como Xangai, Cantão e Pequim sucumbiram ao exército invasor, que passou a administrá-las com a ajuda de chineses colaboracionistas. O filme *Lust, Caution*, de Ang Lee, se passa na Xangai

Foto do Museu em Memória da Guerra do Povo Chinês contra o Japão mostra os horrores do confronto armado. Legenda diz que os pais das crianças da foto foram mortos pelas tropas invasoras, que também queimaram a casa onde a família vivia. O museu é um dos centros de "educação patriótica" da China.

A ponte Marco Polo em Pequim, onde aconteceu o confronto que marcou o início da segunda guerra entre a China e o Japão (1937). A invasão japonesa só chegou ao fim em 1945, com a rendição de Tóquio na Segunda Guerra Mundial. Mas a guerra civil chinesa entre nacionalistas e comunistas só acabaria em 1949.

dos anos 1930 e 1940 e tem como personagens principais um chinês responsável pela segurança da administração japonesa e uma chinesa da resistência aos invasores.

A ocupação só acabou com a derrota do Japão na Segunda Guerra Mundial, em 1945. Como mostra a filme *O último imperador*, de Bernardo Bertolucci, Puyi foi preso por soldados russos quando tentava fugir de Manchuko. Nos anos seguintes, pagaria caro pelos anos de colaboração com os japoneses. Em 1950, foi deportado por Joseph Stalin da URSS para a nova China comunista e passou os nove anos seguintes na prisão, submetido a inúmeras sessões de autocrítica. Libertado em 1959, o último imperador viveu em Pequim até sua morte, em 1967.

Enquanto muitos chineses colaboraram com os invasores, milhares de intelectuais, estudantes, camponeses e operários decidiram fugir das regiões ocupadas e se juntar às forças nacionalistas e comunistas no interior do país. O governo do Kuomintang havia transferido sua capital de Nanquim para Chongqing, a 1,3 mil quilômetros de distância, enquanto os comunistas estabeleceram sua base em Yan'an, na província de Shaanxi, no centro-norte.

A LONGA MARCHA

Antes de Yan'an, os comunistas tinham sua base no sul da China, nas montanhas da província de Jiangxi. Sob o comando de Mao Tsé-tung, os revolucionários estabeleceram em 1931 a República Soviética da China, integraram o recém-fundado Exército Vermelho e empreenderam reformas radicais no sistema de propriedade da terra. Preocupado com a expansão comunista, o governo do Kuomintang promoveu quatro campanhas militares contra os sovietes em Jiangxi, todas derrotadas pelas táticas de guerrilha do Exército Vermelho. Mas, apesar de resistirem, os chineses reunidos sob o comando de Mao Tsé-tung estavam sujeitos a um cerco crescente dos nacionalistas.

Naquela época, a cúpula do Partido Comunista da China ainda tinha enorme influência de Moscou e um enviado da Internacional Comunista, Otto Braun, defendeu o abandono das táticas de guerrilha no enfrentamento com o Kuomintang. Principal defensor da estratégia, Mao foi afastado do comando do soviete chinês e deixou de participar das reuniões dos dirigentes locais.

A quinta ofensiva de Chiang Kai-shek foi bem-sucedida e forçou os comunistas a fugirem para o norte, dando início a uma das mais emblemáticas passagens da história do século XX no país: a Longa Marcha, que se transformou em um evento épico para os futuros vitoriosos da Revolução de 1949. Em outubro de 1934, 87 mil pessoas abandonaram a República comunista de Jiangxi e fugiram a pé do exército nacionalista. Durante um ano, percorreram 9,6 mil quilômetros, atravessaram 24 rios e escalaram 18 cadeias de montanhas. Primeiro, foram para o sudoeste e, depois, caminharam em direção ao norte.

A grande maioria dos que começaram a Longa Marcha morreu durante o caminho, vítima da exaustão, da fome, da inclemência da natureza e dos confrontos com as tropas nacionalistas. Os integrantes da campanha caminhavam em média 27 quilômetros por dia e, vindos do sul, não estavam preparados para as nevascas que encontrariam nas montanhas geladas do oeste chinês. Dos 87 mil que iniciaram a fuga, apenas cerca de 8 mil chegaram a Yan'an, que seria a base dos revolucionários comunistas a partir de 1935. Entre os sobreviventes, estavam vários dos futuros líderes da China comunista, como Zhou Enlai, Liu Shaoqi e Lin Biao.

A Longa Marcha também deu a Mao Tsé-tung a oportunidade para retomar seu poder no Partido Comunista e se consolidar como líder máximo do movimento revolucionário. Durante o trajeto, Mao acusou os enviados de Moscou de praticarem erros estratégicos no enfrentamento com os nacionalistas, que levaram a derrotas sucessivas dos comunistas. Dessa vez, ganhou apoio de outros integrantes chineses da cúpula do partido e conseguiu impor a sua visão de revolução, que contrastava com a soviética. Para Mao, a revolução chinesa seria realizada pelos milhões de camponeses do país, e não pelo reduzido número de operários urbanos, como idealizavam os enviados soviéticos.

Yan'an se transformou em um ideal romântico comunista, com homens e mulheres trabalhando em condições de igualdade. Mao e seus liderados abandonaram as táticas radicais de expropriação de terras que adotaram em Jiangxi e preferiram fazer a reforma agrária por meio da redução do valor do arrendamento pago pelos camponeses e o aumento da tributação de grandes propriedades. Com isso, conseguiram redistribuir terras e garantir o apoio dos camponeses sem afugentar a classe média.

O apoio popular aos comunistas cresceu e o número de filiados passou de quarenta mil, em 1937, para oitocentos mil em 1940. A cifra continuou a subir e chegou a dois milhões em 1947 e quatro milhões em 1949, ano da vitória da Revolução.[5] Em Yan'an, os seguidores do partido aprendiam táticas de guerrilha e estudavam política, marxismo e as ideias de Mao na Universidade Resistir ao Japão, que tinha a função de formar quadros do partido.

Também foram criados vários departamentos, que cuidavam de diferentes aspectos da organização social, como educação, propaganda, imprensa, movimentos populares e temas femininos.[6] Depois que a maioria das construções da região foi destruída por bombardeios japoneses, a população local e os líderes comunistas passaram a viver e trabalhar em *yadongs*, que são abrigos escavados nas montanhas arenosas típicas do lugar.

A mística em torno de Yan'an atraiu a atenção mundial e vários jornalistas estrangeiros foram ao local para entrevistar Mao e outros líderes do movimento. O mais célebre deles foi o norte-americano Edgar Snow, que em 1936 passou cerca de três meses na base comunista. Durante esse período, fez várias entrevistas com Mao, que serviram de base para o livro *Red Star Over China*, publicado em 1937.

A obra foi a primeira a apresentar ao mundo e aos próprios chineses a história detalhada de Mao, narrada por ele em primeira pessoa, desde a infância até o fim da Longa Marcha. O retrato dos comunistas apresentado por Snow era positivo e mostrava um grupo de revolucionários empenhados em mudar a história, combater os japoneses e realizar reformas sociais profundas na China. A frase de Mao que conclui seu relato é profética e revela o grau de confiança que os comunistas tinham na vitória, 13 anos antes da Revolução de 1949: "O Partido Comunista da China foi, é e será para sempre fiel ao marxismo-leninismo e vai continuar sua luta contra qualquer tendência oportunista. Na sua determinação reside a explicação para sua invencibilidade e a certeza de sua vitória final."[7]

QUEM É O INIMIGO?

A invasão japonesa permeou a disputa entre nacionalistas e comunistas e a diferente postura de cada um frente aos invasores foi determinante para o resultado da guerra civil chinesa. Mao Tsé-tung considerava prioritária a vitória sobre o Japão, enquanto Chiang Kai-shek estava mais preocupado em conter o avanço comunista. A resistência do líder do Kuomintang em enfrentar os invasores enfureceu seus próprios seguidores e, em 1936, generais do partido sequestraram Chiang e o forçaram a realizar uma aliança com Mao para combater os japoneses, episódio que ficou conhecido como "O Incidente de Xi'an".

Comunistas e nacionalistas se uniram novamente na luta contra os invasores em 1937 e manteriam a colaboração até 1941. Nesse período, Mao e seus aliados conseguiram expandir sua influência e ganhar milhares de novos adeptos, principalmente na região nordeste do país, onde a presença japonesa era mais intensa.

Em reação ao apoio dos camponeses ao Partido Comunista, o exército japonês adotou a tática do terror dos "três tudos", que significavam "matar tudo, queimar tudo, destruir tudo". Vilas rurais inteiras eram dizimadas, com a execução de todos os seus habitantes, como relata Jonathan D. Spence: "Quando os camponeses, desesperados para evitar a descoberta, cavaram túneis sob suas aldeias, os japoneses responderam cercando o local e bombeando gás venenoso para dentro das redes subterrâneas. Um caso documentado dessa tática revela que morreram oitocentos chineses."[8] A tática intimidou muitos camponeses, mas alimentou em todos um brutal ressentimento em relação aos japoneses.

A aliança contra os invasores se enfraqueceu de maneira considerável em 1941, quando forças nacionalistas emboscaram um comando comunista e mataram pelo menos três mil soldados. Depois do confronto, Chiang deixou claro quem era seu principal inimigo: "Os japoneses são uma doença da pele; os comunistas são uma doença do coração", disse o líder nacionalista, segundo seu filho Chiang Wei-kuo.[9]

A resistência aos invasores ganhou alento em dezembro de 1941, com o bombardeio de Pearl Harbor e a entrada dos Estados Unidos na Segunda Guerra Mundial. A China passou a ser vista como estratégica para a vitória norte-americana no conflito e o governo nacionalista começou a receber apoio financeiro e militar dos Estados Unidos. Mas muitos dos milhões de dólares enviados ao Kuomintang desapareceram em esquemas de corrupção que haviam se espalhado pelo partido.

Foto de 1944 mostra Mao Tsé-tung e o coronel norte-americano David Barrett, comandante da Missão Dixie, pela qual os Estados Unidos deram apoio aos comunistas chineses na guerra contra o Japão.

O embaixador norte-americano Patrick Hurley (de terno preto) se reúne com Mao Tsé-tung e outros líderes comunistas em Yan'an, em 27 de agosto de 1945, antes da partida do grupo para o encontro com Chiang Kai-shek mediado pelos Estados Unidos.

Soldados e diplomatas norte-americanos integrantes da Missão Dixie
usam uniformes comunistas em Yan'an, em foto tirada de 1944.
A imagem faz parte do livro de memórias do chefe da missão, David Barrett,
intitulado *Mission to Yenan*. Barrett é o oitavo da esquerda para a direita.

No esforço para derrotar os japoneses, os Estados Unidos decidiram fazer contato com os líderes comunistas, que mostravam muito mais empenho que Chiang Kai-shek no combate aos invasores. Em julho de 1944, um avião militar norte-americano pousou em Yan'an, o quartel-general de Mao Tsé-tung, o que acabou sendo o primeiro reconhecimento oficial do Ocidente com relação ao Partido Comunista Chinês. Batizada de Missão Dixie, a aproximação tinha a função de discutir o apoio do grupo no confronto com o Japão e também a de evitar a vinculação da China à URSS, na hipótese de Mao e seus aliados vencerem a disputa de poder com os nacionalistas.

Outros oficiais chegaram a Yan'an nos meses seguintes, durante os quais os norte-americanos deram treinamento militar e forneceram equipamentos de comunicação aos comunistas, ao mesmo tempo em que colhiam informações sobre sua organização e ideologia. A região tinha importância estratégica para os Estados Unidos, por sua proximidade com o nordeste ocupado pelos japoneses, e permitia a realização de trabalhos de inteligência e acompanhamento meteorológico fundamentais no confronto.

Mas o apoio dado pelos norte-americanos aos comunistas não se compara ao fornecimento de enormes quantidades de armas e recursos que favoreceu os nacionalistas. Mesmo assim, os comunistas continuaram a conquistar apoio popular e a expandir seus domínios, que em 1945 já englobavam uma área com 95 milhões de habitantes. As reformas radicais haviam sido retomadas e donos de terra e camponeses ricos voltaram a ser os principais alvos das forças revolucionárias. Os comunistas também impunham uma rígida disciplina dentro do partido e nas regiões sob seu comando, que contrastava com o caos e a degradação moral que se espalhavam no Kuomintang.

A invasão japonesa da China acabou em agosto de 1945, quando os norte-americanos jogaram duas bombas atômicas nas cidades de Hiroshima e Nagasaki e colocaram fim à Segunda Guerra Mundial. Com a vitória, os Estados Unidos tentaram promover um acordo entre nacionalistas e comunistas que evitasse a guerra civil na China. O embaixador dos Estados Unidos em Pequim, Patrick Hurley, acompanhou Mao de Yan'an até Chongqing para um encontro com Chiang em agosto de 1945. Todas as tentativas de aproximação foram frustradas e os dois lados entraram em confronto aberto, quando ainda estavam formalmente em negociações.

Graças em grande parte ao apoio recebido dos norte-americanos na guerra contra o Japão, os nacionalistas tinham em 1945 uma clara superioridade militar sobre os comunistas. Suas Forças Armadas eram duas vezes maior que as do adversário, e as principais cidades e grande parte da China estavam em sua área de influência.[10]

Mas os erros de estratégia no confronto militar, a incompetência administrativa do Kuomintang e a grave crise econômica acabaram minando a vantagem de Chiang Kai-shek. A inflação estava fora de controle e os chineses viviam em um caos monetário, com diferentes moedas emitidas nas regiões que haviam sido dominadas pelos japoneses. Acima de tudo, havia a corrupção, que a população percebia cada vez mais disseminada. Ao tratar da atuação dos nacionalistas, Jonathan D. Spence fala que "À medida que retomavam cidade após cidade e pareciam ter à mão mais uma vez o objetivo de reconstruir uma China unida, a negligência, a ineficácia e, com frequência, a corrupção deles reduziam gradualmente sua base de apoio popular".[11]

No início da guerra civil, os comunistas tinham sua principal base de apoio no extremo norte da China, na Manchúria. Na metade de 1947, começaram a avançar rumo ao sul, com táticas militares que se revelaram perfeitas, especialmente quando comparadas aos equívocos do Kuomintang. Chiang Kai-shek manteve suas tropas no norte, mesmo quando estava claro que elas seriam derrotadas pelos comunistas. Com

Foto do Museu em Memória da Guerra do Povo Chinês contra o Japão mostra Mao Tsé-tung no portão de entrada da Cidade Proibida, de onde anunciou a fundação da República Popular da China, em 1º de outubro de 1949. O último à direita é Zhou Enlai, que viria a ser o ministro das Relações Exteriores do novo governo.

isso, além de ganhar terreno, Mao Tsé-tung ficou com armas, equipamentos e material de transporte que os norte-americanos haviam enviado aos nacionalistas.

O avanço comunista foi rápido e no dia 31 de janeiro de 1948 as forças rebeldes ocuparam Pequim, a antiga capital imperial da China – a capital nacionalista era Nanquim, mais ao sul. Dez dias antes, Chiang Kai-shek havia renunciado à presidência da China e fugido para Taiwan, a ilha que fica na costa sul da China.

O líder do Kuomintang levou com ele a maior parte dos tesouros imperiais e todas as reservas internacionais que estavam no Banco Central. Taiwan passou a ser a sede da República da China e, de lá, Chiang Kai-shek planejava retomar o controle de todo o país. O governo nacionalista permaneceu com as representações da China nos organismos internacionais, incluindo a Organização das Nações Unidas e seu Conselho de Segurança, que só seriam retomados pela China comunista em 1971. Até hoje, Pequim considera Taiwan parte de seu território e ameaça invadir a ilha caso seus governantes – eleitos democraticamente – declarem formalmente a independência.

Apesar da renúncia de Chiang Kai-shek, os nacionalistas continuaram a guerra, mas totalmente desmoralizados. Nos meses seguintes, os comandantes comunistas avançaram em direção ao sul sob o comando de Lin Biao, enquanto a ofensiva na direção oeste foi dirigida por Peng Dehuai.

No dia 1º de outubro de 1949, Mao Tsé-tung proclamou a vitória da revolução e a criação da República Popular da China. O líder comunista falou à população de um palanque montado sobre a entrada da Cidade Proibida, que havia sido a sede do poder imperial entre 1420 e 1911. Pequim voltava a ser capital do país, desta vez ocupada por um novo tipo de imperador.

NOTAS

[1] Patricia Buckley Ebrey, The Cambridge Illustrated History of China, Cambridge , Cambridge University Press, 1999.
[2] John King Fairbank e Merle Goldman, China: uma nova história, Porto Alegre, L&PM, 2006.
[3] Jonathan D. Spence, Em Busca da China Moderna, São Paulo, Companhia das Letras, 1996.
[4] Cláudia Trevisan, China: o renascimento do império, São Paulo, Planeta, 2006.
[5] Jonathan D. Spence, op. cit.
[6] Idem.
[7] Edgar Snow, Red star over China: the classic account of the birth of Chinese communism, New York, Grove Press, 1994, p. 181.
[8] Jonathan D. Spence, op. cit., p. 448.
[9] Depoimento do filho de Chiang Kai-shek, no documentário China: A Century of Revolution, Zeitgeist Films, 1997, escrito e dirigido por Sue Williams.
[10] John King Fairbank e Merle Goldman, op. cit.
[11] Jonathan D. Spence, op. cit., p. 463.

SOB O DOMÍNIO DE MAO

O PARTIDO COMUNISTA

Os 27 anos seguintes de história da China foram marcados de maneira indelével pela figura de Mao Tsé-tung, que se firmou como líder absoluto do Partido Comunista e só deixou essa posição com sua morte, em 1976.

A China conquistada pelos comunistas em 1949 era um país dilacerado pela guerra civil e pela invasão japonesa, mergulhado no caos econômico e com o Estado desestruturado. A tarefa de reorganização foi centrada no Partido Comunista, que estendeu seus tentáculos até os bairros e vilas rurais, com células de militantes que explicavam à população os ideais da revolução e as mudanças que estavam por vir.

A propaganda por meio de *slogans*, peças teatrais, filmes e campanhas de doutrinação passou a ser amplamente utilizada como um poderoso instrumento de mobilização das massas, transformação social e fortalecimento do poder do partido. "De forma gradativa, a organização do PCC [Partido Comunista da China] iria infiltrar-se na sociedade, determinar modelos de conduta, prescrever a forma de pensar e suprimir as divergências individuais", relata John King Fairbank.[1]

A reforma agrária promoveu a redistribuição de terras para os camponeses pobres e sedimentou sua lealdade ao Partido Comunista. O processo foi acompanhado de sessões públicas de confronto entre os trabalhadores rurais e os antigos donos de terras, submetidos a humilhação, críticas, ataques físicos e, muitas vezes, a morte. Estima-se que cerca de 1 milhão de integrantes de famílias proprietárias de terras tenham sido mortos durante a reforma agrária chinesa.[2]

Nas cidades, os operários foram organizados em unidades de trabalho, que passaram a cuidar de todos os aspectos de suas vidas: moradia, assistência médica, educação dos filhos e aposentadoria. O grau de interferência das unidades de trabalho na vida pessoal de seus integrantes era tanto que eles precisavam de autorização de seus chefes para se casar ou divorciar. Mas pertencer a uma delas era a garantia de estabilidade e de assistência do Estado nas questões de saúde, educação e moradia.

Plenário do Grande Palácio do Povo, em Pequim, durante o 17º Congresso do Partido Comunista, em 2007. Depois de chegar ao poder, em 1949, a organização se infiltrou em todo o tecido social chinês e passou a definir até os aspectos privados da vida dos cidadãos. O controle diminuiu a partir de 1978, mas o partido continua no comando.

A inflação foi controlada e uma nova moeda, o *renminbi* – dinheiro do povo –, passou a ser utilizada em todo o país e se mantém até os dias de hoje. Outra maneira de se referir à moeda chinesa é *yuan*, que literalmente é a unidade de medida na qual o *renminbi* é contado. Mas ninguém fala 10 *yuans renminbi*, por exemplo, e em geral as pessoas escolhem uma palavra ou outra para falar de dinheiro.

A nova Lei Matrimonial, adotada em 1950, igualou ao menos em tese os homens e as mulheres, e as solteiras, divorciadas ou viúvas ganharam o direito de ter propriedade, o que permitiu que se beneficiassem da redistribuição de terra promovida pela reforma agrária. Casamentos arranjados pelas famílias foram extintos, assim como o que sobrara da tradição de amarrar os pés das mulheres.

Soldados chineses capturados por marines norte-americanos na Guerra da Coreia, em foto tirada no dia 2 de março de 1951. A China deu apoio à Coreia do Norte e perdeu quase um milhão de soldados no confronto. O desfecho da guerra consolidou a liderança dos comunistas que haviam chegado ao poder em 1949.

O processo de união do país e de fortalecimento dos laços da população com o Partido Comunista acabou ganhando um forte impulso com a Guerra da Coreia, na qual a China se envolveu apenas um ano depois da vitória na Revolução de 1949. O confronto começou em junho de 1950, com a invasão da Coreia do Sul pelo regime comunista da Coreia do Norte, que tinha apoio da União Soviética (URSS). Os Estados Unidos reagiram e enviaram tropas para defender seus aliados do sul, com apoio da Organização das Nações Unidas (ONU). Liderados pelo general norte-americano Douglas MacArthur, as forças aliadas conseguiram expulsar o exército invasor, que recuou para a Coreia do Norte.

Em outubro de 1950, MacArthur promoveu a invasão da região comunista e avançou em direção ao rio Yalu, na fronteira com a China. Mao Tsé-tung viu o movimento como uma ameaça à segurança chinesa e ordenou a mobilização de 250 mil soldados do Exército de Libertação Popular, sob a liderança do general Peng Dehuai. No dia 1º de novembro, eles entraram na Coreia do Norte e surpreenderam as forças da ONU, que foram obrigadas a recuar. O confronto continuaria pelos três anos seguintes, período no qual a China enviaria à Coreia 2,3 milhões de soldados.[3] Destes, quase 1 milhão seriam mortos.

O confronto com a maior potência mundial foi apoiado pela campanha "resistir à América e ajudar a Coreia", na qual milhões de chineses doaram recursos para sustentar as tropas do Exército de Libertação Popular. A propaganda contra o imperialismo norte-americano era realizada por meio de peças teatrais populares, cartazes e *slogans*. A ameaça externa funcionou como um poderoso catalisador do espírito patriótico dos chineses. O armistício que colocou fim ao confronto foi assinado em julho de 1953 e manteve a fronteira entre as duas Coreias nas proximidades do mesmo paralelo em que ela estava antes da guerra, com a adoção de uma zona desmilitarizada. Na China, o resultado foi saudado como uma gloriosa vitória: o Exército de Libertação Popular havia conseguido barrar o avanço das forças mais poderosas do mundo.

A participação chinesa na guerra também levou o mundo a ver com outros olhos o país que surgira em 1949. "A Guerra da Coreia nos forçou a reconhecer – e o povo americano a reconhecer – que o novo regime, o regime comunista na China, era um fato da vida com o qual teríamos que conviver", lembrou quatro décadas mais tarde o norte-americano U. Alexis Johnson, que trabalhava no Departamento de Estado na época da guerra.[4]

Dentro da China, o governo comandado por Mao Tsé-tung promoveu, a partir de 1950, três grandes campanhas contra grupos classificados de inimigos internos, que esmagaram qualquer resquício de oposição ao partido e estabeleceram um padrão de mobilização das massas por meio da propaganda, uso da delação, sessões públicas de denúncia, confissões forçadas e autocrítica, que seriam recorrentes nas décadas seguintes.

A primeira campanha atacou os "contrarrevolucionários" e atingiu todos que de alguma forma tinham colaborado ou participado do governo nacionalista. Levada a cabo com táticas de delação, terror e intimidação, a campanha atingiu milhares de pessoas, que foram humilhadas, presas ou executadas em sessões públicas. Apenas na província de Guangdong, no sul, 28.332 pessoas foram executadas entre outubro de 1950 e agosto de 1951.[5]

Batizada de "Três Anti", a campanha seguinte atacava a corrupção, o desperdício e a burocracia e era voltada contra os próprios integrantes do partido, o funcionalismo público e administradores de empresas. Os chineses foram estimulados a atuar como informantes e podiam deixar cartas anônimas em caixas de correio espalhadas pelo país. Em seguida veio a campanha dos "Cinco Anti", cujo alvo eram principalmente os capitalistas. As cinco práticas a serem combatidas eram suborno, sonegação de impostos, roubo de propriedade estatal, apropriação de informação econômica do Estado e fraudes no trabalho.[6]

A propaganda por meio de *slogans*, cartazes, peças de teatro, filmes e campanhas de doutrinação foi um instrumento poderoso de mobilização das massas pelos comunistas. O cartaz acima afirma que todos os chineses são soldados e devem proteger a terra natal. "Chame e eles virão. Vindo, eles lutarão. Lutando, eles vencerão."

Empregados em todo o país foram mobilizados para atacar seus patrões nas sessões públicas de acusações e humilhação. Milhares de denúncias anônimas foram apresentadas e os empresários, levados a confessar seus crimes econômicos do passado. Apesar da forte conotação de confronto de classes, a campanha não provocou execuções em massa das pessoas acusadas, mas aumentou de maneira significativa o controle do partido sobre a sociedade. Lembra Jonathan D. Spence que

> Quase todas ficaram aterrorizadas ou humilhadas – ou ambas –, e muitas tiveram de não apenas pagar multas como também devolver todo o dinheiro que tinham embolsado ou deixado de pagar; alguns tiveram suas propriedades confiscadas e foram mandados para acampamentos de trabalho.[7]

O GRANDE SALTO ADIANTE

Depois da reforma agrária, o governo deu mais um passo na transformação do campo com a criação de cooperativas, nas quais os camponeses reuniam suas propriedades e cultivavam extensões de terra maiores, o que poderia levar ao aumento da produção. O sistema se espalhou rapidamente e, em meados dos anos 1950, Mao Tsé-tung decidiu que era o momento da coletivização no campo, etapa na qual os agricultores perderam as propriedades de suas terras e instrumentos de trabalho e passaram a integrar grupos de produção ao lado de vários outros agricultores.

A medida enfrentou resistência de muitos camponeses, mas as táticas de propaganda e mobilização do partido foram utilizadas mais uma vez para suprimir a oposição e a coletivização foi concluída em pouco tempo. Pela primeira vez na história, a produção agrícola e a vida dos quinhentos milhões de camponeses chineses estavam sob total controle do Estado.

Mao Tsé-tung via a zona rural como a principal fonte de receita para financiar o processo de industrialização do país, que começou em 1953 com ajuda da URSS, então dirigida por Joseph Stalin. O governo central determinava a quantidade e os tipos de grãos que deveriam ser plantados e obrigava os agricultores a venderam parte da produção ao Estado a preços extremamente baixos, o que garantia a alimentação dos moradores das cidades. O que sobrava era suficiente apenas para os camponeses e suas famílias sobreviverem.

O início do processo de industrialização coincidiu com a implantação do Primeiro Plano Quinquenal (1953-1957), um elemento fundamental da economia centralizada e planificada. Inspirado na experiência soviética, ele priorizava a indústria em detrimento do campo e colocava grande ênfase no desenvolvimento da indústria pesada, fundamental para a expansão de outros segmentos da economia. Com a ajuda de cerca de dez mil técnicos, engenheiros e cientistas enviados pela URSS,[8] os chineses investiram nos setores de aço, ferro, maquinaria, carvão e energia.

No período em que o plano vigorou, a produção industrial cresceu em média 18,7% ao ano,[9] enquanto a renda nacional se expandiu a uma média de 8,9%.[10] Os indicadores sociais também melhoraram, com redução da mortalidade infantil e do analfabetismo. Mas a ajuda soviética não saía de graça e a China teria que pagar os empréstimos e o apoio tecnológico recebidos do país vizinho. O problema é que a produção agrícola havia aumentado apenas 3,8% ao ano no período do Primeiro Plano Quinquenal, apesar da coletivização, comprometendo o projeto de Mao Tsé-tung de usar os camponeses para financiar a industrialização. Em 1957, a expansão foi de apenas 1%, para um crescimento populacional de 2%.[11]

Estampados com rostos confiantes, os cartazes não se limitavam a mensagens políticas e tratavam de vários aspectos da vida dos chineses, como este que prega cuidados com a higiene e a prática de esportes. O *slogan* conclama a população a melhorar o nível de saúde pública.

O líder chinês decidiu apelar mais uma vez para a mobilização das massas e propôs uma "revolução contínua", com o objetivo de atingir a rápida industrialização do país e superar a Inglaterra em 15 anos. Lançado em 1958, o Grande Salto Adiante radicalizou ainda mais a experiência de coletivização no campo, com a criação de comunas e a imposição de um modelo no qual não haveria fronteiras entre as ocupações e camponeses poderiam trabalhar como operários e vice-versa.

O resultado foi uma das maiores tragédias da história da China – e do mundo. Cerca de trinta milhões de pessoas morreram de fome em razão da brutal queda na produção agrícola decorrente da desestruturação da produção. O drama foi agravado pela prática generalizada entre líderes regionais do partido de inflacionar as informações sobre os resultados da produção que eram enviados ao governo central, o que levou à equivocada impressão inicial de que o Grande Salto Adiante era um sucesso. Ninguém queria correr o risco de ser acusado de se opor à "revolução contínua" de Mao Tsé-tung.

A entrega das cotas de produção que cabia ao Estado era feita com base nessas cifras inflacionadas, o que deixou os camponeses sem ter o que comer. A euforia provocada pela crença de que as comunas conseguiam multiplicar seus resultados graças ao empenho das massas gerou um círculo vicioso, no qual números irreais levavam à imposição de metas ainda mais ambiciosas, totalmente irrealizáveis.

A produção agrícola passou a ser executada por gigantescas comunas, que reuniam milhares de famílias vinculadas às antigas unidades de produção. Para liberar as mulheres para o trabalho, os camponeses passaram a comer em cantinas comunitárias e as crianças ficaram aos cuidados de creches. Em poucos meses, foram criadas 26 mil comunas, resultado da fusão de 740 mil cooperativas, das quais participavam a totalidade das cerca de 120 milhões de famílias camponesas.[12] A disciplina era severa e o trabalho, árduo. O entusiasmo era estimulado por alto-falantes e bandeiras que repetiam *slogans* revolucionários.

Para atender ao desejo de Mao Tsé-tung de superar a Inglaterra em 15 anos, milhares de famílias camponesas deixaram de cultivar a terra e passaram a se dedicar à produção de aço em fornos siderúrgicos de fundo de quintal. Chineses de todo o país doavam ferro e aço para serem utilizados nesse processo, e nem as ferramentas de trabalho dos camponeses foram poupadas, o que agravou ainda mais a escassez de alimentos. Uma das maiores dificuldades era obter "combustível" para manter os fornos constantemente acesos, e os camponeses passaram a queimar mesas, cadeiras, janelas e móveis. Em uma medida extrema, até mesmo caixões foram desenterrados e sua madeira, jogada nos fornos. O esforço coletivo de fabricação de aço foi inútil. O produto que saía dos fornos de fundo de quintal era de péssima qualidade e não podia ser usado na produção industrial.

Enquanto isso, o Estado continuava a coletar grãos com base nas estimativas inflacionadas e o destinava à alimentação dos moradores da cidade ou ao pagamento da dívida com os soviéticos. A situação dos camponeses se agravava cada vez mais e a fome se espalhou por toda a China. Em 1959, os líderes comunistas perceberam que havia problemas e Peng Dehuai, o general que liderou as forças chinesas na Guerra da Coreia e havia participado da luta contra os nacionalistas, escreveu uma carta a Mao Tsé-tung com críticas ao Grande Salto Adiante.

Mao reagiu acusando o então ministro da Defesa de traição e convocou uma reunião da cúpula do partido para discutir o assunto. Mesmo os que concordavam com o general, como Liu Shaoqi e Zhou Enlai, não ousaram se opor ao líder supremo da China. O encontro concluiu que as opiniões de Peng Dehuai eram contrárias ao

Fotos dos líderes da Revolução Comunista no Museu em Memória da Guerra do Povo Chinês contra o Japão. Mao Tsé-tung é o primeiro no alto, seguido de Zhu De, Zhou Enlai e Peng Dehuai, o herói da guerra contra a Coreia que caiu em desgraça no Grande Santo Adiante. Na fila de baixo, Ye Jian Ying, Lin Biao e He Long.

Partido Comunista e o herói da Guerra da Coreia perdeu seu posto de comando na organização e foi colocado em um ostracismo que durou até sua morte, em 1974. O cargo de ministro da Defesa foi ocupado por Lin Biao, que nos anos seguintes garantiria a fidelidade do Exército de Libertação Popular a Mao Tsé-tung.

O Grande Salto Adiante continuou e a fome prevaleceu no campo até 1962, agravada por uma série de enchentes e secas que atingiram o país. Ding Xueliang era criança naquele período e vivia com várias gerações de sua família na mesma casa, em um total de 36 pessoas. "Durante os três anos de fome, um morreu depois do outro. No fim, apenas três pessoas sobreviveram. No começo, quando alguém morria, os outros pegavam o corpo e o enterravam. Depois, não tinham força para retirar o corpo da casa. Apenas olhavam e viam os corpos serem comidos por ratos", contou Ding em documentário sobre a história da China no século XX, realizado nos anos 1990.[13] Em situações extremas, os camponeses se alimentavam de cascas de árvores, folhas, sementes e até mesmo terra. Mergulhados no desespero, alguns sucumbiram ao canibalismo.

O temor que altos dirigentes do partido tinham de criticar Mao Tsé-tung revelava a dimensão do poder que o líder comunista havia conquistado, mas também refletia os efeitos devastadores de duas campanhas que haviam sido realizadas em 1957, um ano antes do início do Grande Salto Adiante. Chamada de *Cem Flores*, a primeira foi idealizada por Mao Tsé-tung para estimular os intelectuais a se manifestarem publicamente, mesmo que isso gerasse críticas aos quadros do próprio partido. "Deixar uma centena de flores desabrocharem e uma centena de escolas de pensamento disputarem" era a orientação básica da campanha.

Intelectuais, artistas, professores e estudantes viram no movimento a oportunidade para expressarem suas preocupações com os rumos do país e milhares de críticas brotaram no período de 1º de maio a 7 de junho de 1957. O movimento foi muito mais amplo do que os dirigentes comunistas esperavam e passou a questionar elementos fundamentais do regime, como o controle da cultura, a ausência de liberdade de expressão, a censura a obras estrangeiras, a corrupção, a falta de democracia e os privilégios dos governantes. As universidades criaram "muros democráticos" nos quais estudantes e professores colocavam textos com suas opiniões. Reuniões abertas atacavam as restrições impostas pelo Partido Comunista e pediam um ambiente de mais liberdade.

Contrária à campanha desde seu início, a ala mais conservadora do partido reagiu, apoiada por todos os dirigentes que haviam se tornado alvo dos ataques. Sob pressão, Mao Tsé-tung se considerou traído pelos intelectuais e abandonou o apoio ao florescimento da diversidade de ideias e opiniões. Em julho de 1957, as flores começaram a secar com o lançamento de uma campanha "antidireitista", voltada contra todos os que haviam atendido ao apelo do dirigente máximo do país e manifestado abertamente suas críticas.

A campanha de perseguição aos intelectuais foi comandada por Deng Xiaoping e se desenvolveu por meio do clássico modelo de violentos embates públicos, nos quais os "suspeitos" eram submetidos a interrogatórios e acusações e instados a confessar seus "crimes". Muitos escreveram longas autocríticas nas quais se retratavam e reconheciam seus supostos equívocos, se declaravam arrependidos e juravam lealdade ao partido. Mas o gesto não os livrou de serem rotulados de "direitistas", o que na China daquela época significava uma espécie de degredo dentro de seu próprio país.

O movimento "antidireitista" atingiu pelo menos trezentos mil intelectuais, que perderam seus empregos, foram enviados para "reeducação" no campo ou terminaram na prisão – na estimativa de alguns, o número pode ter chegado a setecentos mil.

O efeito foi devastador, como observa Jonathan D. Spence: "Toda uma geração de ativistas partidários jovens e brilhantes foi punida da mesma forma, da qual faziam parte alguns dos melhores cientistas sociais, economistas e cientistas da China."[14] O resultado desse embate e da perseguição e desprezo em relação aos intelectuais teria efeitos duradouros na história do país. Sustenta John King Fairbank que: O ano de 1957 foi o primeiro dos "vinte anos perdidos da China" – perdidos no sentido de que talentos patrióticos foram ridicularizados e impedidos de ajudar no desenvolvimento da nação.[15]

A REVOLUÇÃO DENTRO DA REVOLUÇÃO

Quando o desastre do Grande Salto Adiante ficou evidente, o Partido Comunista passou a se dedicar à tarefa de reconstrução econômica do país. Em 1959 Mao Tsé-tung decidiu se retirar da linha de frente do governo e renunciou à presidência da China. O cargo foi ocupado no dia 27 de abril de 1959 por Liu Shaoqi, que tinha como principais colaboradores Deng Xiaoping, secretário-geral do Partido Comunista, e o primeiro-ministro, Zhou Enlai. Muitas das políticas radicais adotadas durante o Grande Salto Adiante foram amenizadas e os camponeses receberam sinal verde para cultivar pequenos pedaços de terra individualmente e vender sua produção a preços de mercado. Milhares de fábricas ineficientes abertas durante o Grande Salto Adiante foram fechadas e muitos que haviam migrado para as cidades voltaram à zona rural.

O governo reduziu a ênfase dada à indústria pesada e começou a estimular a fabricação de bens de consumo. As relações com a URSS haviam se degradado e, em 1960, o novo líder do país, Nikita Kruschev, ordenou o retorno a Moscou de todos os técnicos enviados à China, o que levou ao abandono de centenas de projetos em andamento. O confronto entre Kruschev e Mao Tsé-tung levaria finalmente ao rompimento de relações entre os dois países em 1963. O dirigente soviético era um crítico do Grande Salto Adiante, o que desagradava o líder chinês. Este, por sua vez, havia enfurecido o sucessor de Stalin ao cogitar atacar Taiwan sem comunicar seus aliados comunistas. O confronto poderia levar a uma guerra nuclear, já que os Estados Unidos defenderiam os nacionalistas e a URSS seria obrigada a intervir em favor da China.

Mesmo sem ajuda externa, a economia do país voltou aos trilhos e parecia estar pronta para iniciar um período de crescimento sustentado. Em 1964, a China realizou seu primeiro teste com uma bomba atômica e entrou para o clube de nações que possuem armas nucleares. Afastado do dia a dia do governo, Mao Tsé-tung mantinha sua posição como líder do Partido Comunista e assistia com desconforto crescente os movimentos de seu sucessor. A seus olhos, o retrocesso no processo de coletivização e o espaço dado a práticas de mercado representavam traições dos ideais revolucionários e poderiam levar a China a percorrer de novo a "estrada capitalista". Mao também via sua influência diminuir, na mesma proporção em que seus críticos ampliavam sua esfera de poder.

A estrutura de poder do partido se dividiu em duas facções, que tinham visões distintas sobre os caminhos que o país deveria seguir e em relação à maneira como os problemas internos da organização deveriam ser enfrentados. Os anos do Grande Salto Adiante haviam levado à corrupção e arbitrariedade de muitos chefes das comunas chinesas e os dirigentes nacionais estavam determinados a lançar uma campanha de punição dos acusados de irregularidades, com temor de que a impunidade comprometesse a legitimidade da organização. Mas enquanto Liu Shaoqi defendia um processo de investigação controlado, sob responsabilidade dos próprios membros do partido, Mao Tsé-tung era favorável ao envolvimento das massas no confronto com os administradores que tivessem saído da linha.

Na luta interna dentro do Partido Comunista, o ministro da Defesa Lin Biao se tornou o principal aliado de Mao Tsé-tung e deu os primeiros passos para a criação do culto à personalidade do líder que marcaria a China nos anos seguintes. Em 1964, Lin Biao selecionou trechos dispersos em vários textos, artigos e discursos do líder comunista e os reuniu em um livro de bolso que se transformaria em leitura obrigatória: *As citações do presidente Mao*, também conhecido como *O livro vermelho de Mao*.

Os primeiros exemplares foram distribuídos aos soldados do Exército de Libertação Popular, que estavam sob o comando de Lin Biao. Em seguida, o livro passou a ser lido nas unidades de trabalho e nas escolas e, em pouco tempo, havia se tornado um elemento essencial na sociedade chinesa. Lin Biao também cunhou a frase que seria usada à exaustão para a definição de Mao Tsé-tung: "Nosso grande mestre, grande líder, comandante supremo e grande timoneiro."

Fortalecido com o culto à personalidade que apenas começava, Mao Tsé-tung reagiu e apelou novamente ao princípio da "revolução contínua" para levar a China ao socialismo. Em maio de 1966, aos 73 anos, deu início a uma revolução dentro da Revolução, que atingiria em cheio seus adversários dentro do partido e mergulharia milhões de chineses em um ambiente de convulsão social, terror, delação, confrontação, tortura e morte. Estava lançada a Grande Revolução Cultural Proletária da China, que duraria até a morte de Mao Tsé-tung, em 1976, e realizaria o mais brutal ataque da história a todos os alicerces da sociedade chinesa.

Nessa nova empreitada, Mao Tsé-tung apelou diretamente aos jovens e os orientou a atacar os dirigentes do Partido Comunista e substituí-los por verdadeiros

A memória do culto à personalidade de Mao Tsé-tung, transformado em objeto de consumo nas feiras de antiguidades do país. A veneração ao líder comunista ganhou proporções gigantescas: os chineses decoravam as citações d'*O livro vermelho de Mao* e realizavam rituais em sua homenagem, como a "dança da lealdade".

revolucionários. O Ocidente e tudo o que tivesse relação com o exterior passaram a ser demonizados, incluindo livros, música, filmes e vínculos pessoais. Professores se tornaram alvo dos alunos e todo tipo de tradição começou a ser destruída.

As palavras de ordem eram "É correto se rebelar!" e "Bombardeiem o quartel-general!", difundidas à exaustão pela propaganda oficial. Os estudantes obedeceram prontamente à ordem e começaram a criticar professores e oficiais do partido nas universidades, movimento que logo se espalhou pelas escolas secundárias. Em poucas semanas, o caos estava instalado nas instituições de ensino do país.

Mao Tsé-tung havia feito seu apelo aos jovens por meio de artigos publicados nos jornais chineses. Em julho de 1966 ele protagonizou uma reaparição pública carregada de simbolismo, quando nadou no rio Yangtzé e mostrou ao país que mantinha seu vigor, apesar da idade. Divulgadas intensamente na imprensa partidária, as imagens também revelavam que o velho líder comunista continuava no comando.

No mês seguinte, lançou formalmente a Revolução Cultural durante a XI Reunião Plenária do VIII Comitê Central do Partido Comunista. Dias depois, Mao participou da primeira de uma série de manifestações grandiosas, marcadas pelo culto à sua personalidade. O líder comunista falou a milhões de jovens que se reuniram na Praça da Paz Celestial, a partir do mesmo balcão na entrada da Cidade Proibida de onde havia anunciado a fundação da República Popular da China, quase vinte anos antes. A multidão agitava os exemplares de *O livro vermelho de Mao* e reagia às suas palavras e à sua presença com histeria semelhante à que os jovens do Ocidente demonstravam diante dos Beatles na mesma época. A partir daí, a irracionalidade e o caos se impuseram e destruíram as vidas de milhões de pessoas que estavam no caminho.

O ATAQUE À TRADIÇÃO

Não existe consenso sobre o número de chineses que caíram vítimas da violência sem limites desencadeada pela Revolução Cultural, mas as estimativas variam de quatrocentos mil a três milhões.[16] As escolas foram fechadas e toda uma geração viu seu processo de educação formal ser interrompido. Milhões de jovens foram enviados à zona rural para trabalhar como camponeses e serem "reeducados". Milhares de outros chineses terminaram na prisão, depois de sofrerem em violentas "sessões de luta" públicas, nas quais eram humilhados, torturados e obrigados a realizar "confissões" e autocríticas. Templos, museus e bibliotecas foram saqueados e destruídos e todas as manifestações religiosas sofreram ataques violentos, que levaram a assassinatos de seus seguidores. Cerca de seis mil templos foram destruídos apenas no Tibete, onde estudantes também se organizaram em grupos de Guardas Vermelhos.

Em todo o país, pais, professores, dirigentes partidários e tudo o que fosse associado à antiga sociedade se transformaram em alvos. A palavra de ordem era destruir os "quatro velhos" – velhas ideias, velhos hábitos, velhos costumes e velha cultura. Cartazes e murais inspirados na estética do realismo socialista apresentavam operários, camponeses e estudantes que esmagavam a burguesia, os revisionistas e os traidores em geral com expressões fortes e confiantes.

O poder estava nas mãos dos Guardas Vermelhos de Mao, jovens que agiam em nome da Revolução e que espalharam o terror no país. Identificados pelo uso de braçadeiras vermelhas, eles atuavam sem nenhum tipo de restrição: invadiam casas, apreendiam materiais, arrastavam pessoas pelas ruas, promoviam interrogatórios públicos, torturavam e matavam. A humilhação dos acusados de ter algum laço com a velha ordem era amplamente utilizada. Os escolhidos eram apresentados em desfiles usando enormes cones de papel na cabeça ou placas de madeira penduradas no pescoço, que traziam palavras que os denegriam ou autoincriminavam.

Os "crimes" podiam ser os mais variados, desde ter tido um pequeno negócio no passado, ter proferido em algum momento qualquer frase que pudesse ser interpretada como contrarrevolucionária, ser filho ou neto de antigos empresários e donos de terra ou ter alguma forma de ligação com o Ocidente. Os suspeitos eram submetidos a embates públicos com seus acusadores e interrogados de maneira incessante até que confessassem o que os Guardas Vermelhos queriam ouvir. Muitos eram torturados ou espancados até a morte. Vários cometeram suicídio.

O filme *Adeus minha concubina*, de Chen Kaige, mostra os efeitos da Revolução Cultural sobre a vida de dois atores da Ópera de Pequim e a mulher com quem um deles se relaciona, interpretada por Gong Li. Lançado em 1993, o filme foi uma tentativa do diretor de se reconciliar com o passado. Em sua adolescência, Chen Kaige se tornou Guarda Vermelho e, como muitos, denunciou o próprio pai, que passou anos preso em um campo de reeducação em consequência de suas acusações.

No terreno político, o objetivo da Revolução Cultural era resgatar o ímpeto revolucionário, engajar as massas na luta de classes, instituir um igualitarismo radical e destruir o que restasse da velha ordem. Os alvos principais passaram a ser os líderes do partido que tentaram organizar o país depois do Grande Salto Adiante, acusados de revisionistas e de defensores do capitalismo.

O presidente Liu Shaoqi perdeu o cargo e ficou dois anos em prisão domiciliar, submetido a repetidas "sessões de luta" públicas com os Guardas Vermelhos. Integrante do Partido Comunista desde a origem e figura central na luta contra os nacionalistas, Liu Shaoqi foi acusado de traidor e principal representante do capitalismo dentro do Parido Comunista. Doente e debilitado pela tortura, foi enviado a uma prisão na cidade de Kaifeng, onde lhe foi negada qualquer forma de assistência médica. Liu morreu no dia 12 de novembro de 1969, na véspera de completar 71 anos. Ironicamente, um de seus livros mais conhecidos era *Como ser um bom comunista*, publicado em 1939. Sua mulher, Wang Guangmei, foi capturada pelos Guardas Vermelhos em 1967. Vestida de forma grotesca como uma prostituta e um enorme colar de bolas de pingue-pongue, foi exibida diante de uma multidão enfurecida em Pequim e enviada à prisão, onde passaria os 12 anos seguintes, até ser libertada em 1979.

Deng Xiaoping, também um veterano revolucionário, perdeu os cargos que ocupava no partido e no governo e foi enviado a uma vila rural, onde trabalhou como mecânico de tratores durante seis anos. Seu filho mais velho, Deng Pufang, ficou paralítico depois de ser atirado do terceiro andar de um edifício da Universidade de Pequim por um grupo de Guardas Vermelhos.

No âmbito cultural, buscava-se dizimar a influência dos clássicos, de modelos estrangeiros e da arte burguesa, para criar uma forma de expressão genuinamente revolucionária e socialista. O comando da ofensiva contra a tradição ficou nas mãos da mulher de Mao Tsé-tung, Jiang Qing, que viria a ser conhecida como a líder da "Gangue dos Quatro", o grupo mais radical da Revolução Cultural. Atriz de cinema e teatro, Jiang Qing se mudou para a base comunista de Yan'an em 1937 e se tornou a terceira mulher de Mao Tsé-tung. Intelectuais, escritores e artistas que não se enquadravam na nova ordem tinham como destino o ostracismo, a prisão, a reeducação na zona rural ou a morte.

O terror e o clima de confrontação espalharam o caos pelo país. Diferentes facções dos Guardas Vermelhos começaram a lutar entre si e contra grupos de trabalhadores e do Exército de Libertação Popular. Ao mesmo tempo, continuaram os ataques aos dirigentes do Partido Comunista em diferentes cidades da China. A disputa não era apenas ideológica: os confrontos eram armados e o país mergulhou em uma breve guerra civil entre seus novos revolucionários.

A cidade de Xangai foi paralisada no fim de 1966, com interrupção de serviços públicos e do sistema de abastecimento de produtos, incluindo alimentos. Em Pequim, os radicais ocuparam o Ministério das Relações Exteriores em agosto de 1967 e mantiveram o comando da instituição durante quatro meses, nos quais nomearam embaixadores com credenciais revolucionárias para vários postos no exterior. Logo, o próprio Mao Tsé-tung reconheceu que a situação havia saído de controle e, em julho de 1968, ordenou a desmobilização dos Guardas Vermelhos, que o obedeceram. O Exército de Libertação Popular ocupou escolas e universidades para subjugar os estudantes.

Logo depois, milhões de jovens urbanos começaram a ser enviados para a zona rural, onde trabalhariam durante anos como agricultores e seriam "reeducados" pelos camponeses. Mais do que uma opção ideológica, o envio dos Guardas Vermelhos para a zona rural foi uma forma de Mao se livrar do monstro que havia criado. Desmobilizados e fragmentados, os jovens radicais partiram para anos de exílio no campo, longe de suas famílias e sem possibilidade de dar continuidade a seus estudos. Mais tarde, seriam chamados de "a geração perdida" da China.

Com a situação sob controle, o Partido Comunista realizou em abril de 1969 seu IX Congresso, no qual Lin Biao foi apontado como sucessor de Mao Tsé-tung. Os delegados que agitavam exemplares de *O livro vermelho de Mao* aprovaram uma nova Constituição, que exaltava o pensamento de Mao Tsé-tung e a luta de classes.

A partir daí, o culto à personalidade do Grande Timoneiro foi levado a extremos e passou a fazer parte da rotina diária dos chineses. Todos sabiam de cor suas citações e executavam rituais quase religiosos para mostrar sua veneração. Multidões faziam peregrinações à vila rural onde Mao Tsé-tung nasceu na província de Hunan e duas vezes por dia os chineses executavam a "dança da lealdade", animada por canções que pediam vida eterna a Mao: "Querido comandante Mao, você é o sol vermelho dos nossos corações. Milhares de corações vermelhos batendo, milhares de faces felizes olham para o sol vermelho. De todos os nossos corações, nós desejamos a você vida eterna."[17]

A TRAIÇÃO DE LIN BIAO

O fanatismo desmesurado dos chineses sofreu um duro golpe no início dos anos 1970, quando seu principal incentivador foi acusado de armar uma conspiração para assassinar Mao Tsé-tung. O país levou um choque ao saber que Lin Biao havia morrido com a mulher e o filho na queda do avião em que fugia para a URSS, depois de seus planos terem fracassado. Da noite para o dia, o segundo homem mais poderoso do país e provável sucessor de Mao Tsé-tung se transformava em um traidor. A versão do Partido Comunista sustenta que o jato Trident utilizado por Lin ficou sem combustível e caiu na Mongólia no dia 13 de setembro de 1971, matando todos os seus ocupantes.

Depois do IX Congresso, Mao começou um movimento de reconstrução do Partido Comunista e de enfraquecimento do Exército de Libertação Popular, que comprometeria as ambições políticas de Lin Biao. Depois da convulsão dos primeiros três anos da Revolução Cultural, o Grande Timoneiro concluiu que a máquina partidária havia sido chacoalhada o bastante e que era o momento de restabelecer a submissão das armas a seu comando, que caracterizara a organização desde sua criação.

Mao Tsé-tung minou ainda mais a posição de Lin Biao em 1970, ao propor a retirada do novo projeto de Constituição do cargo de presidente da China, que estava vago desde a prisão de Liu Shaoqi.[18] De acordo com os documentos do Partido Comunista, o chefe do Exército de Libertação Popular se desesperou com sua progressiva perda de poder e iniciou a fracassada conspiração para assassinar Mao Tsé-tung, que levou à sua morte em 1971.

A notícia da morte de Lin Biao só apareceu na imprensa controlada pelo Estado no ano seguinte, acompanhada de fotos e supostas provas que corroboravam a versão oficial.[19] A demora leva especialistas em história chinesa a levantar dúvidas sobre as circunstâncias da morte de Lin Biao e a afirmar que ela continua envolta em mistério. Mas todos concordam que o anúncio de sua traição abalou a credulidade dos chineses em seus líderes, incluindo Mao Tsé-tung. "Depois da longa construção da imagem pública de Lin Biao como o líder mais próximo de Mao, a sua traição pública destruiu a confiança que o povo depositava no presidente. Ou Mao fora um tolo ao confiar em Lin ou um patife ao desmascará-lo", pondera John King Fairbank.[20]

Os anos 1970 também marcaram uma mudança brutal na política externa da China, com a abertura de diálogo com os Estados Unidos e a visita do presidente Richard Nixon a Pequim e Xangai, em fevereiro de 1972. No ano anterior, a China comunista havia obtido uma vitória importante, ao conseguir ocupar a cadeira do país na ONU, que desde 1945 estivera nas mãos dos nacionalistas de Taiwan.

Aos olhos de Mao Tsé-tung, a grande ameaça ao país vinha da comunista e antiga aliada URSS e nada melhor para contê-la do que se aproximar dos norte-americanos, os adversários dos soviéticos na Guerra Fria. A visita de Nixon foi precedida de negociações secretas entre os dois países e, mais uma vez, surpreendeu os crédulos chineses. Os Estados Unidos haviam enfrentado a China na Guerra da Coreia e foram durante décadas apresentados como imperialistas que deveriam ser combatidos.

Médico de Mao Tsé-tung durante 22 anos, Li Zhisui lembra que o líder chinês manifestou a preocupação de apresentar uma justificativa aos chineses na conversa com o presidente norte-americano:

> Mao disse a Nixon "depois que nossos países estabelecerem relações diplomáticas, nós ainda vamos ter que falar um pouco mal de vocês nos nossos jornais, atacando o imperialismo americano, e vocês também podem falar um pouco mal de nós. Isso é apenas para show, como dar tiros sem balas. Será mais fácil para as pessoas comuns aceitarem. Se nós dissermos de repente que os americanos imperialistas não são mais imperialistas e se tornaram amigos da China, as pessoas vão achar difícil de aceitar".[21]

As negociações que culminaram na visita de Nixon foram conduzidas pelo primeiro-ministro Zhou Enlai, que funcionava como o contrapeso do radicalismo de Jiang Qing e seu grupo dentro do governo. Em um movimento paradoxal, os dois grupos adversários ampliaram seu poder no X Congresso do Partido Comunista, realizado

Mao Tsé-tung recebe o presidente norte-americano Richard Nixon em Pequim na histórica visita de 1972, que pavimentou o caminho para o restabelecimento de relações diplomáticas entre os dois países, anunciado em 1979.

O presidente Richard Nixon é recebido em Pequim pelo premiê Zhou Enlai, no dia 21 de fevereiro de 1972. A visita marcou uma mudança radical na política externa da China, que até então fazia campanhas ferozes contra o "imperialismo ianque".

em agosto de 1973, ocupando o espaço deixado pela morte de Lin Biao. A "Gangue dos Quatro", liderada por Jiang Qing, ascendeu ao topo do poder com a eleição de todos os seus integrantes para o Politburo, o órgão de cúpula da organização partidária. Ao mesmo tempo, Zhou Enlai conseguiu a reabilitação de vários líderes comunistas que haviam sido perseguidos no início da Revolução Cultural, entre os quais Deng Xiaoping, que assumiu o cargo de vice-primeiro-ministro no ano seguinte. Doente de câncer, Zhou esperava que Deng fosse seu sucessor no governo.

Jiang Qing era contra a aproximação com os Estados Unidos promovida pelo primeiro-ministro e também se opunha à abertura à cultura ocidental que ele cautelosamente realizava. Os radicais continuavam a alimentar a fantasia de que a China poderia se desenvolver de maneira independente, autossustentável e isolada do restante do mundo. O correlato dessa visão no âmbito cultural era a defesa da arte socialista pura, sem influências ocidentais e submetida aos interesses da revolução. Além de favorecer o intercâmbio cultural com o exterior, os moderados ligados a Zhou Enlai também estavam interessados na importação de tecnologia estrangeira, considerada fundamental para o país avançar com projetos de infraestrutura essenciais para o seu desenvolvimento econômico.

O FIM DE UMA ERA

Chamado de "o ano da desgraça" na China, 1976 viu a morte dos principais integrantes da primeira geração de líderes comunistas e marcou o início da guinada política que o país viveria a partir do fim da década. Zhou Enlai perdeu a batalha para o câncer no dia 8 de janeiro de 1976 e seu funeral provocou uma comoção popular de intensidade poucas vezes vista na história da China, com milhares de pessoas aos prantos nas ruas de Pequim. No Dia dos Mortos, 4 de abril, milhares de pessoas foram reverenciar a memória de Zhou Enlai no monumento aos heróis da revolução que fica na Praça da Paz Celestial, em frente à Cidade Proibida. Deixaram coroas de flores, cartazes e poemas em homenagem ao primeiro-ministro.

No dia seguinte, cem mil pessoas voltaram a se reunir no monumento e se revoltaram ao descobrir que os tributos deixados no dia anterior haviam sido retirados pela polícia. A multidão iniciou um protesto espontâneo contra a "Gangue dos Quatro" e o próprio Mao Tsé-tung, que terminou em repressão policial e um número desconhecido de prisões e mortes. Deng Xiaoping foi responsabilizado pela manifestação e, mais uma vez, perdeu os cargos de direção que possuía no governo e no Partido Comunista.

O veterano revolucionário Zhu De, considerado o fundador do Exército Vermelho, morreu no início de julho. No fim do mesmo mês um terremoto devastador atingiu a cidade de Tangshan, na província de Hebei, provocando a morte de pelo menos 250 mil pessoas. Doente e profundamente debilitado, Mao Tsé-tung morreu no dia 9 de setembro, deixando uma nação perplexa diante da incerteza de seu futuro.

O sucessor apontado por ele, o desconhecido Hua Guofeng, assumiu o comando do país e, no dia 6 de outubro, ordenou a prisão da "Gangue dos Quatro", que representavam a mais direta ameaça à sua permanência no poder. A decisão foi recebida com euforia pela população e abriu caminho para a crítica da Revolução Cultural e a reabilitação dos que haviam sido perseguidos por Jiang Qing e seu grupo.

Acusados de uma infinidade de crimes políticos e traições, os integrantes da "Gangue dos Quatro" foram levados a julgamento em novembro de 1980, em um evento que atraiu a atenção de chineses e do mundo, com uma parte das sessões diárias transmitidas pela televisão. Jiang Qing teve a postura mais desafiadora dos quatro, gritou com testemunhas, acusou juízes de fascistas e sustentou durante todo o tempo que cumpriu ordens de Mao Tsé-tung e sempre agiu com seu consentimento. Anunciada em janeiro de 1981, a sentença condenou Jiang Qing e Zhang Chunqiao à morte, comutada mais tarde para prisão perpétua. Wang Hongwen foi condenado à prisão perpétua e Yao Wenyuan, a 18 anos de prisão.

Os quatro foram responsabilizados por terem perseguido e incriminado falsamente 729.511 pessoas durante a Revolução Cultural, das quais de 34,8 mil até a morte.[22] Jiang Qing foi libertada em 1991 para tratamento médico e cometeu suicídio no dia 14 de maio, aos 77 anos. Os outros três integrantes do grupo morreram entre 1992 e 2005.

A euforia com que a população chinesa reagiu à notícia da prisão da "Gangue dos Quatro" era uma forte indicação do desejo de mudança das políticas dos anos anteriores. Mas, em vez de promover reformas, Hua Guofeng defendeu a obediência aos ensinamentos de Mao Tsé-tung e reiterou o modelo de planejamento econômico centralizado ao estilo soviético, o que minou sua legitimidade e permitiu a ascensão de Deng Xiaoping ao comando do Partido Comunista. Depois da prisão da "Gangue dos Quatro", Deng retomou o cargo de vice-primeiro-ministro da China e acabou personificando o espírito de reforma.

Em 1978, surgiu em Pequim o movimento "Muro da Democracia", uma referência ao muro ao oeste da Cidade Proibida, no qual centenas de pessoas passaram a colar cartazes, poemas e artigos, em uma tentativa coletiva de reflexão sobre os trágicos anos da Revolução Cultural e os caminhos que o país deveria seguir no futuro. Deng manifestou seu apoio público ao "Muro da Democracia" em um artigo publicado no *Diário do Povo*, o jornal oficial do Partido Comunista, no dia 27 de novembro de

1978. No mês seguinte, a III Plenária do XI Comitê Central do Partido Comunista deu sinal verde às propostas de abertura ao exterior e adoção gradual das leis de mercado dentro da China. As ideias de Hua Guofeng foram rejeitadas e Deng emergiu como o novo grande líder da China.

A partir daí, a ideologia deu lugar ao pragmatismo, condensado na frase de Deng "não importa se o gato é branco ou preto, contanto que ele pegue o rato".

Mao Tsé-tung

Apesar das tragédias que provocou, Mao Tsé-tung continua a ser venerado como o mais importante líder da China comunista. O culto à sua personalidade continua intenso e sua imagem aparece em todas as notas de dinheiro que circulam no país, com exceção da edição especial que celebrou os jogos olímpicos. Estátuas com sua imagem povoam inúmeras cidades da China e a pintura de seu rosto marca a entrada para a Cidade Proibida, no centro de Pequim. A poucos metros dali, no centro da Praça da Paz Celestial, o mausoléu onde está seu corpo embalsamado atrai a cada ano cerca de cinco milhões de visitantes, que formam longas filas para ver sua imagem por alguns instantes. Shaoshan, a cidade onde Mao Tsé-tung passou sua infância, e todos os locais que marcaram a guerra civil com os nacionalistas recebem legiões de visitantes, no que é conhecido na China como "turismo vermelho", por celebrar a história comunista.

A memória do que foi o culto à sua personalidade durante a Revolução Cultural hoje está à venda em centenas de lojas e barracas de ruas espalhadas por Pequim. *O livro vermelho de Mao* pode ser encontrado em vários idiomas, ao lado dos cartazes de propaganda que mostram camponeses e operários triunfantes. A profusão de objetos é testemunho do extremo alcançado pela veneração ao Grande Timoneiro: sua imagem está em antigos relógios, xícaras, pratos, bótons e estátuas. Também foi reempacotada junto com suas citações e é vendida em coleções de caixas de fósforos ou conjunto de baralhos. A bolsa de lona verde com uma grande estrela vermelha – conhecida como bolsa Mao – virou um item *fashion*, que seduziu até a atriz Cameron Diaz. Desavisada, ela decidiu usar o acessório no Peru e provocou uma minicrise diplomática, em razão da memória do confronto com a guerrilha maoísta Sendero Luminoso, que deixou setenta mil mortos nos anos 1980 e 1990.

Quadro de Mao Tsé-tung na entrada da Cidade Proibida, em Pequim, abaixo do mesmo portão de onde ele declarou a vitória dos comunistas sobre os nacionalistas e anunciou a fundação da República Popular da China, no dia 1º de outubro de 1949. Culto à personalidade sobrevive até hoje.

Mao Tsé-tung é a figura política mais controvertida do século XX, visto como herói libertário por uns e assassino sanguinário por outros. Os milhões de camponeses da China continuam a venerá-lo como o líder que dividiu a terra e acabou com o regime de exploração de seu trabalho que vigorava até 1949. Mesmo entre os jovens chineses urbanos de hoje, muitos consideram Mao Tsé-tung o responsável pela unificação do país e o fim do período de humilhação diante das potências estrangeiras. A maioria costuma dar a resposta oficial quando instada a dar sua opinião: a de que ele foi um grande líder que cometeu alguns erros, como todos os seres humanos. Mas seus acertos superam em muito os seus equívocos.

Para seus críticos, esses "equívocos" foram devastadores e provocaram a morte de quarenta a setenta milhões de chineses, cifra que colocaria Mao Tsé-tung no topo da lista dos maiores assassinos do século XX, acima de Adolf Hitler e de Joseph Stalin. A diferença é que o líder chinês nunca foi objeto de uma revisão histórica comparável à realizada em relação a Stalin e, mais ainda, a Hitler. As críticas realizadas pelo Partido Comunista depois de sua morte não o tiraram do pedestal de grande líder do país.

NOTAS

[1] John King Fairbank e Merle Goldman, China: uma nova história, Porto Alegre, L&PM, 2006, p. 322.
[2] Jonathan D. Spence, Em busca da China moderna, São Paulo, Companhia das Letras, 1996.
[3] John King Fairbank e Merle Goldman, op. cit.
[4] U. Alexis Johnson, responsável pelo Northeast Asian Affairs do Departamento de Estado norte-americano na época da Guerra da Coreia, em depoimento ao documentário China: A Century of Revolution.
[5] Jonathan D. Spence, op. cit.
[6] Idem.
[7] Idem, p. 512.
[8] John King Fairbank e Merle Goldman, op. cit.
[9] Jonathan D. Spence, op. cit.
[10] John King Fairbank e Merle Goldman, op. cit.
[11] Jonathan D. Spence, op. cit.
[12] Idem.
[13] Ding Xueliang, depoimento no documentário China: A Century of Revolution.
[14] Jonathan D. Spence, op. cit., p. 541.
[15] John King Fairbank e Merle Goldman, op. cit., p. 338.
[16] Jung Chang e Jon Halliday, Mao: a história desconhecida, São Paulo, Companhia das Letras, 2006.
[17] Documentário China: A Century of Revolution.
[18] Jonathan D. Spence, op. cit.
[19] John King Fairbank e Merle Goldman, op. cit.
[20] Idem, p. 368.
[21] Li Zhisui, depoimento ao documentário China: A Century of Revolution.
[22] Jonathan D. Spence, op. cit., p. 634.

# A REVOLUÇÃO DE DENG

O CAPITALISMO CHINÊS

As reformas concebidas por Deng Xiaoping fariam da China o mais espetacular caso de sucesso econômico da história, transformariam de maneira radical a vida de 1,3 bilhão de pessoas e mudariam a ordem mundial. Onze anos antes da queda do Muro de Berlim, os chineses decidiram abraçar a globalização e se abrir às regras de mercado. As reformas começaram na zona rural, com o fim das comunas agrícolas e a permissão para que as famílias cultivassem pedaços de terra de maneira individual e vendessem parte de suas colheitas no mercado e a preços de mercado – e não mais apenas ao Estado e com preços tabelados. A mudança levou a um rápido aumento da produção agrícola e à melhoria da qualidade de vida dos camponeses.

No início dos anos 1980 surgiram as primeiras Zonas Econômicas Especiais (ZEEs), que davam incentivos fiscais para investimentos estrangeiros e eram regidas por relações trabalhistas mais flexíveis que as vigentes no restante do país. Voltadas principalmente para a exportação, as primeiras ZEEs foram criadas em cidades do sul, próximas à capitalista ilha de Hong Kong. Aos poucos, se espalharam pelo restante da China, à medida que as experiências bem-sucedidas eram reproduzidas em outras regiões. Fora das ZEEs, as famílias começaram a abrir pequenos negócios, aproveitando a liberdade dada pelo Estado a seu espírito empreendedor.

O resultado das reformas foi uma explosão do crescimento econômico e a total transformação da paisagem chinesa. O país se tornou um imenso canteiro de obras, com a construção da infraestrutura necessária à expansão econômica e ao desenvolvimento das cidades no rápido processo de urbanização que se seguiu.

Ao mesmo tempo em que o país iniciava suas mudanças econômicas, milhares de jovens que haviam sido enviados para a zona rural durante da Revolução Cultural retornaram às cidades, depois de terem passado anos ou uma década inteira trabalhando como camponeses. Esses jovens tiveram seu processo educacional interrompido e teriam que recuperar o tempo perdido.

As universidades começaram a ser reabertas no início dos anos 1970 e o exame nacional de admissão foi restabelecido em 1973.[1] Mas os critérios para a entrada nas instituições eram basicamente políticos e, em tese, privilegiavam os que tivessem se destacado no trabalho manual, fossem recomendados por suas unidades de trabalho ou detivessem boas credenciais políticas. Na prática, o sistema acabou privilegiando os filhos dos dirigentes do partido ou de pessoas que tivessem boas relações com o poder, o que levou à degradação acentuada da qualidade do ensino superior.

Deng Xiaoping sabia que a formação de pessoas com boa qualificação profissional seria essencial para promover as "quatro modernizações" – na indústria, ciência e tecnologia, agricultura e defesa. O ensino superior passou por uma ampla reforma no início dos anos 1980 para a depuração dos aspectos ideológicos, e o mérito ganhou peso no processo de seleção para as universidades.

O número de alunos matriculados em instituições de ensino superior passou de 856 mil, em 1978, para 2,06 milhões em 1990. A partir daí, cresceu rapidamente e, em 2006, atingiu 17,38 milhões de alunos. O ensino obrigatório de nove anos para todas as crianças foi instituído em 1986 e o analfabetismo caiu de cerca de 30%, no início das reformas, para 9,31%, em 2006.

O poder de Deng dentro do partido foi consolidado na v Plenária do xi Comitê Central do Partido Comunista, realizada em fevereiro de 1980, que retirou de posições de comando todos os aliados de Hua Guofeng – o sucessor nomeado por Mao. Hu Yaobang e Zhao Zyiang, protegidos de Deng, foram nomeados para o Comitê Permanente do Politburo, o grupo que detém o comando na China. Sem nenhum poder, o próprio Hua Guofeng entregaria, em setembro do mesmo ano, o cargo de primeiro-ministro a Zhao Zyiang, que dividiria a administração do país com Hu Yaobang, secretário-geral do partido. Acima de todos, estava Deng Xiaoping, que deteria a posição de líder supremo da China até sua morte, em 1997, mesmo sem a ocupação formal de posições de comando. A v Plenária do xi Comitê Central também aprovou a reabilitação póstuma do ex-presidente Liu Shaoqi.

Deng Xiaoping inaugurou seu período na condição de líder incontestável da China com uma viagem aos Estados Unidos entre os dias 29 de janeiro e 4 de fevereiro de 1979, durante a qual se encontrou com o presidente Jimmy Carter e pavimentou o caminho para o estabelecimento de relações diplomáticas entre os dois países. Logo depois da visita, os norte-americanos reconheceram o governo da República Popular da China e romperam relações diplomáticas com Taiwan – o que não significou o abandono do apoio militar à ilha onde se refugiou Chiang Kai-shek.

Deng também visitou o Japão e países da Europa Ocidental e do Sudeste Asiático, normalizou as relações com a ainda existente urss e levou seu país a integrar os orga-

A revolução de Deng | 255

Deng Xiaoping, o arquiteto das reformas econômicas iniciadas em 1978. Onze anos antes da queda do Muro de Berlim, a China decidiu se abrir para o mundo e abraçar a globalização. A adoção de regras de mercado liberou o espírito empreendedor dos chineses e gerou cifras de crescimento de dois dígitos.

nismos multilaterais, entre os quais o Fundo Monetário Internacional (FMI) e o Banco Mundial. O ativismo internacional do novo líder contrastava com o isolamento de Mao Tsé-tung, que durante seus 82 anos de vida só saiu da China para visitar a antiga URRS.

Desde o princípio, Deng Xiaoping deixou claro que uma de suas obsessões seria a reunificação da China, com a volta dos territórios perdidos nos séculos XIX e XX, incluindo Taiwan. Em 1984, ele obteve uma vitória ao conseguir da Inglaterra o compromisso de devolução de Hong Kong à China em 1997. Obteve a mesma garantia de Portugal em relação à ilha de Macau, que voltou ao domínio do continente em 1999. Em ambos os territórios vigora o princípio "um país, dois sistemas", pelo qual a China se compromete a respeitar durante cinquenta anos a estrutura política criada pelos colonizadores, que inclui elementos inexistentes no continente, como liberdade de imprensa e Judiciário independente.

Na medida em que o processo de abertura progrediu, a China passou a receber quantidades crescentes de investimento estrangeiro direto, aquele que é destinado à construção de fábricas, lojas, supermercados, edifícios e obras de infraestrutura. Entre 1980 e 2007, o país foi o destino de US$ 734,5 bilhões em investimento estrangeiro direto, o que o colocou na liderança absoluta entre todas as nações em desenvolvimento. O fluxo se acelerou ainda mais depois de 2001, quando a China entrou na Organização Mundial do Comércio (OMC) e passou a fazer parte do sistema que rege as trocas globais de bens e serviços.

Os anos turbulentos da Revolução Cultural foram oficialmente enterrados em junho de 1981, com a aprovação da *Resolução sobre certas questões na história do nosso partido desde a fundação da República Popular da China*, na VI Plenária do XI Comitê Central. O partido classificou a Revolução Cultural como um "grave erro" e afirmou que Mao Tsé-tung cometeu "excessos esquerdistas", principalmente no fim de sua vida. Mas o documento também ressaltava a contribuição decisiva do líder comunista na história da República Popular da China e concluía que seus acertos superaram seus equívocos. De acordo com o documento

> O camarada Mao Tsé-tung era um grande marxista e um grande proletário revolucionário, estrategista e teórico. É verdade que ele cometeu grandes erros durante a Revolução Cultural, mas se nós julgarmos suas atividades como um todo, suas contribuições para a Revolução Chinesa superam em muito os seus erros. Seus méritos estão em primeiro lugar e seus erros são secundários.[2]

Essa interpretação do papel de Mao Tsé-tung na história do país está em vigor até hoje e qualquer chinês dará uma resposta semelhante a essa quando perguntado sobre o Grande Timoneiro. O pragmático Deng Xiaoping resumiu o veredicto de Mao Tsé-tung dizendo que ele cometeu 70% de acertos e 30% de erros, quase todos na parte final de sua vida. A luta de classes, a revolução contínua e o igualitarismo defendidos por Mao Tsé-tung estavam enterrados, e os chineses começaram a buscar sem pudor a prosperidade material. "O enriquecer é glorioso" passou a ser o novo mantra de 20% da humanidade, liberada pela avaliação de Deng Xiaoping de que era necessário deixar algumas pessoas ficarem ricas antes de outras.

A DIÁSPORA

O sucesso das reformas econômicas de 1978 deve muito aos chineses de Hong Kong, Taiwan e Macau, expostos às regras do capitalismo décadas antes dos habitantes de continente. Empresários dessas regiões aproveitaram a abertura, as regras favoráveis aos investimentos estrangeiros e a mão de obra barata para transferirem milhares de fábricas para a China, a partir das quais passaram a exportar. As mudanças econômicas também tiveram impulso de muitos dos chineses que formam a elite econômica de países do Sudeste Asiático e que decidiram usar a riqueza acumulada para investir no país de seus ancestrais e construir uma poderosa rede de negócios no continente.

Esses chineses são uma pequena parte do imenso grupo a que muitos se referem como "diáspora chinesa", termo que se aplica a milhões de pessoas com origem na China continental que se espalharam pelo mundo nos últimos dois séculos. Essa comunidade é tão relevante que o governo de Pequim tem um ministério específico para tratar dos "chineses no exterior", vinculado diretamente ao primeiro-ministro. Desde o início do processo de abertura, o governo de Pequim adotou uma política agressiva para estimular o retorno dos expatriados, principalmente dos que tinham qualificação profissional e capital.

As estatísticas sobre Investimento Estrangeiro Direto (IED) mostram a relevância para o crescimento do país da comunidade chinesa que vive fora da China continental. Dos US$ 60,6 bilhões em IED registrados por Pequim em 2004, nada menos que 31% vieram de Hong Kong. Empresários da região possuem cerca de 60 mil fábricas no vale do rio das Pérolas, a região do sul da China que deu início aos experimentos econômicos de Deng Xiaoping. Naquele mesmo ano, os investimentos vindos de Taiwan somaram US$ 3,1 bilhões e estima-se que homens de negócios da ilha controlem cerca de 40 mil empresas na China.

A diáspora chinesa teve início no século XIX e foi alimentada desde então por diferentes ondas migratórias. Com o enfraquecimento do Império do Meio, o empobrecimento do país e o fim do tráfico de escravos, milhões de chineses deixaram sua terra natal para trabalhar na construção de ferrovias ou explorar minas de ouro

Hong Kong, a ex-colônia britânica exposta ao capitalismo, desempenhou um papel fundamental na adaptação da China continental às regras de mercado. Empresários da ilha estão entre os maiores investidores estrangeiros do país e controlam cerca de 60 mil fábricas só no delta do rio das Pérolas, na região sul da China.

em países como Estados Unidos, Austrália e África do Sul. No Ocidente, experimentaram dolorosos choques culturais, diante de línguas e culturas que desconheciam, nas quais seus hábitos e costumes eram vistos com estranheza. Durante a dinastia Qing, os homens chineses ainda usavam o corte de cabelo manchu, com longas tranças e a parte da frente da cabeça raspada, o que aumentava sua percepção de deslocamento no exterior.

O ambiente hostil, aliado ao apego dos chineses à tradição, levou ao surgimento de inúmeras *Chinatowns* ao redor do mundo, que tentavam replicar nos países de destino o universo que os imigrantes haviam abandonado. Dentro delas, a língua corrente era o mandarim ou o cantonês do sul da China, os talheres foram substituídos por pauzinhos e o Ano Novo, celebrado de acordo com o calendário lunar. Nas *Chinatowns*

A revolução de Deng | 259

Imigrante na *Chinatown* de São Francisco, nos Estados Unidos, em foto de 1910. O homem ainda tem a trança manchu que todos os chineses eram obrigados a usar para mostrar lealdade aos governantes da dinastia Qing (1644-1911), a última da longa história imperial chinesa.

Dirigentes da "Chinese Consolidated Benevolent Association", entidade de apoio à comunidade imigrante criada em São Francisco e várias outras cidades norte-americanas. A foto é do início do século passado e todos usam roupas tradicionais chinesas e o penteado manchu, apesar de estarem nos Estados Unidos.

surgiram redes de proteção e solidariedade, às quais recorriam os recém-chegados, além de sociedades secretas e grupos ligados ao crime organizado.

O fluxo migratório mudou de destino a partir da década de 1870, quando Estados Unidos, Canadá, Austrália e Nova Zelândia adotaram uma política discriminatória de proibir a entrada de chineses. Ao mesmo tempo, o Império Britânico precisava de mão de obra em suas colônias no Leste e no Sudeste Asiáticos, regiões que se transformaram no principal destino dos emigrantes no fim do século XIX. Os chineses foram trabalhar em plantações para produção de borracha e tabaco ou desempenhar atividades mal remuneradas nas cidades, como a de puxadores de *riquixá*.

Alguns tinham educação e capital, deixaram a China de maneira independente e se estabeleceram como comerciantes na Indonésia, Malásia, Tailândia, Filipinas e Cingapura. Em pouco tempo, se transformaram na elite econômica da maioria desses países, mesmo naqueles em que representavam uma parcela mínima da população. Defende Ronald Skeldon, autor de vários livros sobre o assunto, que

> Esses destinos deram oportunidades para os migrantes pobres serem bem-sucedidos por meio do trabalho árduo e de contatos pessoais. Havia assim escopo considerável para mobilidade econômica e social, resultando em um leque muito maior de migrantes em termos de *background* e atividades.[3]

A maioria esmagadora dos que deixaram o Império do Meio era da região sul, historicamente mais exposta ao comércio internacional e à influência estrangeira. Em outros países, muitos utilizaram seus contatos pessoais para prosperar no comércio e em atividades empresariais. No fim do século XIX e início do XX, os imigrantes chineses em várias partes do mundo foram fundamentais para financiar as atividades de Sun Yat-sen contra a decadente dinastia Qing.

Depois do século XIX, a outra grande onda de emigração ocorreu na Revolução Comunista de 1949, quando entre dois e três milhões de pessoas fugiram para Hong Kong e Taiwan. A partir daí o fluxo de pessoas para fora do país passou a ser cada vez mais restrito e poucos conseguiram deixar a China de Mao Tsé-tung por meio de caminhos legais. Mas os milhões que haviam emigrado nas décadas anteriores construíram a rede que serviria de base para a gradual retomada do movimento de chineses pelo mundo, a partir das reformas de 1978.

A crescente internacionalização da economia e o aumento dos negócios com o restante do mundo deram origem a um novo ciclo de dispersão, que já levou 18 milhões de chineses para outros países, na avaliação de Peter Kwong, professor da City University de Nova York.[4] Eles se juntaram aos milhões que haviam deixado a China anteriormente e hoje formam o maior grupo de imigrantes de todo o mundo, com 35 milhões de pessoas em 151 países.[5] Apesar de muitos serem empreendedores em busca de oportunidades, a grande maioria é de trabalhadores pobres, que emigra por canais legais e ilegais, dispostos a enfrentar condições inóspitas em troca de um emprego. Segundo Kwong, operários chineses resolveram o problema de falta de mão de obra que a Romênia enfrentou depois que seus próprios cidadãos emigraram em massa para a Espanha e Itália. "As mulheres chinesas empregadas nas fábricas têxteis da Romênia ganham US$ 260 por mês – quatro vezes mais do que ganhariam na China, mas uma soma pela qual os romenos não estão mais dispostos a trabalhar", observa Kwong.[6]

No período de 2000 a 2005, um número estimado em 355 mil chineses deixou a China continental em direção aos Estados Unidos, de acordo com dados do governo de Pequim.[7] Em toda a década anterior, o total de imigrantes chineses naquele país havia alcançado 460 mil pessoas. A nova fronteira é a África, onde a China ampliou de maneira espetacular seus investimentos desde a virada do século. No fim de 2008, havia cerca de 700 empresas chinesas estabelecidas no continente e só na África do Sul havia um número de imigrantes da China estimado em 250 mil.

O CHOQUE NA PAZ CELESTIAL

As mudanças adotadas em 1978 provocaram uma série de tensões e reações na sociedade chinesa, tanto dos conservadores que queriam manter a antiga ordem quanto dos grupos que consideravam as reformas tímidas e defendiam sua extensão ao campo político. Os limites das transformações ficaram claros em 1979, quando o mesmo Deng Xiaoping que havia apoiado o movimento "Muro da Democracia" no ano anterior ordenou o fechamento de publicações reformistas e a proibição da fixação de cartazes em muros a partir do dia 1º de abril. Várias pessoas terminaram na cadeia e um dos mais inflamados escritores do período, Wei Jingsheng, recebeu uma pena de 15 anos de prisão.

O novo líder chinês era um inovador no campo econômico, mas resistiria a todos os movimentos que ameaçassem a supremacia do Partido Comunista, ainda que isso exigisse o uso da força contra seus compatriotas. O modelo da nova China abraçava as regras de mercado capitalista, mas rejeitava todas as instituições políticas que costumam acompanhar o sistema nos países ocidentais, como direitos individuais, liberdade de expressão e de imprensa, separação e independência dos poderes e o império da lei.

As pressões por reformas políticas e democracia voltaram a emergir em 1986, com passeatas de estudantes em várias cidades chinesas, muitas das quais apoiadas por professores. A reação do Partido Comunista veio no começo de 1987 e levou à expulsão de seus quadros e à demissão de seus empregos das figuras proeminentes que haviam apoiado as manifestações.

A repressão chegou à cúpula do poder e provocou o afastamento do secretário-geral do Partido Comunista, Hu Yaobang – que havia sido indicado por Deng Xiaoping –, um dos grandes defensores do rápido ritmo das reformas e um dos maiores críticos da herança maoísta. "Em 16 de janeiro, anunciou-se em Pequim que Hu havia 'renunciado' a seu posto de secretário-geral depois de fazer 'uma autocrítica de seus erros em questões importantes de princípios políticos'", relata Jonathan D. Spence.[8]

Mas as demonstrações pró-democracia voltariam com força ainda maior em 1989, nos protestos de estudantes na Praça da Paz Celestial, o coração político de Pequim, cujo fim trágico projetaria uma sombra sobre a nova imagem da China de Deng Xiaoping. As tensões decorrentes do rápido crescimento se agravaram em 1988, quando o PIB chinês teve expansão de 11,3% e a inflação superou os 20%. O desmantelamento de muitas fábricas estatais havia levado à demissão de milhares de trabalhadores, cortes orçamentários degradaram as condições de ensino e os casos de corrupção, nepotismo e favorecimento dentro do Partido Comunista atingiam proporções inéditas.

A morte do reformista Hu Yaobang, no dia 15 de abril de 1989, catalisou o desejo de mudança de diferentes segmentos da sociedade chinesa e deu origem à manifestação que representou a maior ameaça ao poder do Partido Comunista até hoje. Em um movimento que lembrava as homenagens realizadas ao primeiro-ministro Zhou Enlai em 1976, milhares de estudantes se dirigiram à Praça da Paz Celestial nos dias seguintes para homenagear Hu Yaobang.

No dia 22 de abril, enquanto os dirigentes comunistas participavam das cerimônias fúnebres oficiais no Grande Pavilhão do Povo, duzentas mil pessoas esperavam do lado de fora, na Praça da Paz Celestial, contidas por uma enorme barreira policial. Três estudantes furaram o bloqueio e se ajoelharam na enorme escadaria, na esperança de poderem entregar às autoridades as reivindicações dos estudantes – democracia, fim da corrupção e melhores condições de ensino. Ninguém do governo falou com eles.

Na medida em que o mês de abril chegava ao fim, as manifestações se tornaram mais intensas. No dia 26, o *Diário do Povo*, porta-voz do Partido Comunista, divulgou um violento editorial, que classificava os protestos de "conspiração planejada", uma indicação de que seus líderes poderiam amargar longos anos na prisão.

Desafiando as ordens oficiais, os estudantes mantiveram a mobilização e, no dia seguinte, milhares deles caminharam até a Praça da Paz Celestial, sob aplausos da população de Pequim. Os protestos continuaram no mês de maio e se espalharam para outras cidades chinesas. No dia 13 de maio, estudantes ocuparam a Praça da Paz Celestial e iniciaram uma greve de fome, cujas imagens acabaram ganhando o mundo em razão do grande número de jornalistas estrangeiros que estavam na capital chinesa para cobrir a visita do presidente Mikhail Gorbachev. O líder russo chegaria à China no dia seguinte, para selar a normalização das relações entre Pequim e Moscou.

A Praça da Paz Celestial durante a Olimpíada de Pequim. Os protestos de 1989 ficaram para trás e nenhum movimento organizado de questionamento do poder do Partido Comunista surgiu desde então. Os jovens de hoje são nacionalistas e o consumo se transformou na grande ideologia do país.

A visita se transformou em um enorme constrangimento para Deng Xiaoping, cuja renúncia era pedida abertamente por vários manifestantes. A cerimônia de boas-vindas ao visitante não pôde ser realizada na Praça da Paz Celestial, ocupada pelos estudantes, que começavam a ter problemas médicos em razão da greve de fome e usavam faixas na cabeça com a inscrição "passando fome pela democracia". Além disso, os manifestantes saudaram a chegada de Gorbachev com euforia e viam no líder soviético o exemplo do espírito reformista que consideravam ausente em seu próprio país. A essa altura, a praça era totalmente controlada pelos manifestantes, que ganharam apoio de trabalhadores, intelectuais, professores, donas de casa, médicos e da população em geral de Pequim.

No quinto dia de greve de fome, 18 de maio, com vários estudantes hospitalizados, um grupo de manifestantes foi recebido pelo primeiro-ministro chinês Li Peng, identificado com a corrente linha-dura do Partido Comunista. Os dois lados se mantiveram intransigentes em suas posições e não houve nenhum avanço na direção de um acordo. À noite, o secretário-geral do Partido Comunista, Zhao Zyiang, visitou os estudantes na Praça da Paz Celestial e, com lágrimas nos olhos, pediu desculpas por não ter sido capaz de solucionar a crise. Foi sua última aparição pública.

No dia 19 de maio, o governo chinês decretou a Lei Marcial no país. Zhao Zyiang foi afastado do cargo e colocado em prisão domiciliar, onde ficaria até sua morte, em 2005. Durante duas semanas, as forças de segurança tentariam em vão alcançar a praça para desocupá-la. Seu avanço era bloqueado pelos moradores de Pequim que construíam barricadas, furavam os pneus dos carros, interrompiam o trânsito nas ruas e tentavam convencer os soldados a não avançarem.

Deng Xiaoping decidiu intervir e reunir tropas do Exército de Libertação Popular fiéis a ele, vindas de outras províncias. Na noite do dia 3 de junho, os tanques entraram na cidade e avançaram em direção à praça, passando por cima de tudo e todos que estivessem no caminho. Os soldados abriam fogo de maneira aleatória e os estudantes começaram a gritar "eles estão usando balas de verdade!". Pessoas caíam mortas ou feridas e quem podia corria. Na medida em que as tropas avançavam, um pequeno grupo de manifestantes se reuniu no centro da Praça da Paz Celestial, que foi totalmente cercada na madrugada do dia 4 de junho. Pouco antes do dia amanhecer, o grupo deixou o local de mãos dadas, sob tiros disparados no ar pelos soldados.

Há uma enorme controvérsia em torno do número de mortos no que os chineses chamam de "incidente do dia 4 de junho". Na época, o governo estimou o total de vítimas civis em duzentas, enquanto a entidade de defesa dos direitos humanos Anistia Internacional colocou a cifra em torno de mil. Também não há consenso sobre a identidade do homem que interrompeu sozinho uma fila de tanques que se dirigia à Praça da Paz Celestial no dia 5 de junho, depois do massacre. Algumas fontes sustentam que ele era Wang Weilin, um operário de 19 anos que teria sido preso e executado. Outros afirmam que o homem foi puxado para a calçada por outras pessoas e que sua identidade permaneceu desconhecida. De qualquer forma, o registro de sua determinação em interromper o avanço dos tanques é uma das imagens mais marcantes do século xx.

Os que sobreviveram sabiam o que os aguardava. Dezenas fugiram da China logo depois do massacre e vivem até hoje como exilados em outros países. Milhares foram capturados e condenados à prisão. Desde então, nenhum movimento organizado ousou reivindicar democracia ou mais liberdade na China. O país sofreu um revés econômico importante em 1989, os investidores estrangeiros se assustaram, mas a situação logo se normalizou. No início dos anos 1990, o antigo Império do Meio já crescia de novo a taxas superiores a 10%. Mais do que nunca, enriquecer passou a ser a palavra de ordem.

A ERA DO DESENCANTO

O trágico fim dos protestos da Praça da Paz Celestial acabou com os anseios por mais liberdade de toda uma geração de chineses e transformou a prosperidade material no principal instrumento de satisfação pessoal. O idealismo foi substituído pelo individualismo exacerbado, reforçado pela existência de um exército de filhos únicos criados com leniência por seus pais. O consumo e a exibição de símbolos de *status* passaram a definir a identidade dos emergentes.

A corrupção continuou a se propagar e, em 2004, o Partido Comunista afirmou oficialmente que ela ameaçava sua própria sobrevivência. Os dirigentes chineses sabem que a corrupção esteve na origem da queda de muitas dinastias imperiais e que a incapacidade de combatê-la pode minar sua legitimidade aos olhos da população.

Sem o ideal da construção do socialismo que embalou seus antepassados, os chineses de hoje buscam referências às quais se agarrar em uma sociedade que se modifica com rapidez inédita e parece mergulhada em uma profunda crise ética e moral. Em meio a esse turbilhão, milhões estão encontrando um norte na religião, apesar do ateísmo professado pelo Partido Comunista e o forte controle social sobre a fé. O budismo continua a ter o maior número de seguidores no país, cerca de 150 milhões, mas o cristianismo é o caso de maior sucesso espiritual na China e exibe um ritmo de crescimento que rivaliza com os índices de expansão da economia.

As estatísticas governamentais sobre o número de seguidores de cada religião são defasadas e consideradas pouco confiáveis em razão da suspeição com que o assunto é encarado pelas autoridades. Mesmo essas cifras reconhecem um aumento de 50% no número de seguidores do cristianismo em menos de uma década, para 21 milhões. No entanto diferentes fontes estimam que esse universo é muito maior, se forem incluídas as centenas de "igrejas domésticas" não reconhecidas pelo Estado e a Igreja Católica clandestina, que mantém laços com o Vaticano.

Pesquisa da East China Normal University estima o número de cristãos em quarenta milhões, abaixo apenas dos budistas,[9] enquanto o World Christian Database coloca o número de setenta milhões.[10] A mesma pesquisa da East China Normal University indica que 41,5% da população, o equivalente a 540 milhões de pessoas, não professa nenhuma religião.

O principal impulso da expansão do cristianismo vem do protestantismo pentecostal, cujo espírito se choca frontalmente com o controle exercido pelo governo, já que cada pessoa é livre para criar sua própria igreja, fora de qualquer estrutura formal. Nos anos recentes, o protestantismo cresceu com especial rapidez nas cidades, entre os emergentes, empresários e executivos chineses. A relação entre seus princípios e a prosperidade apontada por Max Weber em *A ética protestante e o espírito do capitalismo* levou alguns estudiosos a defenderem o cristianismo como o melhor caminho para a China. Afinal, há mais de um século os chineses se perguntam por que perderam o bonde da história enquanto os anglo-saxões caminhavam rapidamente em direção ao futuro.

Sem as restrições da Revolução Cultural, as crenças populares chinesas ressurgiram, em especial no campo, onde existe a veneração de uma série de divindades relacionadas à natureza. O culto aos ancestrais voltou a ser praticado por muitas famílias e costuma coexistir com a adesão a alguma das religiões existentes no país. A profunda superstição dos chineses renasceu, o que levou prosperidade a milhares de videntes, astrólogos e numerólogos.

O nacionalismo exacerbado é outro caminho percorrido pelos chineses que buscam se orientar em um mundo em que nada parece ser permanente. O sentimento se tornou especialmente agudo em 2008, o ano que coroou a emergência da China no cenário mundial, mas também revelou as fissuras na imagem internacional do país, aprofundadas pela repressão às manifestações de tibetanos que pediam mais liberdade religiosa e a volta do dalai lama à sua terra natal. Os protestos contra o desrespeito aos direitos humanos foram recebidos pelos chineses como um ataque pessoal e respondidos com uma onda de patriotismo feroz.

Ainda que tenha incentivado as demonstrações nacionalistas, o governo agiu logo para contê-las, pois tem consciência de que elas podem fugir de seu controle. Os dirigentes comunistas também sabem que o marxismo, a luta de classes e o pensamento de Mao Tsé-tung não respondem mais aos anseios da população no século XXI e buscam um fundamento ético e moral que contenha seus próprios quadros e sirva de guia para os chineses. Nessa procura, os atuais donos do poder acabaram se voltando para a mais antiga e venerada tradição filosófica chinesa, o confucionismo, que durante décadas foi atacada pelo Partido Comunista como responsável pelo atraso do país.

DA LUTA DE CLASSES À SOCIEDADE HARMÔNICA

O confucionismo não está nem perto de voltar a ser a ideologia oficial do Estado, como foi na época do Império, mas seus princípios inspiram a "sociedade harmônica" defendida pelo presidente Hu Jintao, que chegou ao poder em 2002. Nada poderia ser mais distante da luta de classes, mas Karl Marx e Confúcio começaram a aparecer lado a lado no discurso dos novos comunistas. Em um movimento típico da China hierarquizada, a "harmonia" passou a permear o discurso de todas as autoridades do país e a aparecer em qualquer tipo de pronunciamento ou propaganda oficial.

A paisagem de Lijiang, na província de Yunnan, no extremo oeste, reflete o ideal de harmonia que há séculos permeia a cultura chinesa e que voltou a ser perseguido pelos atuais líderes comunistas. A "sociedade harmônica" é o principal *slogan* de Hu Jintao e de seus seguidores, que tentam unir Confúcio e Marx.

Jornais publicados pelo governo passaram a trazer uma profusão de expressões como "harmoniosas relações trabalhistas", "harmonioso ambiente rural", "harmoniosa comunidade internacional", "famílias harmônicas", "pensamento harmonioso", "cidades harmoniosas", "mundo harmonioso", "vizinhos harmoniosos" e até "investimento harmonioso", seja lá o que isso significa. O aeroporto internacional de Pequim é chamado de "aeroporto harmonioso" em sua página na internet, e a comunidade on-line lançou mão da ironia e diz que um site foi "harmonizado" quando ele é bloqueado pela censura chinesa.

A improvável convivência entre Confúcio e Karl Marx se deve ao fato de que a ideologia do Partido Comunista e sua Constituição refletem as mudanças vividas pelo país desde 1949, e as convicções predominantes em cada momento se sobrepõem, em camadas aparentemente contraditórias. De acordo com o texto, o partido é guiado pelo marxismo-leninismo, o pensamento de Mao Tsé-tung, a teoria de Deng Xiaoping, pelo conceito das três representações e pelo "desenvolvimento científico", a expressão que condensa a busca da sociedade harmônica de Hu Jintao, na medida em que privilegia um modelo de crescimento equilibrado e sustentável. As "três representações" é a contribuição de seu antecessor, Jiang Zemin, e abriu o caminho para empresários se tornarem comunistas.

Fora da esfera oficial, o confucionismo aparece em programas de TV, frequenta sites de discussão na internet, é reempacotado em manuais de autoajuda e começa a ocupar o espaço do marxismo nos currículos escolares. Um dos maiores *bestsellers* chineses desde *O livro vermelho de Mao* é uma obra que tenta atualizar as máximas de Confúcio e relacioná-las à vida moderna. Escrito por uma professora universitária que se transformou em um ídolo pop, *Reflexões de Yu Dan sobre Os analectos* vendeu dez milhões de cópias – entre oficiais e piratas – e teve origem em uma série de TV sobre o filósofo que obteve audiência surpreendente. "*Os analectos* nos ensinam como atingir felicidade espiritual, ajustar nossas rotinas diárias e encontrar nosso lugar na vida moderna", escreve Yu Dan no início do livro, que em 2008 foi editado em inglês.

No embalo do resgate da antiga filosofia, a província de Shandong pretende construir um enorme "parque temático" entre as cidades de Qufu, onde nasceu Confúcio, e Zoucheng, local de nascimento de seu principal discípulo, Mencius (372 a.C.-289 a.C.). Se sair do papel, a Cidade Simbólica da Cultura Chinesa ocupará trezentos quilômetros quadrados de extensão e custará estimados US$ 4,2 bilhões, mais que os US$ 3,8 bilhões gastos na construção do novo aeroporto internacional de Pequim, um dos maiores edifícios do mundo. Segundo a imprensa oficial chinesa, o objetivo desta Disneylândia filosófica é "reavivar os valores culturais tradicionais" do país. O projeto estará aberto a sugestões, e as autoridades de Shandong esperam iniciar sua construção antes de 2010.

A reabilitação de Confúcio levou ainda ao aumento do respeito por seus ancestrais, que continuam a ser vistos como um grupo especial, apesar de estarem separados do filósofo por 2,5 mil anos e oitenta gerações. A árvore genealógica de Confúcio é considerada a maior do mundo e nada menos que 1,3 milhão de pessoas afirmam que são seus descendentes. O nome chinês do filósofo é Kong Fuzi, e ter o sobrenome Kong na China de hoje muitas vezes provoca perguntas como "você é da família de Confúcio?". Se a resposta é sim, a pessoa costuma ser tratada com reverência ligeiramente superior à destinada às demais.

Essa diferenciação de *status* revela a fortaleza do prestígio de Confúcio ao longo dos séculos, mas também o renascimento de uma estrutura social hierarquizada, um dos tradicionais elementos da cultura local fortemente combatido por Mao Tsé-tung. Depois do igualitarismo da Revolução Cultural, os chineses querem se diferenciar dos demais e ascender ao topo da escala social. Esse sentimento se reflete principalmente nas peças publicitárias, que oferecem a exclusividade para poucos. O anúncio na fachada de um novo condomínio residencial em Pequim traduz com perfeição essa nova aspiração: "Apenas para a elite que influencia o mundo".

A crescente estratificação social chinesa também provocou a multiplicação de serviços para vips, dispostos a pagar mais caro para ter tratamento especial. A sigla para *very important person* aparece em restaurantes que oferecem salas privativas, em karaokês, em hotéis e até em teatros e cinemas. Na nova China, os vips são os ricos ou os poderosos, o que incluiu os ocupantes de altos cargos no Partido Comunista.

NOTAS

[1] Jonathan D. Spence, Em busca da China moderna, São Paulo, Companhia das Letras, 1996.
[2] Comrade Mao Zedong's Historical Role and Mao Zedong Thought: Resolution on Certain Questions in the History of Our Party Since the Founding of the People's Republic of China, disponível em <http://english.cpc.people.com.cn/66095/4471924.html>, acesso em 28 de março de 2009.
[3] Ronald Skeldon, Migration from China, em Journal of International Affairs, v. 49, 1996, Issue 2.
[4] Peter Kwong, Chinese Migration Goes Global, em YaleGlobal, 17 jul. 2007, disponível em <http://yaleglobal.yale.edu/display.article?id=9437>, acesso em 28 de março de 2009.
[5] "Number of Overseas Chinese", em China Daily, 12 fev. 2007.
[6] Peter Kwong, op. cit.
[7] "Number of overseas chinese", em China Daily, 12 fev. 2007.
[8] Jonathan D. Spence, op. cit., p. 674.
[9] National Geographic, maio de 2008.
[10] "Jesus in China: Christianity's Rapid Rise", em Chicago Tribune, 22 jun. 2008.

A ARTE MILENAR

OS GRANDES CLÁSSICOS

Como todos os demais aspectos da cultura chinesa, a literatura tem uma história longuíssima e de continuidade espantosa, com utilização da mesma escrita por um período de três mil anos. O elemento que permitiu essa estabilidade foi o uso dos caracteres chineses, que não precisam ser transformados para se adaptar a eventuais alterações na pronúncia e podem ser compreendidos por pessoas que falam diferentes dialetos, mas usam a mesma escrita.

Ao longo da história, a leitura dos romances e poesias do passado tem sido um dos fios condutores que reforçam o vínculo dos chineses com a tradição milenar de seu país. Qualquer um que tenha frequentado a escola sabe pelo menos do que tratam os romances que integram os *quatro grandes clássicos da literatura chinesa*, e é bem provável que tenha lido ao menos trechos dos livros. Também saberá recitar de cor pelo menos uma poesia, gênero cultuado pelos mandarins do Império e que chegou a seu auge na dinastia Tang (618-907).

O mais recente dos *quatro clássicos* é *O sonho do quarto vermelho*, de Cao Xueqin, escrito em meados do século XVIII, durante a dinastia Qing (1644-1911). O livro traça a trajetória de uma família aristocrática que entra em decadência depois de perder as graças do imperador, exatamente o que ocorreu com a família do próprio autor. Considerado um dos melhores romances já escritos no mundo, *O sonho do quarto vermelho* narra em detalhes o cotidiano dos abastados da era imperial e tem uma intrincada e sofisticada trama psicológica, na qual se revelam o mundo dos burocratas do Império, a influência do taoísmo e do budismo e a opressão da vida feminina em uma sociedade absolutamente patriarcal.

"*O sonho do quarto vermelho* é um romance enciclopédico. Centrado em uma família aristocrática, ele revela um panorama de história social. Todos os ângulos e classes da sociedade chinesa daquela época – das consortes imperiais aos vendedores de rua e mensageiros – são apresentados de maneira altamente realista", escreve Shi Changyu, do Instituto de Literatura da Academia Chinesa de Ciências Sociais, na introdução da edição de 2003 da obra (que tem três volumes).

Apesar de o herói ser um homem, Jia Baoyu, o livro é construído em torno de mulheres e o espírito feminino é pintado com tintas bem mais favoráveis que o masculino. "As mulheres são feitas de água e os homens, de lama. Eu me sinto limpo e renovado quando estou com garotas, mas acho os homens sujos e com mau cheiro",[1] afirma o protagonista, em uma frase que pode ser recitada por qualquer estudante secundarista.

O mais popular dos *quatro clássicos* é *Viagem para o oeste*, publicado em 1590, durante a dinastia Ming, e atribuído a Wu Cheng'en. No Ocidente, o romance ficou conhecido como *Macaco*, em razão do título dado à tradução que o britânico Arthur Waley realizou em 1942 de trinta de seus cem capítulos. O livro conta as aventuras do monge Xuanzang na viagem que faz à Índia para buscar textos sagrados do budismo durante a dinastia Tang (618-907). Em sua empreitada, ele conta com a ajuda de três discípulos e um príncipe-dragão, que aceitam a missão para compensar os pecados que cometeram no passado. Dos discípulos, o macaco é o que se destaca e acaba sendo o personagem principal do livro. Espécie de ancestral dos super-heróis atuais, ele tinha força e velocidade descomunais e podia se transformar em milhares de outros animais e objetos. Sua grande limitação era assumir a forma de seres humanos, já que neste caso a mudança era limitada à cabeça.

O terceiro clássico é *Os fora da lei do pântano*, que narra as aventuras de 108 foras da lei e benfeitores durante a dinastia Song (960-1279). Há duas teorias sobre a autoria do livro. A primeira diz que os setenta capítulos iniciais foram escritos por Shi Naian (1296-1372) e os trinta finais, por Luo Guangzhong (1330-1400), mesmo autor do último dos *quatro clássicos*, chamado *O romance dos três reinos*. A outra tese atribui a autoria integralmente a Luo e afirma que Shi era um de seus pseudônimos. Publicado no século xiv, *O romance dos três reinos* é uma ficção histórica e se passa no conturbado período de desagregação vivido pela China no fim da dinastia Han (206 a.C.-220 d.C.).

No Brasil, o acesso à rica tradição literária chinesa é extremamente limitado, em razão da ausência de traduções para o português da maioria das obras – sejam elas antigas, modernas ou contemporâneas. No caso da poesia, o conhecimento é ainda mais restrito, diante da dificuldade dos tradutores em apresentar de maneira fiel os versos chineses em outros idiomas, tarefa que muitos consideram impossível.

Uma das 230 ilustrações feitas pelo pintor Sun Wen para a edição comemorativa de *O sonho do quarto vermelho* publicada no fim da dinastia Qing (1644-1911). Considerado uma das mais importantes obras literárias do mundo, o romance traça um amplo panorama da sociedade chinesa do Império.

Com o fim da Revolução Cultural (1966-1976), o estudo dos clássicos foi gradualmente reabilitado e uma rápida zapeada por diferentes canais de tv da China de hoje é suficiente para ver o peso do passado na formação da identidade nacional. Adaptações dos *quatro clássicos da literatura* são transmitidas por diferentes emissoras e inúmeras novelas e seriados se passam em algumas das dinastias imperiais ou em períodos mais recentes, como a guerra civil entre comunistas e nacionalistas, a resistência à invasão japonesa e a Revolução Comunista que mudou o país em 1949.

Mesmo quem não sabe chinês nem nunca leu o romance é capaz de identificar *Viagem para o oeste* assim que o macaco aparece na tela. *O sonho do quarto vermelho* foi transformado em minissérie em 1987 e até hoje é reprisado com frequência. Mas essa versão será superada em breve por uma superprodução patrocinada pelo governo chinês e comandada pela diretora Li Shaohong, que trabalhou no roteiro em conjunto com oito escritores.

A poesia é cultuada na China desde antes de Confúcio e durante a história foi considerada a mais elevada e respeitável manifestação literária do país. A mais antiga antologia chinesa é o *Livro da poesia*, que reúne textos escritos principalmente entre os séculos X e VII a.C. e cuja compilação é atribuída a Confúcio. O conhecimento da poesia do passado e a capacidade de compor versos eram elementos fundamentais dos exames de seleção dos funcionários do Império, a função tradicionalmente almejada pelos letrados chineses.

Os cultos mandarins da corte deveriam saber escrever poesia e era comum que manifestassem em versos os seus sentimentos e aspirações. "Compor versos para marcar diferentes ocasiões era um elemento básico do relacionamento social: escrever um poema, para um chinês educado na tradição clássica, era a resposta natural para uma ampla variedade de situações da vida", explica um dos maiores especialistas em literatura chinesa, Cyril Birch, na introdução à *Anthologhy of Chinese Literature: From the Fourtheenth Century to the Present Day*.[2]

Poesias eram compostas para celebrar amizades, lamentar a morte de outros literatos, lembrar fatos históricos, falar da natureza ou refletir sobre os dilemas que cercavam a dedicação dos funcionários públicos ao Império, para citar apenas alguns exemplos. "Até o 'Novo Verso' da década de 1920, os poetas chineses continuaram a celebrar seus temas prediletos: amizade e a aceitação filosófica do tempo e da mudança; a tranquilidade pastoril e a constante renovação das estações; a nostálgica recordação da Antiguidade e a exaltação de modelos históricos de conduta ética", lembra Birch.[3]

Educado de acordo com a tradição chinesa, Mao Tsé-tung (1893-1976) se dedicou à poesia, principalmente no período da guerra civil contra os nacionalistas e da épica Longa Marcha (1934-1935). Mao começou a escrever durante sua adolescência e toda sua produção seguiu os estritos moldes do estilo clássico, algo paradoxal diante de sua fúria iconoclasta contra a tradição e a intelectualidade. Muitos de seus poemas estão distantes do fervor revolucionário e discorrem sobre temas que durante séculos ocuparam poetas do Império, como a natureza, o caráter cíclico das estações e personagens históricos.

O auge da poesia chinesa ocorreu durante a dinastia Tang (618-907), período que experimentou uma explosão na produção de versos, dos quais cerca de 50 mil, escritos por 2.200 diferentes autores, chegaram até os dias de hoje. Esse período viu o surgimento dos que são considerados os grandes mestres do gênero: Li Bai (701-762), também conhecido como Li Po, e Du Fu (712-770). Os dois poetas tiveram histórias de vida totalmente distintas e refletiram nas escolhas de seus temas as duas principais tradições filosóficas da China, o taoísmo e o confucionismo.

Nascido em uma família abastada e favorecido pela manifestação precoce de seu talento, Li Bai teve uma vida desregrada e errante e, durante grande parte de sua existência, viajou pela China e se entregou a bebedeiras homéricas. Profundamente influenciado pelo taoísmo, Li Bai usou sua poesia para celebrar a vida, a natureza, a amizade, a solidão, o amor, a busca de elevação espiritual e os efeitos do álcool sobre sua alma. A lua e o vinho são dois personagens recorrentes em suas composições – livres, imaginativas e vívidas, como pode ser visto em um de seus mais célebres poemas, "Bebendo sozinho sob o luar":

Uma taça de vinho, sob as árvores floridas
Bebo sozinho, pois nenhum amigo está por perto
Levantando minha taça, eu aceno para a lua
Com ela e a minha sombra, seremos três
A lua, ai!, não é uma bebedora de vinho
Indiferente, minha sombra rasteja ao meu lado
Ainda assim, tendo a lua como amiga e a sombra como escrava
Devo alegrar-me antes que a primavera acabe
Para as melodias que eu canto, o brilho da lua treme
Na dança que crio, minha sombra enrosca e se dissolve
Quando estávamos sóbrios, nos divertíamos juntos
Agora que estamos bêbados, cada um segue seu caminho
Que possamos sempre compartilhar nosso peculiar e inanimado Carnaval
E nos encontrarmos enfim no Rio Nebuloso dos céus.[4]

Algo surpreendente para a época, Li Bai nunca se candidatou para os exames de seleção dos mandarins da corte, o caminho natural para os letrados do Império, mas seu talento o levou a ser apresentado ao imperador Xuanzong, por volta de 742.

Várias lendas cercam sua história e a mais reveladora da imagem do poeta que ficou no imaginário chinês é a que relata sua morte. De acordo com essa versão, Li Bai morreu afogado ao cair de um barco quando tentava abraçar o reflexo da lua nas águas do rio Yangtzé, em uma de suas intermináveis bebedeiras. "Os chineses apreciam Li Po [sic] há tanto tempo por sua alegria, liberdade, compaixão e energia que ele se transformou em uma espécie de arquétipo do artista boêmio e viajante endiabrado",

O macaco, personagem mais célebre do romance *Viagem para o oeste*, em desenho na capa da edição do livro feita pela China Drama Press. A obra é um dos quatro clássicos da literatura chinesa e provavelmente o mais popular de todos. Várias séries de TV trazem adaptações das peripécias dos personagens principais.

sustenta David Young no livro *Five Tang Poets: Wang Wei, Li Po, Tu Fu, Li Ho, Li Shang-Yin*.[5] Outra versão menos romântica de sua morte sustenta que ele se suicidou.

Poeta chinês mais conhecido no Ocidente, Li Bai ganhou celebridade na língua inglesa com a "interpretação" de seus versos feita pelo poeta norte-americano Ezra Pound em 1915 no livro *Cathay* – o nome pelo qual Marco Polo se referia ao norte da China em *As viagens de Marco Polo*. Pound se baseou em traduções e notas realizadas pelo orientalista norte-americano Ernest Fenollosa (1853-1908), que passou grande parte de sua vida em Tóquio, onde realizou estudos sobre a língua e a literatura chinesas. Em *Cathay*, Pound apresenta a sua versão de 19 poemas clássicos chineses, 10 dos quais de autoria de Li Bai, que em *Cathay* aparece com seu nome em japonês, Rihaku. O trabalho de Pound colocou a poesia do Império do Meio entre os elementos que

A arte milenar | 277

Quadro de Su Liupeng, que viveu no século XIX, retrata cena em que Li Bai está embriagado e tem que ser amparado por dois servos do palácio do imperador Xuanzong, da dinastia Tang. Li Bai é considerado um dos maiores poetas chineses e foi apresentado ao imperador Xuanzong provavelmente no ano 742.

influenciaram sua própria obra e de seus contemporâneos modernistas na busca de simplicidade, concisão e precisão na construção de versos.

O outro grande poeta chinês é Du Fu (ou Tu Fu), que conheceu Li Bai em 744 e lhe dedicou 12 de seus 1,4 mil poemas que sobreviveram até os dias de hoje. Foi ele quem criou a expressão *oito imortais da taça de vinho* para se referir ao grupo de literatos a que Li Bai pertenceu durante uma época de sua vida e que se reunia para beber e compor. Dos 1,1 mil trabalhos conhecidos de Li Bai, apenas um faz referência ao outro poeta.

Du Fu também viajou amplamente pela China, mas compelido pela pobreza, a turbulência política e a impossibilidade de conquistar uma colocação na corte. Vindo de uma família de literatos, ele alimentava o sonho de se tornar um funcionário do Império, abortado por sua reprovação no primeiro exame de seleção que realizou, em 735, quando tinha 23 anos. Du Fu fez uma nova tentativa 12 anos mais tarde, mas todos os candidatos foram reprovados, não por falta de méritos, mas por manobras do chefe de ministros Li Linfu, que temia a emergência de rivais políticos.

Enquanto Li Bai é influenciado pelo taoísmo, Du Fu reflete em seus versos temas caros ao confucionismo, como o destino do Império, a moralidade, os caminhos da história e a preocupação com o bem-estar das pessoas comuns. O caráter realista de suas composições, as críticas às extravagâncias da corte e as reflexões sobre problemas sociais lhe valeram os títulos de "Poeta Histórico" e "Poeta Sábio".

A vida de Du Fu, de sua família e milhões de chineses foi sacudida pela rebelião An Lushan, que durou de 755 a 763 e quase levou ao fim da dinastia Tang, marcando o início de um longo período de decadência e instabilidade política. A devastação da guerra, a pobreza em que grande parte da população mergulhou e as gritantes diferenças entre as condições de vida dos pobres e dos ricos deram o tom de vários de seus poemas.

A excelência técnica é outro elemento que coloca o poeta entre os grandes artistas da história chinesa. Du Fu escreveu com perfeição em todos os estilos clássicos de versos, dando a eles um caráter original. "Tão grande era o domínio de Du Fu da linguagem e da tradição literária que ele podia escrever sobre qualquer assunto ou em qualquer forma que escolhesse, combinando temas e estilos de uma maneira que era totalmente sem precedentes", observa o tradutor de literatura chinesa e japonesa Burton Watson na introdução de seu livro *The Selected Poems of Du Fu*.[6] "Seu objetivo explícito era realizar o que nunca havia sido feito", acrescenta.

A RENOVAÇÃO LITERÁRIA

Como tudo na sociedade chinesa, a criação literária foi alvo de intensa crítica, debate e renovação depois da queda do Império, em 1911. A *revolução literária* que teve início em 1917 pregava o abandono das formas clássicas e defendia a escrita com a linguagem utilizada nas ruas. "Junto com a reemergência dos intelectuais como uma força no cenário nacional veio uma nova literatura de extraordinária vitalidade, por seus excessos de sentimentalismo e ausência de forma", conta Cyril Birch em sua *Anthology of Chinese Literature: From the Fourteenth Century to the Present Day*.[7] Diante de um país estagnado culturalmente, desmoralizado militarmente e ocupado por potências estrangeiras, os artistas perseguiam com urgência um caminho rumo à modernidade.

O grande líder desse movimento foi Lu Xun (1881-1936), considerado o pai da literatura chinesa moderna. Contista, poeta, ensaísta, editor, crítico e tradutor, ele refletiu de maneira profunda sobre as debilidades da sociedade chinesa e condenou com virulência a tradição e seu maior emblema, o confucionismo. Mas a literatura não foi a primeira escolha de Lu Xun para sua carreira. Convencido de que a morte de seu pai havia sido provocada pela ineficácia da medicina tradicional chinesa, Lu Xun decidiu estudar Medicina ocidental no Japão e se matriculou na Academia de Medicina de Sendai em 1904.

No mesmo ano, Japão e Rússia entram em guerra pelo domínio da Manchúria, a região nordeste da China parcialmente colonizada pelos dois países. Foi um filme sobre notícias do conflito mostrado em sala de aula que mudou radicalmente o rumo da vida de Lu Xun (cujo nome também se escreve Lu Hsün).

As imagens mostravam um chinês capturado pelas forças japonesas, amarrado e cercado por outros chineses. "Eles eram todos companheiros fortes, mas pareciam totalmente apáticos", escreveu Lu Xun no prefácio de seu primeiro livro de contos, *Chamado às armas*, de 1923.[8] "De acordo com o narrador, o que estava amarrado era um espião trabalhando para os russos, que teria sua cabeça cortada como uma advertência aos outros, enquanto os chineses ao redor dele estavam lá para apreciar o espetáculo."[9]

A cena chocou Lu Xun e o levou a abandonar em 1906 o estudo da Medicina, que não poderia curar o tipo de doença que ele diagnosticava entre os chineses. "A coisa mais importante era mudar suas almas. Desde aquele tempo eu senti que a literatura era o melhor meio para fazer isso e decidi promover um movimento literário",[10] recordou no mesmo prefácio. Sua atuação ultrapassou o limite das letras e o levou a participar de maneira ativa do Movimento Quatro de Maio, que explodiu em 1919 como uma ampla reflexão dos caminhos que a China deveria seguir (ver no capítulo "Sob o signo da revolução" o subtítulo "Comunistas e nacionalistas"). Lu Xun escreveu uma série de ensaios sobre questões políticas e sociais, em muitos dos quais se dedicou a debater o "caráter nacional" dos chineses.

Os participantes da revolução literária tiveram contato com filósofos e escritores europeus, russos, japoneses e norte-americanos e foram por eles influenciados. Lu Xun teve um papel fundamental na divulgação de obras estrangeiras na China, ao traduzir inúmeros trabalhos, especialmente do russo. O escritor era um profundo admirador de

Nikolai Gogol (1809-1852) e se inspirou no título de um dos livros do russo para batizar seu primeiro conto, publicado em 1918: *O diário de um louco*. Totalmente original e não convencional, o texto é um ataque à obediência cega à tradição, feito por meio de um personagem que acredita estar cercado por pessoas que comem carne humana, pelas quais ele próprio teme ser comido. As últimas linhas são um apelo à mudança:

> Eu acabei de me dar conta de que vivi todos esses anos em um lugar onde há quatro mil anos as pessoas comem carne humana. Meu irmão havia recém-assumido o comando de casa quando nossa irmã morreu e ele pode muito bem ter usado a carne dela em nosso arroz e outros pratos, nos fazendo comê-la involuntariamente.
> É possível que eu tenha comido vários pedaços da carne de minha irmã sem saber, e agora é a minha vez...
> Como pode um homem como eu, depois de uma história de quatro mil anos de comer carne humana – ainda que eu não soubesse nada a princípio –, ter esperança de encarar homens de verdade?
> Será que ainda existem crianças que não comeram homens?
> Salvem as crianças...[11]

A maior parte da produção de Lu Xun é formada por contos e seu mais longo trabalho é *A verdadeira história de Ah Q*, considerada por muitos como sua obra-prima. Publicado em capítulos entre dezembro de 1921 e fevereiro de 1922, o livro narra as desventuras de um pobre chinês de origem rural.

Como vários escritores da Revolução Literária, Lu Xun se engajou em atividades políticas e foi um dos cofundadores da Liga Chinesa de Escritores de Esquerda de Xangai, em 1927. Apesar de nunca ter se filiado ao Partido Comunista, Lu Xun era publicamente simpático ao movimento, que considerava o único capaz de unificar a China. O escritor morreu em 1936, antes da vitória dos liderados de Mao Tsé-tung, mas foi transformado em um herói cultural da República Popular da China fundada em 1949.

O movimento de renovação atingiu todos os campos da produção literária e os três grandes romances "modernos" da China surgiram na década de 1930: *O garoto do riquixá*, de Lao She (1899-1966), *Meia-noite*, de Mao Tun (1896-1981), e *A família*, de Ba Jin (1904-2005).[12] Todos tiveram amplo contato com obras estrangeiras, por meio de traduções ou leitura de originais, algo inédito na China até o início do século passado. Lao She deu aulas na Universidade de Londres de 1924 a 1929 e foi um ávido leitor de autores ingleses. A literatura francesa e os escritores do Iluminismo influenciaram Ba Jin (ou Pa Chin), que viveu em Paris nos anos 1927 e 1928. Mao Tun não deixou a China, mas estudou literatura ocidental e inglês na Universidade de Pequim.

A família, de Ba Jin, questiona os valores tradicionais que orientaram as relações dentro das famílias chinesas e foi extremamente popular entre os jovens da época. A trama apresenta três irmãos que reagem de maneiras distintas à tirania paterna.

Conhecido entre os leitores de língua inglesa desde a década de 1940, *O garoto do riquixá* apresenta a adversidade enfrentada por um homem que decide "vender sua força" e puxar riquixás nas ruas de Pequim. *Meia-noite* gira em torno de um industrial de Xangai em tempos de crise e apresenta o mundo de trabalhadores têxteis, da Bolsa de Valores, da corrupção política e de estudantes revolucionários.

A renovação na poesia se deu por meio do movimento *Novo Verso*, que teve como principais representantes Xu Zhimo (1897-1931) e Wen Yiduo (1899-1946), ambos influenciados pela poesia ocidental. Xu viveu nos Estados Unidos e em Cambridge, na Inglaterra, enquanto Wen estudou literatura e artes no Instituto de Artes de Chicago. Apesar das inovações que empreenderam, ambos mantiveram fidelidade à rima e à métrica regular.[13] Experimentos mais radicais seriam empreendidos por Ai Qing (1910-1996), um dos grandes poetas modernistas chineses, que estudou em Paris entre 1929 e 1932.

Quase todos os escritores que participaram da Revolução Literária também se engajaram na resistência contra a invasão japonesa e tiveram alguma forma de participação no movimento que levou à vitória dos comunistas em 1949. Mesmo com credenciais revolucionárias, muitos viriam a padecer sob a crescente radicalização do regime, que chegou ao ápice na Revolução Cultural (1966-1976).

Depois de ocupar cargos no governo e escrever peças que se conformavam aos novos padrões ideológicos, Lao She foi denunciado pelos Guardas Vermelhos e levado ao suicídio em 1966. Ai Qing amargou anos de trabalhos forçados na distante província de Xinjiang, enquanto Bai Jing foi duramente perseguido e viu sua mulher morrer por ter-lhe sido negada assistência médica.

Depois da Revolução Comunista, a criação artística se transformou em uma função do Estado, que nacionalizou todos os veículos de produção cultural e passou a definir os critérios que seriam aceitos a partir de então.

AS BRECHAS DA CENSURA

O processo de reforma e abertura econômica iniciado em 1978 ampliou a liberdade de criação literária no país, depois de três décadas de absoluta submissão dos escritores à arte engajada e revolucionária. Apesar da mudança, a censura continua a ser exercida e a crítica aberta ao Partido Comunista ou a defesa de temas que contrariam os interesses de Pequim são pouco toleradas.

Talvez o que revele de maneira gritante os atuais limites de criação seja o fato de que poucos sabem, dentro do país, que Gao Xinjiang (1940-) ganhou o Prêmio Nobel de Literatura em 2000, o único entregue até hoje a um chinês. Vivendo na França desde 1987, Gao teve todos os seus trabalhos proibidos na China em 1989, quando publicou a peça *Fugitivos*, que faz alusão ao massacre de estudantes na Praça da Paz Celestial, em Pequim. O escritor obteve cidadania francesa e é visto como uma espécie de desertor pelo Partido Comunista.

Dramaturgo, poeta e pintor, Gao foi influenciado pelo teatro do absurdo de Eugène Ionesco (1909-1994) e Samuel Beckett (1906-1989) e algumas de suas peças, como *Parada de ônibus*, de 1983, foram um estrondoso sucesso em Pequim. Logo depois, ela foi proibida e classificada como "a mais perniciosa peça" escrita desde a fundação da República Popular da China. A publicação da peça *A outra margem*, em 1986, levou o governo a banir a montagem de todos os seus dramas no país.

A obra que o consagrou internacionalmente é o romance *A montanha da alma*, publicado em 1990 na ilha de Taiwan. Grande parte do livro foi construída a partir das experiências vividas pelo escritor depois de ser erroneamente diagnosticado com um câncer terminal, o que o levou a uma caminhada de dez meses pelas margens do rio Yangtzé, desde sua nascente, no extremo oeste chinês, até o mar.

Misto de memória e ficção, *A montanha da alma* é uma história de busca espiritual, que se passa na imensa zona rural da China, na qual há encontros com o passado, a vida de minorias étnicas e testemunhos da devastação provocada pela Revolução Cultural (1966-1977). No anúncio do prêmio a Gao Xinjiang, a academia sueca justificou da seguinte forma a escolha:

> Seu grande romance, *A montanha da alma*, é uma daquelas criações literárias singulares, que parecem impossíveis de comparar com nada mais além delas próprias. Ela é baseada em impressões de viagens a locais remotos no sul e do sudoeste da China, onde a feitiçaria ainda sobrevive, onde baladas e lendas sobre bandidos ainda são contadas como verdadeiras e onde é possível encontrar representantes da antiga sabedoria taoísta.[14]

Gao continua a viver na França e diz ter cortado todos os laços com a China.

Outra escritora chinesa que ganhou celebridade internacional, mas é banida na China, é Jung Chang (1952-), autora do *best-seller Cisnes selvagens* e da devastadora biografia de Mao Tsé-tung *Mao: a história desconhecida*, escrita em parceria com seu marido, Jon Halliday, e que vendeu milhões de cópias em todo o mundo. Ambos são raros exemplos de obras chinesas traduzidas para o português e editadas no Brasil. Autobiográfico, *Cisnes selvagens* narra a saga de três gerações de mulheres na turbulenta China do século XX e mescla suas trajetórias pessoais com a narrativa de fatos históricos. Mesmo proibido na China, o livro pode ser encontrado em cópias piratas vendidas fora dos canais tradicionais. Jung Chang vive na Inglaterra, mas viaja com regularidade para seu país natal.

Apesar da severidade da censura, muitas obras com tom crítico ganham aprovação oficial e conseguem ser publicadas no país. O caso mais surpreendente é *O totem do lobo*, de Jiang Rong, um dos maiores *best-sellers* de todos os tempos na China, que vendeu milhões de cópias desde sua publicação, em 2004. O livro é narrado por um estudante enviado para ser "reeducado" na zona rural na Mongólia Interior em 1967, durante da Revolução Cultural.

O tema central da obra é o paralelo entre as culturas dos mongóis da estepe e a dos hans, a etnia majoritária do país e que governa as demais. O autor celebra a liberdade e a individualidade dos mongóis, simbolizados pelo lobo, ao mesmo tempo em que critica a natureza autocrática da civilização chinesa. Jiang Rong é um pseudônimo e a verdadeira identidade do escritor só foi revelada em novembro de 2007, quando ele ganhou o primeiro Man Asia Literary Prize, de Hong Kong. O autor de *O totem do lobo* é Lu Jiamin (1946-), um dissidente que passou 18 meses na prisão por sua participação nos protestos pró-democracia realizados na Praça da Paz Celestial em 1989. Lu não pôde receber o prêmio porque as autoridades chinesas se recusaram a lhe dar um passaporte.

Em entrevista concedida em junho de 2008, o escritor afirmou que sua obra é um ataque às fraquezas do caráter nacional chinês. "No meu livro, eu comparo os chineses hans a carneiros. Carneiros sempre têm medo de liberdade. À diferença do lobo, que vaga livremente, os carneiros precisam de abrigo e proteção. São como gado", declarou.[15]

Como muitos autores da China, Mo Yan (1955-) tem uma vida que parece saída da ficção. Nascido em uma família de camponeses pobres, ele deixou a escola aos 11 anos, durante a Revolução Cultural, e foi trabalhar na terra. No fim da adolescência, foi operário em uma fábrica e aos 20 anos entrou para o Exército de Libertação Popular. Mo Yan começou a escrever em 1981 e estudou Literatura na Academia de Artes do Exército entre 1984 e 1986, ano em que publicou *Sorgo vermelho*. A obra serviu de base para o filme de estreia de Zhang Yimou, vencedor do Urso de Ouro em Berlim em 1988, o que transformou o cineasta em celebridade e deu projeção ao escritor

O verdadeiro nome do autor é Guan Moye e ele diz ter escolhido o pseudônimo de Mo Yan – que significa "não fale" – em uma tentativa de temperar a franqueza que o caracterizou desde a infância. Frequentemente citado como candidato ao Nobel de Literatura, Mo Yan é influenciado por dois vencedores do prêmio, o norte-americano William Faulkner e colombiano Gabriel García Márquez. Em 1995, ele publicou *Grandes peitos e ancas largas*, que narra a saga da família Shangguan pela história chinesa do século XX. Ambientado na mítica Gaomi e marcado pela dureza da vida rural, o livro é considerado pelo autor uma de suas criações mais ricas. "Se você quiser, você pode pular meus outros romances, mas tem que ler *Grandes peitos e ancas largas*. Nele,

Feira de livros em Xangai. Como todos os aspectos da economia chinesa, as cifras do mercado editorial são espantosas. Em 2007, foram vendidas 6,29 bilhões de cópias, o que dá uma média de cinco livros por habitante. A estatística não inclui o próspero mercado de livros piratas, que existe em toda a China.

eu escrevi sobre história, guerra, política, fome, religião, amor e sexo", disse Mo Yan, de acordo com seu tradutor para o inglês Howard Goldblatt.[16]

A violência explícita, o conteúdo sexual e a insubordinação da obra aos padrões ideológicos comunistas levaram à retirada do livro do mercado, mas ele continuou a circular em cópias piratas. Mo Yan ainda pertencia ao Exército na época da publicação do livro e foi obrigado a escrever uma autocrítica – ele abandonaria a instituição apenas em 1997. Seus contos e romances continuaram a pintar com tons sombrios o Grande Salto Adiante, a Revolução Cultural e muitas das características contemporâneas da sociedade chinesa e, ainda assim, conseguiram sinal verde para publicação. *Criança abandonada* é um ataque à política de filho único e à preferência por meninos, enquanto *Shifu, você fará qualquer coisa por uma risada* satiriza as reformas econômicas e a adesão do país ao empreendedorismo.

Autor de inúmeros *best-sellers* na década de 1990, Wang Shuo (1958-) é um dos principais emblemas culturais da China pós-reforma. Visto como um "corruptor da juventude" pelos conservadores chineses, ele povoa seus livros com personagens do submundo urbano, distantes do modelo de bons cidadãos apreciado pelo governo. Seus heróis são bêbados, jogadores, trapaceiros e irresponsáveis, que vagam em um universo niilista, decadente e violento. A crítica local batizou seu estilo de *hooligan* e o *The New York Times* o considera a versão chinesa do *beatnik* Jack Kerouac.[17]

Irreverente e provocador, o autor também chocou o *establishment* chinês ao declarar abertamente que escreve para ganhar dinheiro, uma heresia em um país onde intelectuais foram vistos ao longo da história como guardiões da ética e da moralidade. Wang Shuo é um daqueles artistas que navegam em diferentes meios e tem uma ampla presença no universo pop chinês. Além de livros, escreveu letras de músicas, séries de TV e roteiros para o cinema e trabalhou como ator e diretor. Suas histórias inspiraram uma dezena de filmes, entre os quais *Love the Hard Way* (2001), baseado no livro *Fogo e gelo* e dirigido pelo alemão Peter Sehr. Transportada para Nova York, a trama conta a relação amorosa entre um trapaceiro interpretado por Andrien Brody e uma romântica estudante de Biologia.

Yu Hua, nascido em 1960, é outro autor que conseguiu aprovação da censura, apesar do tom crítico em relação à história recente do país. Considerado um dos escritores mais influentes de sua geração, Yu Hua começou sua carreira literária em 1993 com a publicação de *Viver*, que narra os dramas enfrentados por uma família desde o período pré-revolucionário até a Revolução Cultural. *Viver* foi adaptado para o cinema por Zhang Yimou em 1994, mas o filme não obteve a aprovação dos censores e até hoje é proibido na China. O livro foi lançado no Brasil em 2008.

O segundo livro de Yu Hua é *Crônicas de um mercador de sangue*, que aborda um dos dramas da zona rural chinesa: o amplo mercado de venda de sangue por camponeses pobres. O personagem principal é Xu Sanguan, que durante as três décadas de domínio da China por Mao Tsé-tung se vale de seu sangue na luta para alimentar sua família.

Não é só a política que move os censores chineses. A moral e os bons costumes também levaram à proibição de livros, o mais célebre dos quais é *Xangai Baby*, da escritora Wei Hui (1973-), publicado em 1993 na China e em 2001 no Brasil. Parcialmente autobiográfico, o livro traça um panorama da juventude urbana chinesa a partir das experiências da garçonete e aspirante a escritora Coco. Triângulos amorosos, a descrição explícita das cenas de sexo e a menção ao uso de drogas levaram o governo chinês a classificar a obra de "decadente" e proibi-la. Mas cópias piratas e a internet se encarregaram de difundir o texto entre os leitores chineses.

HALI BOTE

A rápida ocidentalização não se revela apenas em roupas de grife, carrões, Coca-Cola e KFC. A literatura estrangeira também invadiu as estantes da China, que compra um número crescente de direitos para publicação de títulos de outros países. Como qualquer empresa da face da Terra, as editoras sonham em conquistar uma fatia do mercado de livros que mais cresce e se diversifica em todo o mundo.

Em 2007, a China publicou 248.283 títulos, dos quais apenas 488 em "Marxismo-Leninismo e Pensamento de Mao Tsé-tung" – sim, a categoria existe nas estatísticas oficiais.[18] Os temas líderes em publicações, com 90.419 títulos, foram "Cultura, Ciência, Educação e Esportes". O número de cópias vendidas no país em 2007 atingiu espantosos 6,29 bilhões, quase cinco livros por habitante.

Quando o processo de reforma começou, em 1978, a China estava virtualmente ausente do mercado internacional de direitos autorais. Os primeiros contratos de compra de títulos estrangeiros foram assinados em 1980, e o número explodiu depois de 1992, quando a China assinou a Convenção Internacional de Direitos Autorais. O governo exerce enorme controle sobre a indústria editorial, mas isso não impede que o país compre uma quantidade crescente de títulos estrangeiros, das mais diversas áreas. Criada em 1986, a Feira Internacional de Livros de Pequim já é a quarta maior do mundo e atraiu expositores de 51 países em sua edição de 2008, quando recebeu 200 mil visitantes em cinco dias.

De acordo com dados da Feira de Frankfurt, desde 1998 a Alemanha vende mais direitos autorais para países de língua chinesa do que para qualquer outro. A estatística inclui Hong Kong e Taiwan, mas é a demanda da China continental que realmente tem peso.[19] Em 1999, a China comprou 6.461 licenças de publicação de títulos estrangeiros e vendeu 418 a outros países. Menos de uma década mais tarde, em 2006, os números haviam saltado para 10.950 e 2.050, respectivamente.[20] A pirataria de livros continua a ser praticada amplamente, mas é melhor estar na China e ser copiado do que não estar e ser copiado da mesma maneira.

A invasão de livros estrangeiros apresentou aos chineses as ideias, a cultura e a literatura ocidental e influenciou de maneira decisiva muitos dos escritores da geração dos anos 1980, como Gao Xinjiang e Wang Meng.[21] Ao lado de antologias de clássicos ocidentais, os chineses tiveram nos primeiros anos de abertura um acesso inédito a obras de autores estrangeiros populares, que antes eram banidos, como Sidney Sheldon, ou a histórias de Sherlock Holmes escritas por Arthur Conan Doyle. Observa Shuyu Kong, no livro *Consuming Literature: Best Sellers and the Commercialization of Literary Production in Contemporary China*, que:

Chineses em livraria do centro de Pequim, diante de estante com livros de autores estrangeiros. A da direita traz títulos sobre o presidente dos Estados Unidos, Barack Obama. Na da esquerda, há livros sobre o ex-presidente do Federal Reserve Alan Greenspan e o megainvestidor Warren Buffett.

> Esse tipo de livro se tornou extremamente popular, alguns deles vendendo milhões de cópias. Com a China finalmente se abrindo para o mundo exterior depois de várias décadas de isolamento, as pessoas comuns estavam extremamente curiosas em relação a tudo o que fosse estrangeiro.[22]

A lista dos livros mais vendidos no país traz inúmeros nomes familiares aos leitores ocidentais. Como em quase todo o mundo, Harry Potter é um fenômeno entre as crianças e adolescentes do antigo Império do Meio desde o ano 2000, quando os primeiros três títulos da série foram lançados em uma caixa que vendeu 415 mil cópias em menos de dez meses. As seis primeiras aventuras do bruxinho que é chamado localmente de Hali Bote venderam mais de 10 milhões de cópias na China.[23] O último livro da série da britânica J. K. Rowling foi lançado com uma primeira edição de 1,1 milhão de cópias, a maior já registrada no país.

Em uma inusitada "aliança" com o Vaticano, o governo de Pequim proibiu o filme *O código Da Vinci* na China, mas o livro de Dan Brown pôde ser vendido livremente e se tornou um *best-seller*. *As pontes de Madison*, de Robert Waller, vendeu seiscentos mil exemplares entre 1994 e 1996.

Em outro fenômeno que tem paralelo no Ocidente, temas relacionados à saúde, bem-estar e forma física frequentam a lista dos mais vendidos, ao lado dos que tentam ensinar os leitores a ganhar dinheiro, investir na Bolsa de Valores e ser bem-sucedido na carreira e nos negócios. Autoajuda também tem espaço garantido e *Homens são de Marte, mulheres são de Vênus* é um dos títulos de sucesso no país.

Fiéis ao milenar apego à história e ao passado, os chineses continuam a ler com avidez obras de não ficção sobre o período imperial. Um dos casos de maior sucesso em 2008 foram dois livros do historiador Yi Zhongtian sobre o Período dos Três Reinos (220-265), quando houve a desagregação do poder central depois da queda da dinastina Han. Outro *best-seller* é *Relatos da dinastia Ming*, uma releitura pop da última dinastia comandada pelos chineses hans e que foi originalmente colocada na internet por seu autor, Shi Yue. O passado ainda garantiu o sucesso de outro *best-seller* mencionado anteriormente, *Reflexões de Yu Dan sobre Os analectos*, que transformou sua autora em celebridade.

Em meio à explosão de consumo, individualismo e culto ao hedonismo entre os emergentes, a defesa de um modo de vida estóico ganhou espaço em 2008 por meio da venda do livro *Meditações*, do imperador romano Marco Aurélio (121-180), que se tornou um *best-seller* com a ajuda do primeiro-ministro Wen Jiabao. O líder chinês disse em uma entrevista concedida em 2007 que *Meditações* era seu livro de cabeceira e que já o havia lido cem vezes. Foi a senha para editoras chinesas lançarem diversas versões do clássico, incluindo uma para adolescentes, todas com o mesmo *slogan* na capa: "Um livro que o primeiro-ministro Wen Jiabao lê todos os dias."[24]

O líder chinês justificou a preferência por Marco Aurélio em um trecho de entrevista que concedeu à CNN em setembro de 2008: "Eu valorizo muito a moralidade e acredito que empresários, economistas e homens de Estado devem prestar muito mais atenção à moralidade e à ética. Em minha mente, o mais alto parâmetro para medir a ética e a moralidade é a justiça."[25] Não é apenas para Confúcio que os dirigentes chineses têm olhado...

O TEATRO CANTADO

Até o começo do século XX, quando o país começou a ser influenciado culturalmente pelo Ocidente, a forma por excelência do teatro chinês era a ópera. Não existe na dramaturgia tradicional a ideia de uma peça formada apenas por texto e os espetáculos costumam mesclar música, poesia, dança, acrobacia e artes marciais. Ao

Ator durante apresentação da Ópera de Pequim na capital do país. A clássica dramaturgia chinesa não contempla o teatro meramente falado e é uma mescla de música, canto, dança, acrobacias e artes marciais. Tudo é extremamente estilizado e a maquiagem carregada revela a identidade dos personagens.

longo da história imperial, inúmeros estilos teatrais se desenvolveram em diferentes regiões da China e a primeira trupe "oficial" de ópera foi criada na dinastia Tang pelo imperador Xuanzong (685-762), que batizou o grupo de "O Jardim das Pêras".

Quase 400 formas regionais de ópera continuam a existir até os dias de hoje, mas a que se transformou em sinônimo da dramaturgia chinesa é a Ópera de Pequim, cujas características foram definidas no fim do século XVIII. Com tramas surpreendentes, uso de instrumentos de percussão e exuberante guarda-roupa, a escola tinha um caráter extremamente popular, que a diferenciava da cada vez mais elitizada Ópera Kunqu, que teve seu auge entre os séculos XVI e XVIII.

A Ópera de Pequim possui regras estritas sobre atuação e montagem e apresenta dramas históricos, que falam dos momentos de turbulência ou prosperidade do Império, discutem os dilemas dos mandarins e tratam dos vínculos de lealdade dos heróis na sociedade confuciana. A trama muda, mas os personagens são sempre os mesmos, identificados pelo figurino e a exagerada maquiagem, que revela a posição social e a natureza da alma de cada um deles. Os atores são treinados desde cedo para interpretar sempre o mesmo personagem, nos quais se tornam especialistas.

Os tipos básicos são quatro: o homem (*sheng*), a mulher (*dan*), o homem de rosto pintado (*jing*, que normalmente tem uma personalidade forte e expansiva) e o palhaço (*chou*). Esses quatro personagens podem ser subdivididos de acordo com idade, *status* social, habilidades e educação e dar origem ao homem velho ou de meia idade, ao homem que luta artes marciais, à mulher casta e tradicional ou à jovem coquete, por exemplo.[26]

O contato com o modelo teatral do Ocidente levou um grupo de chineses a tentar desenvolver uma forma semelhante de dramas falados, mas na Ópera de Pequim o efeito foi o oposto, com a exacerbação de suas características. O principal responsável por esse movimento foi o autor Qi Runshan (1877-1962), que escreveu e montou inúmeros espetáculos em parceria com Mei Lanfang (1894-1961), o maior ator da Ópera de Pequim de todos os tempos. "Ele dedicou sua vida à pesquisa meticulosa de todos os aspectos da Ópera de Pequim e resumiu a essência de sua arte em quatro frases centrais: todo som deveria ser cantado, todo movimento deveria ser dançado, nenhum objeto real deveria ser utilizado e nenhuma ação deveria imitar a realidade", lembra Wilt L. Idema, professor de Literatura Chinesa da Universidade Harvard.[27]

O realismo está totalmente fora do repertório da Ópera de Pequim e a pobreza do cenário é compensada pela exuberância na caracterização dos personagens e pelas estritas convenções relacionadas a seus gestos. Andar em amplos círculos representa uma longa viagem e o ato de cavalgar é simbolizado pela expressão corporal e um chicote na mão do personagem.

A elaborada maquiagem segue regras predeterminadas e há uma simbologia na escolha das cores espalhadas na face de cada ator. O vermelho indica lealdade e coragem; o preto, um caráter rude e íntegro; o branco, astúcia e deslealdade; enquanto o azul revela bravura e orgulho. Além do caráter, os desenhos no rosto também indicam a identidade do personagem. Os eunucos, por exemplo, são caracterizados por bocas pequenas e olhos de extremidades pontudas.

O figurino é igualmente exagerado, com trajes compridos, coloridos, normalmente dotados de mangas amplas e longas, cujo movimento é semelhante ao da água. As cores dos trajes também são dotadas de significado. O amarelo é utilizado pelo imperador e sua família, enquanto o azul é destinado a funcionários públicos de baixo escalão e o branco, a homens jovens. A música é executada ao vivo por uma orquestra e também tem a função de indicar a emoção predominante em cada cena, marcar a entrada de personagens e acompanhar as árias principais.

O prestígio de Mei Lanfang como ator da Ópera de Pequim foi conquistado na interpretação de personagens femininos, algo comum na dinastia Qing, que proibiu a presença de mulheres nas trupes teatrais. No filme *Adeus minha concubina*, de Chen Kaige, o personagem de Leslie Cheung, é um ator da Ópera de Pequim que só representa personagens femininos. O mesmo diretor lançou em 2008 um filme baseado na vida de Mei Lanfang, que em inglês ganhou o título de *Forever Enthralled*.

Mei Lanfang nasceu em uma família de atores e começou a representar aos 10 anos. O artista construiu um estilo próprio e foi o primeiro a levar a Ópera de Pequim a outros países, em *tours* pelo Japão, Estados Unidos e a antiga União Soviética. Além do repertório da Ópera de Pequim, ele interpretou peças da tradição Kunqu, a mais célebre das quais é *O pavilhão das peônias*, composta por Tang Xianzu (1550-1616) durante a dinastia Ming e considerada a maior obra da dramaturgia chinesa.

A ópera é frequentemente comparada a *Romeu e Julieta*, de Shakespeare, e narra uma história de amor aparentemente impossível, original por seu conteúdo erótico e o poder da personagem feminina. Mei Lanfang interpretou a heroína da peça, Liniang, a filha de um alto funcionário da corte que adormece em um jardim durante uma tarde de primavera. Em seu sonho, Liniang se encontra com Liu Mengmei, o herói masculino da ópera, que está apaixonado por ela, apesar de ambos não se conhecerem – fato do qual a heroína está consciente em seu próprio sonho. Os dois fazem amor no pavilhão de peônias que dá título à peça e Liniang desperta logo depois que Liu Mengmei parte. Totalmente apaixonada, a heroína definha diante da impossibilidade de encontrar o homem de seu sonho e morre, deixando um autorretrato como testemunho de sua beleza e juventude. Liniang é enterrada no jardim onde teve seu sonho e seu autorretrato é colocado em um santuário em sua memória construído no mesmo local.

Anos mais tarde, Liu Mengmei aluga um quarto no mesmo jardim, em sua viagem à capital para prestar os exames de seleção de funcionários do Império. O aspirante a mandarim se apaixona por Liniang assim que vê seu autorretrato e também a encontra em seu próprio sonho. No mundo subterrâneo, onde habitam os mortos de acordo com a mitologia chinesa, a heroína exige que o deus da morte lhe devolva a vida e retorna à Terra em busca de Liu Mengmei. Quando os dois se encontram, ela o instrui sobre o procedimento para exumar seu corpo e ressuscitá-la, e ambos vão juntos para a capital. Lá se apresentam ao pai da heroína, que se recusa a reconhecê-la como sua filha e acusa Liu Mengmei de ser um impostor. Tudo muda quando saem os resultados do exame de seleção de mandarins e o herói é aprovado no topo da lista. O casal que só havia feito amor em sonhos pode finalmente consumar sua paixão na vida real.

O pavilhão das peônias tem outro elemento que caracteriza o drama chinês: ela é extremamente longa e sua montagem pode se estender durante 12 horas. No passado, muitas das óperas eram apresentadas durante datas festivas ou cerimônias especiais, dividas em vários dias. O público via o espetáculo de maneira intermitente, ao mesmo tempo em que perambulava em meio a outras atrações das festas. Até hoje, há teatros em Pequim que apresentam óperas longuíssimas, em performances realizadas durante três noites seguidas. Ainda assim, para caber nesse espaço de tempo, o número de atos de *O pavilhão das peônias* tem que ser reduzido de 55 para 27.

Como todas as formas de arte tradicionais, a Ópera de Pequim também teve de se submeter à ideologia do Partido Comunista depois de 1949. Dramas que não tinham conteúdo revolucionário foram proibidos e muitas peças tiveram suas tramas modificadas para se adaptarem aos novos tempos. O controle ideológico chegou a seu ápice na Revolução Cultural (1966-1976), quando o repertório teatral do país foi restrito às "oito peças exemplares". Os temas giravam invariavelmente em torno da luta de classes e o combate à opressão – o que incluía a resistência contra os invasores japoneses nos anos 1930 e 1940 e o combate aos nacionalistas na guerra civil.

Apesar de representar uma forma tradicional de arte, Mei Lanfang tinha credenciais revolucionárias aos olhos dos comunistas, por ter se recusado a se apresentar aos japoneses durante a ocupação da China. Depois da Revolução de 1949, o ator assumiu a direção do Teatro da Ópera de Pequim e do Instituto Chinês de Pesquisa em Ópera. Sua morte em 1961 o poupou da quase certa perseguição a que seria submetido na Revolução Cultural.

O *KUNG FU* E SEUS HERÓIS

A longa tradição de artes marciais na China, que remonta ao início de sua civilização, deu origem a um gênero cultural extremamente popular e duradouro, o *wuxia*. O termo se aplica a livros, filmes, histórias em quadrinhos, peças e videogames que têm como personagens principais exímios mestres de *wushu*, o nome utilizado para se referir a todos os tipos de arte marcial praticados no país e muitas vezes usado como sinônimo de *kung fu*, apesar de ter um sentido mais amplo.

Os heróis do gênero são cavaleiros errantes, que atuam de maneira solitária ou em grupos unidos por código de lealdade, cujo objetivo final é a realização da justiça. Outra trama que aparece em algumas obras é a do mestre detentor de uma sabedoria milenar que transmite seu conhecimento a um discípulo a princípio inabilidoso, que se transformará em um grande e justo lutador. As histórias normalmente são ambientadas na China imperial e marcadas pela aventura e a fantasia, com descrições detalhadas das lutas e técnicas utilizadas. O estilo tem raízes em inúmeras lendas milenares e o primeiro romance de peso dessa tradição é *Os fora da lei do pântano*, um dos *quatro clássicos* da literatura chinesa. Escrito no século XIV, ele já tem os elementos de ação e os tipos de heróis que caracterizariam o gênero.

A escola moderna de *wuxia* surgiu na primeira metade do século XX, quando também apareceram os primeiros filmes com essa temática, e se desenvolveu na China continental, Taiwan e Hong Kong. Um dos pioneiros foi Wuang Dulu (1909-1977), que escreveu inúmeros romances de artes marciais, entre os quais o que serviu de base para o filme *O tigre e o dragão*, de Ang Lee.

Mas o mais popular escritor de *wuxia* de todos os tempos é Jin Yong (1924-), que vive em Hong Kong desde 1947 e vendeu um número estimado em cem milhões de cópias de livros que têm títulos como *A raposa voadora e a montanha nevada*, *Espada manchada com sangue real*, *O livro e a espada* e *A espada celestial e o sabre do dragão*. Suas histórias foram publicadas em capítulos em jornais de Hong Kong a partir de 1955, mas muitas foram proibidas pelo governo de Pequim, especialmente durante a Revolução Cultural.

Com a abertura econômica, o gênero renasceu com força na China comunista e houve uma explosão de vendas de livros a partir do início dos anos 1980, com os de Jin Yong em primeiro lugar. Todas as suas obras inspiraram filmes que arrastaram legiões de fãs de *wuxia* aos cinemas e os direitos autorais o transformaram em uma das pessoas mais ricas de Hong Kong. Apesar de seu caráter extremamente popular e de entretenimento, a obra de Jin Yong é respeitada por sua qualidade literária e a fidelidade na reconstrução de períodos históricos da China imperial. O autor também escreve livros não ficcionais de história e é professor honorário nas principais universidades chinesas.

Não é apenas em livros e filmes que os chineses cultuam as artes marciais. Milhares de pais continuam a enviar suas crianças para escolas que conciliam o currículo tradicional de ensino com a prática de *wushu*, em um regime de disciplina militar. O centro de aprendizado do *kung fu* é o mítico templo Shaolin, localizado em uma das cinco montanhas sagradas da China, a Song. Os monges guerreiros uniram há cerca de 1,5 mil anos a prática do zen-budismo a das artes marciais, criando um estilo

Estudantes praticam *kung fu* em escola da cidade de Dengfeng, na província de Hunan, onde fica o templo Shaolin. Milhares de pais continuam a enviar seus filhos para a região, onde eles vivem nas escolas em um sistema de internato e conciliam o estudo tradicional com o aprendizado de artes marciais.

único de meditação e de defesa. O estilo desenvolvido no templo originou uma das várias correntes de *wushu* existentes na China, e certamente a que está mais presente na cultura popular, que vê o *kung fu* não só como uma modalidade de luta, mas como um caminho para o controle da mente e a iluminação espiritual.

Em uma descrição mais precisa e menos romântica, o templo Shaolin fica na cidade de Dengfeng, na província de Henan, no centro-leste da China, a sessenta quilômetros de uma das antigas capitais imperiais, Luoyang. O local também foi alvo da onda de devastação provocada pelos Guardas Vermelhos na Revolução Cultural, mas renasceu a partir da abertura econômica do fim dos anos 1970. Ao redor dos monges surgiu uma rede de oitenta escolas de *kung fu*, que possuem cerca de quarenta mil alunos.[28] Andar pelas ruas de Dengfeng é como ser transportado a um cenário de

A arte milenar | 295

Monge do templo budista Shaolin demonstra uma das posições do *kung fu*. A cidade onde o Shaolin está localizado se transformou no principal centro de ensino de artes marciais da China. Há oitenta escolas com cerca de quarenta mil alunos, que aliam o currículo escolar tradicional à pratica de *kung fu*.

filmes de artes marciais, no qual milhares de crianças e adolescentes praticam lutas com movimentos sincronizados.

A mística em torno do templo também se tornou um poderoso instrumento nas mãos de chineses dispostos a seguir a máxima de Deng Xiaoping de que *o enriquecer é glorioso*. O Shaolin se transformou em um centro de peregrinação turística e seu nome inspirou o espetáculo *O espírito de Shaolin*, que em janeiro de 2009 se transformou na primeira montagem da China a aterrissar na Broadway nova-iorquina.

Mas a entrada do templo no imaginário ocidental remonta aos anos 1970, com a série de TV *Kung fu*, um sucesso estrondoso nos Estados Unidos e no Brasil. O personagem principal é Kwai Chang Caine, um mestiço chinês-norte-americano interpretado por David Carradine, que é aceito no Shaolin depois de ficar órfão. Na série, ele é um herói solitário nos Estados Unidos, em um cruzamento de velho oeste com a tradição literária do *wushu*. Os *flashbacks* mostram o seu treinamento no templo, dos quais os momentos mais marcantes se referem à relação com o mestre cego Pô, que o chamava de gafanhoto e personificava o ideal da união entre zen e *kung fu*.

Outra forma mais suave de artes marciais é o *tai chi chuan*, que sincroniza movimentos e respiração, na busca do apaziguamento da mente e fortalecimento do corpo. Sua coreografia lenta ainda é repetida a cada manhã por milhões de pessoas em toda a China, em uma das mais frequentes imagens associadas ao país.

A ESCRITA COMO ARTE

O caráter elaborado da escrita transformou a caligrafia em uma das manifestações artísticas mais antigas e tradicionais da China e dos países onde os caracteres chineses foram adotados, como Japão e Coreia. Templos e palácios de Pequim mantêm painéis de madeira que trazem imensas inscrições feitas pelos próprios imperadores. Nem mesmo o iconoclasta Mao Tsé-tung escapou do apelo do pincel: sua caligrafia é mantida até hoje no título do *Diário do Povo*, o jornal oficial do Partido Comunista, e em textos reproduzidos no Grande Palácio do Povo, onde se reúne a versão chinesa de Parlamento.

Os "quatro tesouros" que não podiam faltar na mesa dos eruditos eram tinta, a pedra para misturá-la, pincel e papel. Cada época teve seus renomados calígrafos e diferentes estilos foram desenvolvidos ao longo da história, alguns mais fluidos e rápidos, outros rígidos e formais. Uma legião de chineses continua a estudar caligrafia nos dias de hoje e é comum ver nas praças e parques pessoas praticando a escrita com enormes pincéis e água. Os caracteres são escritos no chão e desaparecerem na medida em que o calígrafo se distancia dos primeiros traços realizados. Quando o espaço disponível acaba, ele começa de novo.

A arte milenar | 297

Homem pratica caligrafia com água em praça de Pequim. A escrita chinesa é considerada uma forma de arte e é cultivada por milhares de pessoas. A cena retratada na foto se repete todos os dias em vários locais públicos da China. Assim que os traços com água secam, o calígrafo começa a escrever de novo.

Na época imperial, a caligrafia era um dos elementos de avaliação dos que realizavam os exames para o serviço público e havia a convicção de que o estilo dos traços podia revelar o caráter do candidato e sua aptidão – ou não – para o cargo. Ainda hoje, a arte é vista como um reflexo da natureza e do estado de espírito de quem a pratica. "O calígrafo tenta expressar sua personalidade, conhecimento e sentimentos por meio dos caracteres no papel e tenta personificá-los", observa o autor do livro *Chinese Calligraphy*, Chen Tingyou, ele próprio um calígrafo renomado.[29]

A caligrafia é onipresente no cotidiano dos chineses e é encontrada na decoração de casas, lojas e locais públicos. Muitas pessoas colocam nas paredes poemas, frases ou um único caractere enorme, escritos por calígrafos habilidosos. No Ano-Novo chinês, as famílias penduram ao redor da porta de entrada da casa versos que manifestam os mais diferentes tipos de desejos auspiciosos, como saúde, longevidade, riqueza e felicidade. Os que confiam em seu talento os escrevem com sua própria caligrafia, mas um número cada vez maior de pessoas opta por comprar os versos prontos, produzidos em escala industrial.

A concentração exigida pela escrita com pincel transformou a caligrafia em uma forma de meditação apreciada pelos zen-budistas. Em vários templos, incluindo o Zulai, em São Paulo, há aulas de caligrafia, nas quais os estudantes utilizam a técnica para disciplinar a mente e esquecer o mundo exterior.

A pintura clássica chinesa foi influenciada pela caligrafia e é comum que quadros em estilo tradicional tenham espaço para inscrição de poemas pelo próprio pintor ou por um calígrafo. Outra arte com origem na caligrafia é a gravação de caracteres em pedra, que deu origem aos carimbos que funcionavam como assinaturas durante o Império. Os pintores tradicionais manifestam a autoria de seus quadros não com a escrita de seu nome com pincel, mas pela impressão na tela de seu "selo", talhado em pedra.

Os teóricos agrupam a pintura chinesa tradicional em dois grandes grupos, de acordo com a técnica utilizada. O primeiro é a pintura com traços finos e cores fortes, normalmente destinada a retratos de imperadores, altos funcionários do Estado, mulheres ou à narrativa de fatos históricos, feita em longos painéis horizontais. O outro estilo é o mais intrinsecamente chinês e utiliza a técnica do guache, no qual a tinta é diluída em água e os traços são diáfanos. O pintor usa os mesmos instrumentos do calígrafo e os temas sobre os quais discorre são caros ao taoísmo e se inspiram fortemente na natureza: paisagens, pássaros e flores.

Muito antes de os quadros figurativistas serem colocados em xeque pelos modernistas no Ocidente, os chineses já pintavam sem a preocupação de reproduzir fielmente a realidade. Em muitas obras a guache, os traços ganham um caráter quase abstrato, que apenas sugere os contornos do objeto pintado.

O figurativismo na pintura de paisagens foi formalmente repudiado por teóricos da dinastia Song (960-1279), que consideravam desprovida de força e emoção uma obra que fosse mera cópia da realidade. Como na caligrafia, o quadro era considerado um reflexo da alma e do estado de espírito do artista, e sua construção, um método de cultivo de sua personalidade.

Observa o especialista em arte oriental Roger Goepper no livro *The Essence of Chinese Painting*:

> Para nós, ocidentais, que até recentemente ainda exigíamos a fidelidade à natureza como um pré-requisito indispensável em trabalhos de artes visuais, é espantoso ler que há mais de 1,5 mil anos – um período em que a pintura lá ainda estava longe de se descolar da verossimilhança –, dúvidas já eram levantadas na China sobre a exigência de semelhança formal como uma característica indispensável da pintura.[30]

O desprezo pela mera cópia da realidade é revelado de maneira contundente em um verso do poeta Su Tung Po: "Qualquer um que fale sobre pintura em termos de verossimilhança merece estudar com as crianças."[31]

Como todos os aspectos do período imperial, a arte da pintura também foi submetida a uma série de regras estritas, que se perpetuaram ao longo de séculos. O apego à tradição limitou a possibilidade de criação e experimentação e a pintura passou a se resumir à reprodução de temas e técnicas pré-existentes, com o gradual desaparecimento da força e emoção propagada pelos teóricos da dinastia Song.

VOCÊ TEM FOME DE QUÊ?

Depois do rompimento com a tradição realizado no século xx, os artistas plásticos chineses de hoje tentam entender e traduzir um universo em rápida transformação, ao mesmo tempo em que buscam um caminho individual de expressão dentro dos estritos limites da censura chinesa. O massacre da Praça da Paz Celestial levou ao movimento *realismo cínico*, que tem entre seus integrantes Fang Lijun e Yue Minjun, ambos recordistas de preços no mercado internacional. Sem poder expressar livremente a desilusão provocada pela repressão política, os artistas lançaram mão do cinismo, do sarcasmo e do humor para refletir seus sentimentos. O confronto entre o recente passado socialista e o atual culto ao consumismo deu nascimento ao pop político, no qual cartazes de propaganda da Revolução Cultural ganham logomarcas de grandes nomes do capitalismo mundial, de Coca-Cola a Nike.

As artes plásticas são um dos terrenos mais férteis de criação na China de hoje e demarcam um dos poucos "territórios (relativamente) livres" do país. Em Pequim, o principal endereço dos artistas contemporâneos é o Distrito 798, um antigo parque industrial projetado por arquitetos da ex-Alemanha Oriental nos anos 1950. Muitas das fábricas, que faziam equipamentos eletrônicos para o Exército, foram desativadas com o avanço do processo de reforma e abertura econômica.

Os enormes espaços vazios começaram a ser ocupados por artistas no fim dos anos 1990, o que transformou a região em uma versão chinesa do Soho nova-iorquino. Atrás dos artistas, foram galerias, lojas, restaurantes e bares. As antigas fábricas eram identificadas por números e a 798 acabou dando o nome a todo o lugar, por ter sido uma das primeiras a serem transformadas em centro de produção artística. O grau de liberdade é visivelmente maior que no restante de Pequim. É possível ver nus frontais masculinos em fotos dos irmãos Gao – incluindo os dos próprios –, a escultura de um par de seios fellinianos na calçada e a apropriação de ícones do passado comunista pela pop arte. Mas todos sabem que há rígidos limites políticos e é pouco provável que algum artista consiga expor uma obra com a imagem do dalai lama ou a expressão *Free Tibet*. Desafios explícitos à autoridade do Partido Comunista também estão fora de questão.

A cinco quilômetros do 798 há um outra área dedicada à criação artística, mais radical e experimental, chamada Caochangdi. O principal personagem da região é Ai Wei Wei, um dos mais importantes artistas contemporâneos chineses, definido como um verdadeiro renascentista, por ter talento para *design*, arquitetura, esculturas, fotografia, vídeo, pintura e performances. Fundador da galeria China Art Archives and Warehouse, Ai Wei Wei trabalhou como consultor dos arquitetos Jacques Herzog e Pierre de Meuron no desenho do Estádio Olímpico de Pequim e foi dele a ideia de dar à construção o formato de um ninho de pássaros.

Filho do poeta modernista Ai Qing, que passou os anos da Revolução Cultural limpando latrinas na longínqua província de Xinjiang, Ai Wei Wei viveu 12 anos nos Estados Unidos e voltou a Pequim em 1993. A partir de então, teve um papel decisivo como artista, incentivador de movimentos de vanguarda e crítico devastador do regime comunista.

Apesar de sua colaboração com os arquitetos que desenharam o Ninho de Pássaros, em 2007, Ai Wei Wei direcionou suas baterias contra os jogos olímpicos, transformados a seus olhos em um instrumento de propaganda pelo governo de Pequim. "Eu odeio o tipo de sentimento despertado pela promoção ou propaganda... É o tipo de sentimento [que surge] quando você não se prende aos fatos, mas tenta criar alguma coisa, enganar as pessoas e afastá-las de uma verdadeira discussão. Isso não é bom para ninguém", disse Ai Wei Wei um ano antes da Olimpíada.[32] O artista também atacou seus colegas que atuavam na preparação dos espetáculos de abertura e encerramento dos jogos: "Eu não gosto de ninguém que abuse de sua profissão de maneira desavergonhada, que não faz julgamentos morais."[33]

Além do cineasta Zhang Yimou, outro grande nome que atuou na concepção dos shows da Olimpíada foi Cai Guo-Qiang, um dos artistas plásticos contemporâneos da

Quadro de Zhu Da (1626-1705), que nasceu na dinastia Ming, mas chegou à vida adulta na Qing. A pintura se chama "Lótus e pássaro" e mostra um pássaro em uma pedra e, sobre ele, flores de lótus, uma das quais sem pétalas.

Pintado pelo artista da dinastia Ming Xi Wei (1521-1593), o quadro mostra um caranguejo sob folhas de lótus. Dono de um estilo próprio e revolucionário para a época, Xi Wei influenciou várias gerações de artistas. Além de pintor, era dramaturgo e poeta.

China com maior prestígio internacional, a ponto de ter ganhado uma retrospectiva de seu trabalho no museu Guggenheim, em Nova York, na primeira exibição solo da instituição dedicada a um chinês. Com uma longa trajetória no trabalho com pólvora – incluindo a realização de explosões – Cai Guo-Qiang foi responsável pelos fogos de artifício e os efeitos especiais dos espetáculos de Pequim.

Praticamente desconhecida no restante do mundo nos anos 1990, a arte contemporânea chinesa viveu um *boom* na década seguinte, alcançando preços recordes em leilões promovidos na Europa e nos Estados Unidos. Até meados de 2008, o *ranking* de preços era liderado por Zeng Fanzhi, nascido em 1964, cuja obra *Série máscaras, 1996, nº 6*, foi vendida em maio por US$ 9,7 milhões, o mais alto preço já pago por uma obra de arte contemporânea asiática. O quadro mostra um grupo de oito jovens de braços dados, que usam máscaras sorridentes e lenços vermelhos no pescoço, típicos da Revolução Cultural.

O figurativista Liu Xiaodong é o pintor que estabeleceu um novo patamar de preço para a arte chinesa em 2006, quando seu quadro *Pessoas recentemente deslocadas* foi vendido por US$ 2,7 milhões. A pintura faz parte de uma série que retrata o impacto humano da construção de Três Gargantas, a maior hidrelétrica do mundo, que alagou uma extensão de terra de seiscentos quilômetros e forçou a mudança para outros lugares de pelo menos 1,4 milhão de chineses.

O artista que melhor retrata a meteórica ascensão da arte contemporânea chinesa é Yue Minjun e sua obra *Execução*, inspirada no massacre de estudantes na Praça da Paz Celestial, em 1989. Yue pintou o quadro em 1995 e o vendeu por US$ 5 mil ao *marchand* de Hong Kong Manfred Schoeni. No ano seguinte, o investidor Trevor Simon pagou US$ 32 mil pela obra e a deixou guardada por dez anos. Quando ela finalmente foi leiloada, em outubro 2007, alcançou a cifra de US$ 5,9 milhões, o mais alto valor pago por uma obra de arte contemporânea chinesa até então.

As obras de Yue são facilmente reconhecíveis: em todas está o mesmo homem careca com sorriso imenso, que é um autorretrato do artista. *Execução* mostra quatro homens sorridentes de cueca em frente a um batalhão de fuzilamento no qual os soldados fazem o gesto de segurar uma arma, mas têm as mãos vazias.

Apesar de não liderar o *ranking* de preços, o preferido dos colecionadores internacionais é Zhang Xiaogang, que pinta quadros melancólicos inspirados na estética das fotos de família do início do século xx. Sua obra também é inconfundível e mostra personagens de olhos grandes e expressão triste, que trazem em suas roupas referências ao recente passado socialista do país – um lenço vermelho, uma roupa militar, o terno de Mao ou o uniforme dos Guardas Vermelhos.

Área industrial que fabricava equipamentos para o Exército, a Fábrica 798 se transformou no equivalente chinês do Soho nova-iorquino. Os prédios de antigas estatais foram ocupados por artistas, galerias, restaurantes e bares, enquanto *O Livro vermelho de Mao* e o realismo socialista se transformaram em objetos da arte pop.

O CINEMA CHINÊS

Com seu potencial para atingir o grande público, o cinema sofre uma interferência muito mais direta dos censores, que têm poder de vetar roteiros, proibir a exibição de filmes e punir cineastas com a suspensão de suas filmagens por períodos determinados. Mesmo com as restrições, os diretores chineses produziram obras que ganharam aclamação mundial a partir do fim dos anos 1980.

O grupo responsável pela explosão criativa no cinema nacional depois das décadas de controle do maoísmo foi a chamada "quinta geração" de diretores, a primeira a se formar após o fim da Revolução Cultural e que tem como maiores estrelas Zhang Yimou e Chen Kaige, ambos graduados pela Academia de Cinema de Pequim em 1982.

Essa geração abandonou o realismo socialista e o teor propagandístico que haviam dominado a produção artística nas três primeiras décadas de comunismo e criou uma nova linguagem para o cinema chinês. Seu reconhecimento internacional teve início com *Sorgo vermelho*, que marcou a estreia na direção de Zhang Yimou e, nas telas, de Gong Li, a atriz que estaria presente na maioria de seus trabalhos seguintes. O filme ganhou o Urso de Ouro no Festival de Berlim em 1988 e revelou ao mundo o que viria a ser considerado um dos maiores cineastas chineses de todos os tempos.

Zhang Yimou continuou a conquistar prêmios e indicações em festivais internacionais com *Ju Dou* (1991), *Lanternas vermelhas* (1992), *A história de Qiu Ju* (1992), *Nenhum a menos* (1999) e *Herói* (2002). Seu colega de classe Chen Kaige estreou na direção em 1984 com *Terra amarela*, considerada uma obra seminal da quinta geração de cineastas. Zhang Yimou atuou como diretor de fotografia do filme e estabeleceu um padrão visual exuberante para a sua geração, que se repetiria com sofisticação crescente em seus próprios filmes.

Mas o trabalho que projetou Chen Kaige mundialmente foi *Adeus minha concubina*, vencedor da Palma de Ouro no Festival de Cannes de 1993. O filme conta a trajetória de dois atores da Ópera de Pequim ao longo da turbulenta história chinesa do século XX e o sofrimento que ambos são obrigados a suportar durante a Revolução Cultural (1966-1976). Entre eles, está a cortesã interpretada por Gong Li, a atriz que melhor representou as heroínas dos filmes da quinta geração. *Adeus minha concubina* também foi um acerto de contas de Chen Kaige com seu próprio passado. Durante a Revolução Cultural, o cineasta se tornou um Guarda Vermelho e, como muitos outros, denunciou o próprio pai, o diretor Chen Huaiai, que havia realizado vários filmes populares nos anos 1950 e início dos 1960. Em razão do seu ato, Chen Huaiai passou os dez anos seguintes na prisão.

Adeus minha concubina se tornou o mais conhecido filme do novo cinema chinês no Ocidente ao lado de *Lanternas vermelhas*, a obra-prima de Zhang Yimou que foi indicada para o Oscar de melhor filme estrangeiro em 1992. *Lanternas vermelhas* retrata as tensões e os conflitos entre concubinas e esposas de um rico homem de meia-idade no início do século passado. Os dois filmes são trágicas reflexões sobre o passado chinês, realizadas a partir das experiências pessoais de personagens complexos, que não se enquadram na dicotomia hollywoodiana do bem contra o mal.

O filme de Zhang Yimou chegou a ser proibido na China por um breve período, porque alguns censores viram no clima claustrofóbico em que viviam as personagens femininas uma alegoria do regime autoritário do Partido Comunista. Outras de suas produções também tiveram problemas com a censura e *Viver* (1994) continua até hoje banido no país. Com o passar dos anos, Zhang Yimou amenizou o conteúdo crítico de seus filmes, se aproximou do Partido Comunista e se transformou no principal tradutor da imagem triunfante da China do século XXI, a ponto de ser o escolhido para dirigir os espetáculos de abertura e encerramento da Olimpíada de Pequim.

A grande guinada da carreira de Zhang Yimou ocorreu em 2002 com *Herói*, um filme de artes marciais visualmente esplendoroso, que justifica o sacrifício individual em nome da unidade da *Grande China*. A ação se passa no período de fragmentação e enfrentamento entre reinos combatentes que antecedeu a ascensão do cruel Qin Shi Huang (259 a.C.-210 a.C.), que se tornaria o primeiro imperador da China unificada. O herói do título abandona o plano de assassinar o tirano em nome da paz e prosperidade que seriam alcançados com sua vitória sobre os demais reinos e paga a decisão com sua própria vida. No fim do filme, um texto relata os feitos de Qin Shi Huang, entre os quais estão a Muralha da China e a unificação do idioma chinês e do sistema de pesos e medidas do país.

Apesar de ambientado há mais de dois mil anos, *Herói* reverberava vários temas atuais e foi interpretado por muitos como uma defesa do regime autoritário do Partido Comunista, que enfrenta resistência a seu comando no Tibete e em Xinjiang e tem a obsessão de reintegrar Taiwan ao território nacional. Com o filme, Zhang Yimou parecia justificar a ideia de que a liberdade deve ser sacrificada em nome do ideal da *Grande China*, próspera e unificada. Apesar da polêmica política, o filme foi um enorme sucesso de crítica e de público e esteve entre os nomeados para o Oscar de melhor filme estrangeiro no ano de 2003.

A exuberância visual continuou na produção seguinte de Zhang Yimou, *O clã das adagas voadoras* (2004), outro filme de artes marciais que faz jus ao desejo do cineasta de ser lembrado por sua originalidade estética. "Se em vinte anos, depois de eu ter feito muitos outros filmes, escreverem uma sentença sobre mim em um livro, eu ficarei satisfeito se disserem: 'O estilo de Zhang Yimou é uma poderosa apresentação visual em um estilo chinês inconfundível'", declarou o diretor em entrevista à revista *Time*.[34]

O cineasta repetiu a fórmula de artes marciais com grandeza visual em 2006 em *A maldição da flor dourada*, a mais cara produção chinesa até então, realizada a um custo de US$ 45 milhões. A estrela do filme é Gong Li, a musa do início da carreira de Zhang Yimou e sua amante durante oito anos, até 1995. *A maldição da flor dourada* é a primeira colaboração entre ambos em 11 anos, mas sua recepção internacional foi bem menos calorosa que a dos filmes dos anos 1990. A produção não conseguiu a indicação para o Oscar de melhor filme estrangeiro de 2006 e foi nomeada apenas para a categoria menor de melhor figurino.

A trilha que levou à união entre diretores de prestígio e o popular e comercial gênero de artes marciais – chamado *wuxia* em chinês – havia sido aberta em 2000 com *O tigre e o dragão*, o estrondoso sucesso dirigido por Ang Lee, o cineasta taiwanês radicado em Nova York. Com orçamento de US$ 15 milhões, o filme arrecadou US$ 128 milhões só nos Estados Unidos e se tornou o lançamento estrangeiro com maior bilheteria da história norte-americana.

Depois de Zhang Yimou, foi a vez de Chen Kaige, de *Adeus minha concubina*, se render à linguagem das artes marciais com *A promessa*, lançado em 2005. Com um custo estimado em pelo menos US$ 35 milhões, o filme foi mais caro que *Herói*, no qual foram gastos US$ 31 milhões. Mas, ao contrário de seus dois antecessores, *A promessa* foi um fracasso, dentro e fora da China.

Enquanto a quinta geração de cineastas se aproximava do poder e cultuava um dos mais tradicionais estilos artísticos da China em caras superproduções, a sexta geração tentava se expressar às margens do sistema oficial. Formados no início dos anos 1990, os novos diretores se diferenciavam de maneira radical de seus antecessores, com filmes realistas, visualmente áridos e que refletiam dramas atuais da China em mutação. Para fugir do controle e da censura, muitos optaram por fazer filmes independentes e forçosamente baratos, enviados para festivais estrangeiros de maneira clandestina.

A expressão "independente" se refere a produções realizadas fora dos estúdios estatais, que funcionam como poderosos instrumentos de controle da criação artística, já que têm o poder de vetar roteiros, interferir na edição e definir a distribuição dos títulos. O preço a pagar é o veto à exibição do filme dentro da China e a eventual punição pelo governo, que quase sempre é a proibição de realizar novos filmes por um período determinado.

O marco inicial dessa nova fase foi *Mama* (1990), do diretor Zhang Yuan, considerado o primeiro filme independente realizado na China desde a Revolução Comunista de 1949. Tendo como personagens principais a mãe do título e seu filho deficiente mental, *Mama* estabeleceu muitos dos traços que marcariam a sua geração: o estilo semidocumental, a utilização de atores amadores, as longas tomadas e o baixo custo. Zhang Yuan também realizou o primeiro filme com temática explicitamente gay da China comunista, *Palácio do leste, palácio do oeste* (1997), banido até hoje pelos censores.

Mas o grande representante da sexta geração seria Jia Zhang-ke, o diretor que relata o drama dos chineses comuns engolfados pela rápida transformação do país. Nascido em 1970 e formado pela Academia de Cinema de Pequim, Jia Zhang-ke estreou na direção em 1997 com *Pickpocket*, um filme independente de US$ 50 mil financiado com a ajuda de um produtor de Hong Kong. O personagem principal é um batedor de carteira no interior da China que se recusa a seguir o caminho de seus antigos comparsas, que prosperaram com a exploração do tráfico de cigarros, graças às boas relações que mantêm com policiais corruptos.

Seu filme seguinte, *Plataforma* (2000), relata as transformações vividas por uma trupe teatral durante os primeiros vinte anos do processo de reforma e abertura da China. O filme começa no fim dos anos 1970, quando o grupo se dedicava a realizar produções de propaganda do regime comunista, e termina no início da década de 1990, quando a trupe havia se transformado em uma banda de rock. A trajetória pessoal dos românticos maoístas dos anos 1970 em direção à ocidentalização, o consumismo e o sonho de prosperidade material é relatada com uma boa dose de melancolia e desencanto.

Depois de três filmes independentes, Jia Zhang-ke se rendeu à pressão oficial para produzir seus títulos dentro do sistema de estúdios, mas isso não amenizou a agudeza de seu olhar crítico nem o sentimento de deslocamento de seus personagens em meio à vertiginosa transformação da China. A passagem de diretores independentes para o modelo de produção comercial também se deveu a mudanças dentro do sistema, com a permissão para que estúdios privados passassem a financiar filmes sem precisar estar associados a estúdios estatais.[35]

O primeiro trabalho de Jia Zhang-ke realizado dentro do modelo oficial foi *O mundo*, filmado no parque que leva o mesmo nome localizado em Pequim e onde estão reproduzidos célebres monumentos históricos globais, entre os quais a Torre Eiffel, o Coliseu, o Parlamento londrino, as estátuas da Ilha de Páscoa e o Taj Mahal. Os personagens principais são migrantes que vão à capital em busca de uma vida melhor e são confrontados com os dramas provocados pela rápida mudança e a globalização econômica.

A consagração internacional veio em 2006 com *Still Life – Em busca da vida*, realizado em conjunto pela produtora do diretor, Xstreme Movies, e o estatal Shanghai Film Studio. A percepção de deslocamento é levada ao extremo com a trama de dois migrantes que buscam seus respectivos cônjuges perdidos em uma cidade que logo deixará de existir em razão da elevação do nível do rio Yangtzé provocado pela construção da hidrelétrica de Três Gargantas. *Still Life* ganhou o Leão de Ouro no Festival de Cinema de Veneza de 2006 e foi exibido na Mostra Internacional de Cinema de São Paulo no ano seguinte.

Outro integrante da sexta geração também formado pela Academia de Cinema de Pequim é Luo Ye, que em 2006 foi proibido de filmar por um período de cinco anos por ter enviado *Summer Palace* ao Festival de Cannes sem autorização do governo chinês. Ambientado no sensível período das manifestações de estudantes na Praça da Paz Celestial, em 1989, o filme está proibido na China por seu conteúdo político e sexual. Lou Ye já havia sido punido em 2000 por realizar *Suzhou River*, um filme *noir* com forte inspiração em Alfred Hitchcock e interpretado por Zhou Xun, uma das estrelas da nova geração de atrizes.

A China também tem seu grande diretor comercial, Feng Xiaogang, cujos filmes sempre frequentam a lista das maiores bilheterias nos anos em que são lançados. O cineasta é o mestre do entretenimento e o mais bem-sucedido na realização de "filmes de celebração de Ano-Novo". Feng Xiaogang já transitou pelos mais variados gêneros, entre os quais a comédia de costumes (*O celular*, 2003), o cinema de ação (*Um mundo sem ladrões*, 2004), o filme de artes marciais (*O banquete*, 2006) e a narração de guerra (*Assembleia*, 2007).

Entrada da Academia de Cinema de Pequim, a mais importante da Ásia. Fundada em 1950, ela formou alguns dos principais diretores de cinema do país, como Zhang Yimou, Chen Kaige e Jia Zhang-ke. Os dois primeiros integram a chamada quinta geração de cineastas chineses, enquanto o terceiro faz parte da sexta geração.

A exibição de filmes estrangeiros na China está sujeita à censura e a uma cota anual que gira em torno de vinte lançamentos por ano. Normalmente, o que chega aos cinemas são os *blockbusters* hollywoodianos, com exceção dos muitos violentos, eróticos ou de conteúdo político "sensível". Na última categoria estão *Kundun*, o filme de Martin Scorcese sobre a vida do dalai lama, e *Sete anos no Tibete*, em que Jean-Jacques Annaud dirigiu Brad Pitt no papel do austríaco Heinrich Harrer e sua aventura no Tibete durante a Segunda Guerra Mundial. Entre os filmes violentos vetados pelos chineses está *300*, que tem o brasileiro Rodrigo Santoro no elenco. E *Sex and the City* também foi proibido, por ter muito sexo, aos olhos dos censores de Pequim, mas é possível encontrar cópias piratas a US$ 2,5 em qualquer loja de DVD da cidade.

NOTAS

1. Cao Xueqin, Dream of Red Mansion, Beijing, Foreign Language Press, 2003.
2. Cyril Birch, Anthology of Chinese Literature: From the Fourteenth Century to the Present Day, New York, Grove Press, 1972, p. xxv.
3. Idem.
4. Na tradução para o inglês de Arthur Waley (em *More Translations from the Chinese*, New York, Alfred A. Knopf, 1919, p. 27, disponível em <http://www.gutenberg.org/files/16500/16500-h/16500-h.htm>, acesso em 31 de março de 2009), há uma nota que indica que "Cloudy River/Rio Nebuloso" significa "Via Láctea". A versão do inglês para o português é minha.
5. David Young, Five Tang Poets: Wang Wei, Li Po, Tu Fu, Li Ho, Li Shang-Yin, Ohio, Oberlin College Press, 1990.
6. Burton Watson, The Selected Poems of Du Fu, New York, Columbia University Press, 2002, p. xviii e xix.
7. Cyril Birch, op. cit., p. xviii.
8. Lu Hsun, Selected Stories of Lu Hsun, *Beijing*, Foreign Languages Press, 1972, p. 11.
9. Idem.
10. Idem, p. 11.
11. Idem, p. 30.
12. Cyril Birch, op. cit.
13. Idem.
14. Disponível em <http://nobelprize.org/nobel_prizes/literature/laureates/2000/press.html>, acesso em 29 de março de 2009.
15. Entrevista a Antoaneta Bezlova, IPS – Inter Press Service, 6 jun. 2008, disponível em <http://www.ipsnews.net/news.asp?idnews=42686>, acesso em 29 de março de 2009.
16. Jonathan Yardley, "Big Breasts and Wide Hips", em Washington Post, 28 nov. 2004, disponível em <http://www.washingtonpost.com/wp-dyn/articles/A11857-2004Nov25.html>, acesso em 29 de março de 2009.
17. Sheryl WuDunn, "The Word From China's Kerouac: The Communists Are Uncool", em The New York Times, 10 jan. 1993.
18. China Statistical Yearbook 2008, Beijing, China Statistics Press, 2008.
19. Cf. em <http://www.book-fair.com/en/networking/search_find/book_markets/asia/china/networking/suchen_finden/buchmaerkte/asien/china/00005/index.html>, acesso em 29 de março de 2009.
20. Cf. em <http://www.buchmesse.de/imperia/celum/documents/06_About_the_publishing_industry_in_China_11011.pdf>, acesso em 29 de março de 2009.
21. Shuyu Kong, Consuming Literature: Best Sellers and the Commercialization of Literary Production in Contemporary China, Stanford, Stanford University Press, 2005.
22. Idem, p. 125.
23. "Chinese 'Muggles' Meet Harry Potter Together with the World, em China Daily, 21 jul. 2007.
24. Raymond Zhou, "Studying the 'Wen effect'", em China Daily, 01 dez. 2008.
25. Entrevista a Fareed Zakaria, transmitida em 28 set. 08 pela rede de TV CNN, disponível em <http://transcripts.cnn.com/TRANSCRIPTS/0809/28/fzgps.01.html>, acesso em 29 de março de 2009.
26. Victor H. Mair (org.), The Columbia History of Chinese Literature, New York, Columbia University Press, 2001.
27. Idem, p. 845.
28. Cláudia Trevisan, China: o renascimento do império, São Paulo, Planeta, 2006.
29. Chen Tingyou, Chinese Calligraphy, Beijing, China Intercontinental Press, 2003.
30. Roger Goepper, The Essence of Chinese Painting, Boston, Boston Book and Art Shop, 1963, p. 12.
31. Citado por Roger Goepper, em The Essence of Chinese Painting, Boston, Boston Book and Art Shop, 1963, p. 12.
32. Jonathan Watts, "Olympic Artist Attacks China's Pomp and Propaganda", em The Guardian, 9 ago. 2007.
33. Idem.
34. "Zhang Yimou Interview", em Time, 12 abr. 2004.
35. Tony Rayns, em entrevista ao site Offscreen, 31 jan. 2007. disponível em <http://www.offscreen.com/biblio/phile/essays/tony_rayns>, acesso em 29 de março de 2009.

A NOVA POTÊNCIA?

O ESTADO EMPREENDEDOR

A China se abriu às regras de mercado, abraçou a globalização e seduziu o capital internacional, mas o Estado continua a ter uma presença marcante na economia. Os dirigentes comunistas olharam para o Ocidente com uma ponta de ironia quando países como Estados Unidos e Inglaterra começaram a estatizar bancos e dar socorros bilionários a grandes empresas, em meio à crise que chacoalhou os alicerces do capitalismo a partir de 2008. Na China, os bancos nunca foram privatizados e as maiores empresas do país são estatais. Também há controle sobre o movimento de capitais e instrumentos financeiros sofisticados como "derivativos" não fazem parte do vocabulário local.

No capitalismo com características chinesas, o Estado é quem dá as cartas, por meio de empresas estatais, investimentos públicos em infraestrutura e associações com empresas privadas – nacionais ou estrangeiras. Todas as grandes montadoras de carros multinacionais só conseguiram entrar na China depois de formarem parcerias com as fabricantes estatais chinesas, em um modelo que se repete em todos os segmentos relevantes da economia. A pioneira foi a Volkswagen, que atua na China desde 1984 e tem como sócias duas estatais: a Shanghai Automotive Industry Corporation (Saic) e a First Automobile Works (FAW). Em outro movimento típico do capitalismo com características chinesas, a Saic também é sócia da General Motors, enquanto a FAW tem parceria com a Toyota.

Os dirigentes chineses sustentam que "capitalismo" não é o termo adequado para definir as transformações pelas quais passa o país. Segundo eles, a China é uma "economia socialista de mercado", que aderiu às leis do mercado, mas não aos elementos do capitalismo – entre os quais está a primazia da propriedade privada. Os líderes comunistas também afirmam que a China está no primeiro estágio de construção do socialismo, mas nunca deixam claro o que acontecerá quando ela chegar ao último.

Apesar da presença do Estado, as empresas de capital privado já respondem pela maior parte do PIB do país. Ninguém sabe ao certo qual é sua fatia, mas a Organização para a Cooperação e Desenvolvimento Econômico (OCDE) estimou que o índice era de 60% em 2005. Porém todas as grandes empresas de setores estratégicos estão sob controle do Estado e é impossível fazer negócios no país sem o apoio do governo.

Teóricos da "nova esquerda chinesa", como Cui Zhiyuan, professor da Universidade de Tsinghua, acreditam que o sucesso da China se deve mais ao que o país tem de intrinsecamente socialista do que às forças de mercado.[1] Para ele, os elementos fundamentais para o crescimento foram o pesado investimento em infraestrutura, a propriedade pública da terra e a força de empresas que cresceram sob o controle coletivo de antigos camponeses.

A forte presença do Estado, aliada à profunda integração à economia global, dá à China um poder estratégico inédito e esboça o surgimento de uma potência totalmente distinta das que a antecederam. Os tentáculos com os quais Pequim estende sua influência são as grandes estatais, que saíram ao mundo para garantir o suprimento de petróleo, matérias-primas e tecnologia para atender à voracidade do crescimento chinês. Também há um crescente número de companhias privadas com negócios no exterior e, no fim de 2007, um total de 7 mil empresas chinesas tinha investimentos de US$ 118 bilhões em 173 países e regiões ao redor do mundo.

A lista das quinhentas maiores empresas do mundo elaborada pela revista *Fortune* trazia 29 empresas chinesas em sua edição de 2008. Três anos antes, eram 16. No mesmo período, o número de companhias do Brasil no *ranking* passou de 3 para 5. Das 29 chinesas, as 4 que não eram estatais tinham sede em Hong Kong. Todas as demais eram controladas por Pequim ou por alguma das províncias chinesas.

O grupo de elite das cerca de duzentas grandes estatais é tratado como a joia da coroa pelo governo de Pequim, que exige delas um grau de profissionalização cada vez maior. Muitas delas têm ações na Bolsa de Valores de Hong Kong, o que as obriga a seguirem as regras de governança corporativa exigida das empresas abertas. Além disso, não há uma única grande estatal em cada área e elas são obrigadas a competir entre si.

A China tem ainda as maiores reservas internacionais do mundo, que estavam em US$ 2 trilhões no início de 2009, valor que supera todo o PIB brasileiro. Com essa montanha de dinheiro no bolso, o país ultrapassou o Japão e se tornou em 2008 o maior financiador do imenso déficit dos Estados Unidos com o restante do mundo, o que aumentou ainda mais seu poder de barganha no cenário internacional – além de acrescentar mais uma pitada de ironia a este admirável mundo novo.

No fim de janeiro de 2009, a China tinha um estoque de US$ 739,6 bilhões de títulos do Tesouro norte-americano, e líderes de Pequim manifestavam preocupação em relação à segurança de seus investimentos em dólar. Apreensivos com a possibilidade de a moeda se desvalorizar com o aumento ainda maior do endividamento dos Estados Unidos, os camaradas comunistas propuseram a adoção de uma "moeda internacional", que venha a substituir o dólar como reserva de valor na economia global. A proposta está longe de ser concretizada, mas é mais um símbolo da mudança do eixo de poder no mundo.

Os dirigentes comunistas não têm planos de complementar a economia de mercado com reformas políticas que levem ao pluripartidarismo e a eleições nos moldes ocidentais. O que eles tentam é estabelecer um regime o mais próximo possível do "império da lei", em que haja procedimentos institucionalizados para a atuação dos ocupantes de cargos públicos e sua interação com os cidadãos. Mas é difícil imaginar que o modelo funcione sem os mecanismos de fiscalização do exercício do poder que já se mostraram eficazes no restante do mundo, como Judiciário independente, parlamento com poder, imprensa livre e eleições.

A OLIMPÍADA ÉPICA

A Olimpíada de 2008 foi o evento concebido pelas autoridades de Pequim para apresentar a nova China ao mundo e aos próprios chineses. Preparados durante sete anos, os jogos tiveram um enorme peso simbólico e desempenharam a missão de refletir a imagem de um país grandioso, herdeiro de uma civilização milenar e que voltava a ocupar o lugar que supostamente lhe cabe no cenário internacional. Os chineses realizaram a que foi, de longe, a mais cara Olimpíada da história, com investimentos de US$ 40 bilhões, mais de três vezes os US$ 12 bilhões gastos em Atenas em 2004 e quase o dobro dos US$ 21 bilhões que os ingleses planejam destinar aos jogos de 2012 em Londres.

As competições realizadas em Pequim entre 8 e 24 de agosto bateram o recorde de audiência e foram vistas por 4,7 bilhões de pessoas em todo o mundo, segundo a Nielsen Media Research, uma alta de 20% em relação ao número de espectadores de Atenas. E o aumento não se deveu apenas aos milhões de chineses que sintonizaram suas TVs nos jogos: nos Estados Unidos, a Olimpíada de Pequim assumiu o posto de evento mais assistido na história da televisão norte-americana.

O resultado das competições revelou a emergência da China como nova potência esportiva global, em mais um indício da crescente supremacia do país asiático. O quadro de medalhas olímpicas costuma ser o reflexo da situação geopolítica mundial e, durante seis décadas – ou 14 Olimpíadas – o primeiro lugar foi ocupado pelos Estados Unidos ou por sua antiga rival na Guerra Fria, a União Soviética.

Como na economia, na corrida espacial e no terreno militar, a China começa a representar nos esportes o contraponto ao poderio dos Estados Unidos. No fim das competições em Pequim, os chineses ficaram com 51 medalhas de ouro, 15 a mais

A Olimpíada de 2008 coroou a emergência da China como nova potência global. O poder do país ficou ainda mais evidente em meio à crise global que teve origem nos Estados Unidos. Os bancos chineses ainda são estatais e o Estado tem poder suficiente para estimular o crescimento econômico.

que as 36 conquistadas pelos norte-americanos. No quadro geral, os Estados Unidos ganharam 110 medalhas, 10 a mais que os chineses. Entre os atletas, a principal estrela foi o nadador norte-americano Michael Phelps, que realizou o feito de conquistar oito medalhas de ouro em uma única Olimpíada, superando seu conterrâneo Mark Spitz, que levou sete ouros nos jogos de Munique, em 1972.

Enquanto mostra uma face amigável nos eventos olímpicos, o governo aumentou o controle e a repressão de seus próprios cidadãos. As três áreas oficiais para realização de protestos anunciadas poucos dias antes da abertura dos jogos não chegaram a ser utilizadas – e não em razão da ausência de queixas. Os chineses que ousaram a apresentar pedidos para realização de manifestações, de acordo com as regras estabelecidas pelo próprio governo, foram retaliados com prisões, perseguições e ameaças.

Duas mulheres de quase 80 anos foram condenadas a passar um ano em um campo de trabalho forçado por terem apresentado pedidos para protestar contra o valor da indenização que receberam em 2001, quando suas casas foram destruídas para dar lugar ao desenvolvimento de Pequim. A aplicação da pena foi suspensa, mas poderia ser restabelecida caso as duas mulheres insistissem em questionar o governo.

O caráter manipulador do regime aflorou na decisão de vetar a participação na cerimônia de abertura da Olimpíada da cantora-mirim Yang Peiyi, de 7 anos, que não foi considerada bonita o suficiente por um dirigente do Partido Comunista para aparecer na noite de gala da China. Apesar disso, Yang Peiyi gravou o hino *Ode à terra natal*, que outra menina, Lin Miaoke, de 9 anos, fingiu cantar no início do espetáculo de 8 de agosto no Ninho de Pássaros. A troca foi ocultada e, no dia seguinte, a imprensa oficial chinesa apresentava Lin Miaoke como um fenômeno artístico, com sua "voz angelical". A fraude só veio à tona graças a uma entrevista do diretor musical da cerimônia, Chen Qigang, que justificou a estratégia: "Nós combinamos a voz perfeita com a performance perfeita", declarou à Beijing Radio. "A audiência vai entender que a troca foi feita tendo em vista o interesse nacional", justificou.

Pequim também foi uma das mais politizadas olimpíadas de todos os tempos e atuou como um poderoso instrumento de legitimação do Partido Comunista aos olhos dos chineses. O testemunho do crescente poder global na nação mais populosa do mundo foi dado pelo número recorde de líderes de outros países que assistiram à cerimônia de abertura, no dia 8 de agosto de 2008. George W. Bush foi o primeiro presidente norte-americano a ir a um evento desse tipo fora dos Estados Unidos. Entre os que dividiam a tribuna de honra sob o mesmo calor infernal que dominava o Ninho de Pássaros naquela noite estavam o francês Nicolas Sarkozy, que abandonou as ameaças de boicote à Olimpíada, o russo Vladmir Putin e o brasileiro Luiz Inácio Lula da Silva.

Os nove integrantes do Comitê Permanente do Politburo chinês, comandados por Hu Jintao, entraram em fila e ocuparam uma mesa à frente dos convidados internacionais. Vestidos com ternos escuros, camisas brancas e com os cabelos pintados de preto, eles representavam a cúpula do poder do Partido Comunista. O opaco Hu Jintao foi ovacionado pela plateia nas quatro vezes em que sua imagem apareceu nos enormes telões do Ninho de Pássaros, em uma cena rara em outros países – é só lembrar o constrangimento do presidente Lula, vaiado na abertura dos Jogos Pan-Americanos no Rio de Janeiro, em 2007.

A tarefa de dar uma roupagem artística às aspirações da China emergente coube ao diretor Zhang Yimou, a grande estrela do cinema chinês, responsável pela concepção dos espetáculos de abertura e encerramento da Olimpíada. Com 14 mil atores e uma coreografia de exata sincronia, Zhang Yimou apresentou uma visão editada da história, que exaltou o glorioso passado chinês e esqueceu os dois últimos séculos

Dirigido pelo cineasta Zhang Yimou, o espetáculo de abertura da Olimpíada de Pequim assombrou o mundo pela sua grandiosidade, precisão e originalidade. O diretor afirmou depois que seria impossível realizar o mesmo show em um país ocidental, onde não se poderia exigir o mesmo grau de sacrifício dos artistas.

de humilhação diante de potências estrangeiras e de turbulências internas. Ao invés de Mao Tsé-tung, a estrela da noite foi Confúcio e sua visão harmônica do mundo. A mensagem era clara: a China quer resgatar a grandiosidade do Império do Meio e voltar a ocupar o lugar que tinha na ordem global antes da Guerra do Ópio.

O espetáculo de Zhang Yimou ressaltou as quatro grandes invenções da China antiga – a pólvora, o papel, a impressão e a bússola –, as célebres dinastias e as tradições culturais do passado, como a pintura e a música. A imagem de isolamento que costuma ser associada ao Império foi refutada com a representação deslumbrante dos vínculos comerciais com o Ocidente: a Rota da Seda e as navegações do eunuco Zheng He.

Dedicada ao momento presente, a segunda parte do show teve um caráter muito mais abstrato que a primeira. Não havia personagens nem fatos históricos, com exceção da própria Olimpíada. Uma profusão de luzes refletia a modernidade, enquanto os símbolos de paz – a pomba – e harmonia com a natureza – o *tai chi chuan* – traduziam o discurso da "emergência pacífica da China" repetido pelos atuais líderes comunistas. A única forma reproduzida no palco foi o Ninho de Pássaros, projetado não por chineses, mas pela dupla de arquitetos suíços Herzog e De Meureon, em uma das incontáveis contradições e ironias da rápida transformação chinesa. Menos grandiosa que a abertura, a cerimônia de encerramento teve a missão de refletir a imagem de um país amigável, que não representa uma ameaça ao restante do mundo em sua meteórica ascensão.

O SACRIFÍCIO ORIENTAL

Logo depois que a cerimônia de abertura da Olimpíada deixou o mundo boquiaberto e os ingleses se perguntando o que farão para superá-la em 2012, Zhang Yimou deu uma entrevista de desconcertante sinceridade, na qual afirmava que o espetáculo que dirigiu seria impossível no Ocidente – e não pela falta de talentos artísticos. Segundo o cineasta, o show que realizou exigiu um grau de sacrifício dos atores que só poderia ser repetido na vizinha e totalitária Coreia do Norte, famosa pelos espetáculos de perfeita sincronia realizados em homenagem ao "grande líder" Kim Jong-il. Disse Zhang Yimou ao jornal chinês *Southern Weekend*:[2]

> Eu dirigi óperas no Ocidente e foi muito difícil. Eles só trabalham quatro dias e meio por semana. Todos os dias há dois intervalos para o café e não há horas extras. Não pode haver nenhum desconforto por causa dos direitos humanos. Isso pode me preocupar até a morte. [...] Você também não pode criticá-los. Todos pertencem a alguma organização. Todos têm algum tipo de instituição, de sindicato. Nós não temos isso. Nós podemos trabalhar muito duro, podemos suportar muita amargura. Nós podemos atingir em uma semana o que eles só vão atingir em dois meses. [...] Os estrangeiros admiram isso. Este é o espírito chinês. Nós podemos fazer nossas performances humanas alcançar este nível graças ao trabalho duro e sofrido. Isso é algo que os estrangeiros não podem atingir.

Ao elogiar o sacrifício e a ausência de limites para exigi-lo, Zhang Yimou acabou fazendo uma alegoria do próprio desenvolvimento chinês dos últimos trinta anos, que dificilmente poderia ser reproduzido em outro país. A retirada de milhões de pessoas de suas casas para dar lugar às estradas, hidrelétricas, aeroportos e novos empreendimentos imobiliários certamente seria muito mais trabalhosa e cara na maioria dos países do Ocidente – ou impossível. Também estariam fora de questão as jornadas de trabalho de 12 horas por dia, sem descanso semanal remunerado nem pagamento de horas extras a que muitos chineses estão sujeitos. Nem a supressão violenta das vozes que ousam criticar o poder constituído, a ausência de liberdade de imprensa e o regime de partido único.

Mas com suas declarações, o diretor também fez um elogio à estoica resistência dos chineses diante da adversidade, que os permitiu sobreviver no turbulento século XX e durante os milênios de trocas de dinastias e catástrofes naturais. Quando fui à província de Sichuan cobrir os efeitos do terremoto do dia 12 de maio de 2008, o mais devastador a atingir a China em 32 anos, o que mais me impressionou foi a tranquilidade com que muitos chineses reagiam à situação em que se encontravam. Os que haviam perdido entes queridos estavam obviamente desesperados, mas os que tiveram apenas suas casas destruídas exibiam uma resignação quase alegre. Famílias inteiras se abrigavam sob frágeis coberturas de plástico, cozinhavam em fogões improvisados e enfrentavam a chuva inclemente em condições extremamente precárias. Não vi ninguém derramar uma lágrima por suas perdas materiais nem se queixar do destino ou da má sorte. Pelo contrário. Os que haviam sobrevivido com suas famílias intactas se consideravam felizardos. Afinal, o terremoto tirou a vida de pelo menos oitenta mil pessoas, muitas das quais crianças e adolescentes.

AS INCERTEZAS DO FUTURO

Não há dúvida de que a Olimpíada de Pequim devolveu aos chineses o sentimento de orgulho nacional, além de ter fortalecido de maneira considerável o poder do Partido Comunista aos olhos de seus próprios cidadãos. Depois dos últimos dois séculos de humilhação, guerra e quase destruição, os jogos funcionaram como símbolo de retorno da China a um lugar proeminente no jogo político e econômico internacional.

Mas ainda é muito cedo para saber como essa nova China vai se relacionar com o restante do mundo e que tipo de nacionalismo vai prevalecer entre seus cidadãos. Para muitos analistas, dentro e fora do país, a Olimpíada foi uma oportunidade única para os chineses superarem o discurso de vitimização e ressentimento em relação ao Ocidente e ao Japão e inaugurarem um novo período histórico. O professor David Shambaugh, da George Washington University, fala em dois tipos concorrentes de nacionalismo na sociedade chinesa atual: um "xenófobo", com origem no passado recente de humilhação por potências estrangeiras, e outro "cosmopolita", moldado pela globalização e a integração da China à comunidade internacional.[3]

A prevalência de um sobre o outro vai definir em grande medida a relação da China com o restante do mundo e o tipo de emergência a ser protagonizada pelo país. Apesar de toda a transformação das últimas décadas, a China que chega ao início do século XXI

A nova potência? | 319

A emergência da China como potência global não é isenta de riscos – nem para os chineses nem para o restante do mundo. As escolhas que o país fizer nos próximos anos vão definir o futuro dos estudantes da vila rural Dazhai mostrados na foto e terão influência cada vez maior sobre a vida dos que estão fora da China.

ainda enfrenta muitos dos mesmos dilemas que surgiram logo depois da queda do Império e que marcaram o Movimento de Quatro de Maio de 1919: a modernização, a identidade nacional e a relação com o restante do mundo.

Acima de tudo, os chineses continuam a se perguntar por que seu grandioso Império sucumbiu, enquanto o Ocidente se consolidava como o maior polo comercial e industrial do globo. Essa reflexão foi feita de maneira explícita no horário nobre da televisão com a série "A Ascensão das Grandes Potências", produzida pela estatal CCTV e transmitida em 12 episódios no ano de 2006, reprisados inúmeras vezes posteriormente. Realizada em um período de três anos, a série analisava a história de nove potências da era moderna: Portugal, Espanha, Holanda, França, Grã-Bretanha, Alemanha, Rússia-URSS, Japão e Estados Unidos. O objetivo era identificar o que as havia feito poderosas e que elementos haviam contribuído para sua decadência ou para a perpetuação de seu *status* de grande potência.

Entre os fatores de sucesso destacados estavam a inovação e o império da lei, dois terrenos em que a China ainda tem muito a avançar. O país está a anos-luz de ter um sistema legal que funcione, e a criatividade científica e artística é castrada pela censura ou pela estrita hierarquia confuciana, que desestimula a contestação da autoridade e dos mais velhos. Alunos têm receio de manifestar suas opiniões abertamente e subalternos não ousam questionar as decisões de seus superiores. O modelo chinês privilegia a homogeneidade e a conformidade, elementos reforçados pelo discurso da sociedade harmônica defendido pelo presidente Hu Jintao. Na prática, a harmonia chinesa significa a ausência de crítica e de oposição.

A mais prosaica crise nacional relacionada à questão dos limites à criatividade foi provocada pela animação *Kung fu Panda*, desenho que foi o maior sucesso de bilheteria da história chinesa. Apesar de ter como personagem principal o animal que é o símbolo da China, ser "ambientado" no país e falar da luta marcial que surgiu nos primórdios do império, *Kung fu Panda* é obra dos norte-americanos. Não foram poucos os intelectuais que viram na trajetória da animação uma metáfora das dificuldades de inovação cultural e científica em um ambiente de opressão política e confuciana.

Dilemas como esses vão continuar a ocorrer em um século que promete ser tão vertiginoso para os chineses quanto o último, ainda que menos traumático. Pela primeira vez na história, a população do país será majoritariamente urbana e as consequências dessa mudança são imponderáveis. Os chineses urbanos exigirão democracia e reformas políticas ou vão garantir o triunfo de um modelo que concilia prosperidade econômica, integração ao mundo e governo autoritário?

A menos que haja uma catástrofe, os chineses estarão cada vez mais presentes na arena global e seu destino, cada vez mais entremeado ao do restante da humanidade. Por representarem 20% dos habitantes do planeta, suas escolhas terão um impacto colossal sobre os restantes 80%. Há uma infinidade de ameaças em seu caminho – de cataclismos econômicos a desastres ambientais, passando pela desagregação política. Mas interessa a todos – acima de tudo aos próprios chineses – que esses riscos sejam contornados e que o entendimento mútuo permita a convivência pacífica entre as diferenças.

NOTAS

[1] Cláudia Trevisan, "Sucesso da China está no socialismo", em O Estado de S. Paulo, 6 jul. 2008.
[2] Southern Weekend, 14 ago. 2008.
[3] David Shambaugh, "China' s Competing Nationalisms", em International Herald Tribune, 5 maio 2008.

CRONOLOGIA

- **1600 a.C.-1046 a.C.** – Dinastia Shang, a primeira a deixar registros históricos. Baseada no leste do país, no vale do rio Amarelo, começou a desenvolver os elementos que viriam a caracterizar a civilização chinesa. O período viu o surgimento de obras de bronze utilizadas em rituais e os primeiros registros da escrita chinesa, encontrados em ossos e cascos de tartaruga.

- **1046 a.C.-256 a.C.** – Dinastia Zhou, a mais longa da história chinesa, com quase oitocentos anos de duração. É o período de consolidação da visão chinesa do mundo e de elaboração dos princípios que iriam legitimar o poder imperial. Entre os quais o mais importante está a ideia do "Mandato dos Céus". A época conhecida como Período da Primavera e do Outono (722 a.C.-481 a.C.) viu o surgimento das duas principais escolas filosóficas da China: o confucionismo e o taoísmo.

- **221 a.C.-206 a.C.** – Dinastia Qin, responsável pela unificação da China. O imperador Qin Shi Huang derrotou reinos combatentes, promoveu a unificação das fortificações da região norte, criando a Muralha da China, impôs um único sistema de pesos e medidas a todo o país e unificou a língua chinesa. Qin Shi Huang também foi responsável pela construção do exército de guerreiros de terracota, levantados ao longo de 11 anos para proteger seu mausoléu na então capital chinesa, Chang'an, atual Xi'an.

- **206 a.C-220 d.C.** – Dinastia Han, considerada uma das mais prósperas da história chinesa. Não por acaso, o nome da etnia dos chineses que representam 91,6% da população do país é "han". Nesse período, o confucionismo se tornou a filosofia oficial do Estado. O Império Chinês estendeu fronteiras e ampliou sua influência para regiões vizinhas, como Coreia e Vietnã. A expansão territorial e a força militar dos hans deram a segurança necessária para o desenvolvimento do trecho da Ásia Central da *Rota da Seda*, o caminho comercial que ligava a antiga capital chinesa, Chang'an, ao Mediterrâneo.

- No século I d.C., o budismo foi levado da Índia para a China.

- No ano 105, o eunuco da corte Cai Lu desenvolve um método de produção de papel, considerado uma das quatro invenções da China antiga.

- **220-265** – Período dos Três Reinos, no qual o poder central se desintegrou e o país foi dividido em reinos rivais, comandados por generais hans. Cada um deles se declarava o legítimo herdeiro da antiga dinastia. É um dos períodos mais sangrentos da história chinesa, mitificado em várias obras de arte. Um dos clássicos da literatura do país, *Romance dos três reinos*, é ambientado nessa época.

- **265-589** – Período das Seis Dinastias, quando a China foi dividida entre norte e sul e subdividida em diferentes reinos e dinastias. A partir de 317, o norte foi invadido por tribos nômades e a então dinastia Jin mudou a capital do país de Chang'an para Jiankang, atual Nanquim, abaixo do rio Yangtzé. As seis dinastias que se sucederam no sul são Wu, Jin do leste, Liu-Song, Nan Qi, Nan Lian e Nan Chen. A desestruturação do Império abalou a crença no confucionismo e permitiu o aumento da influência do budismo e do taoísmo.

- **589-618** – Dinastia Sui, que reunificou o país e colocou fim a quase quatro séculos de desagregação e disputa entre reinos rivais. É construído o primeiro trecho do Grande Canal, ligando os rios Yangtzé, ao sul, e o Amarelo, ao norte.

- **618-907** – Dinastia Tang, que assistiu a um dos períodos de maior prosperidade econômica e cultural da China. O sistema de exames para seleção de burocratas do Estado foi reforçado, o budismo ganhou ainda mais relevância e diversas manifestações artísticas floresceram, como música, pintura, poesia e escultura. Foi um período extremamente cosmopolita, com propagação de ideias e cultura estrangeiras e forte presença de viajantes da Ásia Central nas grandes cidades do Império. A dinastia Tang também teve a única imperadora da história da China, Wuhou (624-705). No fim da dinastia, o budismo foi banido do Império por pressão de confucionistas e taoístas.

- No século IX, taoístas que buscavam o elixir da imortalidade inventam a pólvora.

- A técnica de impressão com blocos de madeira foi desenvolvida em algum ponto entre as dinastias Sui e Tang. O livro mais antigo do mundo, *O sutra do diamante*, foi impresso na dinastia Tang, em 868.

- **907-960** – Período das Cinco Dinastias e dos Dez Reinos. Outra época de desagregação do poder central e instabilidade política, na qual cinco dinastias se sucederam na região norte do país, enquanto o sul foi dividido em dez reinos rivais.

- **960-1279** – Dinastia Song, outro período brilhante do ponto de vista cultural e intelectual. A invenção da impressão com tipos móveis, no início do século XI, permitiu a impressão de clássicos da literatura e do confucionismo. O ensino público chegou a seu ápice, o sistema de seleção de funcionários públicos foi aperfeiçoado e o neoconfucionismo se desenvolveu sob inspiração do filósofo Zhu Xi (1130-1200). Em 1127, a tribo jurchen, da Manchúria, invadiu o norte da China e forçou os songs a mudarem sua capital para o sul. Os últimos oito anos coincidiram com a fundação da dinastia Yuan no norte.

- **1271-1368** – Dinastia Yuan, fundada pelos invasores mongóis liderados por Kublai Khan, neto de Gengis Khan, que em 1215 conquistou a capital dos jurchens, a atual Pequim. O nome Yuan foi adotado em 1271 e os mongóis foram os primeiros a terem sua capital em Pequim, na época chamada de Dadu. Os invasores adotaram o estilo chinês de administração imperial, mas praticaram uma brutal discriminação contra os chineses. A grande extensão do Império Mongol, que ia do Pacífico ao mar Cáspio, intensificou as trocas comerciais. O veneziano Marco Polo (1254-1324) ficou durante 17 anos na China nesse período e cumpriu missões diplomáticas para o imperador Kublai Khan.

- **1368-1644** – Dinastia Ming, que é a reconquista do Império pelos chineses hans. A organização burocrática do Império é aperfeiçoada, com o fortalecimento do sistema de exames para seleção de burocratas. Inicialmente em Nanquim, a capital é transferida para Pequim em 1420 pelo imperador Yongle, responsável pela construção da Cidade Proibida, que seria o centro do poder na China até a queda do Império, em 1911. A dinastia Ming também promoveu as grandes navegações do almirante Zheng He (1371-1433), que comandou esquadras muito maiores que as portuguesas e espanholas e realizou sete grandes expedições entre 1405 e 1433.

- **1644-1911** – Dinastia Qing, outra fundada por invasores, desta vez os manchus que viviam ao nordeste da China. A extensão territorial do Império triplicou em relação à dinastia anterior e a população subiu de 150 milhões a 450 milhões. Os conquistadores mantiveram o mesmo sistema de administração e muitos dos funcionários mings. O Império passou a incluir a Mongólia Exterior, Xinjiang, Tibete e Taiwan. No século XIX, a poderosa dinastia enfrentou uma sucessão de revoltas internas e invasões estrangeiras, entre as quais a Guerra do Ópio (1839-1842) e a Guerra Sino-Japonesa (1894-1895). As derrotas nos confrontos forçaram a China a ceder a outros países partes de seu território. A ilha de Hong Kong, no sul, foi transferida de maneira perpétua aos britânicos, vencedores da Guerra do Ópio. Humilhado e incapaz de se modernizar, o Império chegou ao fim em 1911.

- **1912** – Herói da Revolução Republicana, Sun Yat-sen (1866-1925) abdica a presidência provisória em favor do chefe militar Yuan Shikai (1859-1916), considerado o único capaz de evitar a guerra civil e o fracionamento da sociedade chinesa. Yuan morre em 1916, e chefes militares regionais enfraquecem o poder central.

- **1919** – O Movimento Quatro de Maio defende a modernização da China e promove uma explosão de manifestações em todo o país.

- **1927** – Nacionalistas e comunistas começam a se enfrentar na guerra civil que só acabaria em 1949, com a vitória comunista.

- **1934-1935** – Acontece a Longa Marcha, nome dado à fuga dos comunistas acuados pelos nacionalistas. Das 87 mil pessoas que deixaram a base de Jiangxi, no sul, apenas 8 mil chegaram vivas a Yan'an, no norte, depois de percorrerem 9,6 mil quilômetros a pé.

- **1937** – O Japão invade a China e tem início a Segunda Guerra Sino-Japonesa, que só chegaria ao fim com a derrota do Japão na Segunda Guerra Mundial, em 1945.

- **1949** – Com uma ampla base camponesa, o Partido Comunista vence a guerra civil e Mao Tsé-tung anuncia a fundação da República Popular da China no dia 1º de outubro. O governo realiza a reforma agrária e promove a perseguição aos antigos proprietários de terra, comerciantes e empresários. A produção econômica é estatizada e a indústria pesada é desenvolvida com apoio da antiga União das Repúblicas Socialistas Soviéticas.

- **1950-1953** – A China envia tropas para a Guerra da Coreia e consegue conter o avanço do exército norte-americano. A assinatura do armistício em 1953 foi vista como uma vitória chinesa, e a campanha interna contra o imperialismo estrangeiro funcionou como catalisador do sentimento de unidade nacional. A China enviou 2,3 milhões de soldados à guerra, dos quais 1 milhão morreu em combate.

- **1958** – Mao Tsé-tung lança o Grande Salto Adiante, uma tentativa desastrada de promover a rápida industrialização do país, que matou 30 milhões de pessoas de fome até 1962.

- **1964** – A China realiza o primeiro teste nuclear e passa a integrar o grupo de nações com bombas atômicas.

- **1966** – Com seu poder ameaçado dentro do Partido Comunista, Mao Tsé-tung lança a Revolução Cultural, na qual conclama os jovens a atacarem o poder constituído e a tradição. Líderes do Partido Comunista, professores, intelectuais e todas as pessoas identificadas com influência ocidental se tornam alvo dos Guardas Vermelhos, que espalham um clima de terror e delação pelo país. Milhões de pessoas foram torturadas, humilhadas, mortas ou enviadas a campos de trabalho forçado. Universidades e escolas foram fechadas e os estudantes, mandados para a zona rural, onde deveriam ser "reeducados" pelos camponeses. O culto à personalidade de Mao chegou ao extremo e a leitura de *O livro vermelho de Mao* com suas citações passou a ser obrigatória.

- **1971** – A República Popular da China passa a fazer parte da Organização das Nações Unidas, com a transferência do assento que estava sob poder da República da China instalada pelos nacionalistas em Taiwan. Com a mudança, a China comunista também herda o assento no Conselho de Segurança da onu, que tem ainda a participação de Estados Unidos, Rússia, França e Inglaterra.
- **1972** – O presidente norte-americano Richard Nixon visita Pequim e os dois países sedimentam o caminho para o restabelecimento de relações diplomáticas.
- **1976** – Morte de Mao Tsé-tung e fim da Revolução Cultural. Hua Guofeng assume o poder e determina a prisão do "Bando dos Quatro", que formava a ala mais radical da Revolução Cultural e era liderado pela viúva de Mao, Jiang Qing.
- **Dezembro de 1978** – O Partido Comunista aprova a proposta de abertura e reforma econômicas proposta por Deng Xiaoping, que se torna o líder de fato da China, apesar de não ocupar os cargos de secretário-geral do partido nem de presidente do país.
- **1979** – A coletivização no campo chega ao fim e as famílias de agricultores ganham liberdade para cultivar a terra de maneira individual e vender sua produção no mercado. Surgem as primeiras Zonas Econômicas Especiais para produção industrial, abertas a investimentos estrangeiros e com regras trabalhistas flexíveis.
- **1989** – Milhares de estudantes realizam manifestações na Praça da Paz Celestial para pedir reformas democráticas. Os protestos duram quase dois meses, e manifestantes acampam na praça a partir de 13 de maio e dão início a uma greve de fome. Na madrugada de 3 para 4 de junho, tanques avançam em direção à praça e a desocupam, deixando centenas de mortos pelo caminho. A Anistia Internacional estima o número de vítimas em cerca de mil pessoas.
- **1997** – Deng Xiaoping morre em fevereiro, sem ver a cerimônia de transferência de Hong Kong à China, em junho, que havia sido negociada entre ele e a então primeira-ministra britânica, Margaret Thatcher, no início dos anos 1980. O acordo anunciado em 1984 determinou a volta de Hong Kong à China dentro do regime "um país, dois sistemas", pelo qual a ilha manterá o capitalismo e seu modelo político por um período de cinquenta anos.
- **2003** – A China lança sua primeira missão espacial tripulada, Shenzhou 5, e se transforma no terceiro país do mundo a colocar um ser humano em órbita depois de Estados Unidos e Rússia.
- **Agosto de 2008** – A China ganha o maior número de medalhas de ouro na Olimpíada de Pequim, que coroa o processo de abertura e de integração do país à economia mundial.

BIBLIOGRAFIA

Aiyar, Pallavi. Hutongs: Repositories of a City's History. *The Hindu*. Chennai, 3 abr. 2007.

Bell, Daniel. *China's New Confucianism:* Politics and Everyday Life in a Changing Society. New Jersey: Princeton University Press, 2008.

Barboza, David. Reportedly Urged Omitting Pollution-Death Estimates. *The New York Times*. New York, 5 jul. 2007.

Becker, Jasper. *Hungry Ghosts:* Mao´s Secret Famine. New York: Holt Paperbacks, 1998.

_____. *The Chinese*. New York: Oxford University Press, 2000.

Bezlova, Antoaneta. Beijing Makeover Revives Debate about Megacities. *Asia Times*. Hong Kong, 28. fev. 2004.

_____. China Battles Auto Addiction. *Asia Times*. Hong Kong, 5 out. 2006.

Birch, Cyril. *Anthology of Chinese Literature:* From the Fourteenth Century to the Present Day. New York: Grove Press, 1972.

BusinessWeek. Fakes! Columbus, 7 fev. 2005.

_____. Dangerous Fakes. Columbus, 2 out. 2008.

Chadha, Radha; Husband, Paul. *The Cult for the Luxury Brand:* Inside Asia's Love Affair with Luxury. London e Boston: Nicholas Brealey International, 2007.

Chang, Jung. *Cisnes Selvagens:* Três Filhas da China. São Paulo: Companhia das Letras, 1994.

_____. Halliday, Jon. *Mao:* a história desconhecida. São Paulo: Companhia das Letras, 2006.

Chao, Liang. 400,000 to Relocate for Water Project. *China Daily*. Beijing, 6 abr. 2005.

Chicago Tribune. Jesus in China: Christianity's Rapid Rise. Chicago, 22 jun. 2008.

China Daily. Marriage Accessory. Beijing, 19 jun. 2003.

_____. Fertility Industry Takes off in China. Beijing, 30 mar. 2005.

_____. Karaoke Bar Royalty Scheme Reaches Impasse. Beijing, 29 nov. 2006.

_____. Country Faces Great Wall of Waste. Beijing, 9 jan. 2007.

_____. Number of overseas Chinese. Beijing, 12 fev. 2007.

_____. China Heading for Top Spot in World Tourism Rankings. Beijing, 2 jul. 2007.

_____. 'China's Broadway' Taking Shape in Beijing. Beijing, 3 jan. 2009.

China Rich List 2004. Hurun Report. Disponível em: <http://www.hurun.net/richlisten3.aspx>. Acesso em: 26 de março de 2009.

China Social Statistical Yearbook 2007. Beijing: National Bureau of Statistics of China, 2007.

China Statistical Yearbook 2007. Beijing: China Statistics Press, 2007.

Ching, Julia. *Chinese Religions*. London: Macmillan, 1993.

Clarke, J. J. *The Tao of the West:* Western Transformations of Taoist Thought. London: Routledge, 2000.

Confucius. *The Analects*. London: Penguin, 1979.

Ebrey, Patricia Buckley. *The Cambridge Illustrated History of China*. Cambridge: Cambridge University Press, 1999.

Fairbank, John King; Goldman, Merle. *China:* uma nova história. Porto Alegre: L&PM, 2006.

GASCOIGNE, Bamber. *A Brief History of The Dynasties of China*. London: Constable & Robinson, 2003.

GOEPPER, Roger. *The Essence of Chinese Painting*. Boston: Boston Book and Art Shop, 1963.

GRAHAM, A. C. *Disputers of the Tao:* Philosophical Argument in Ancient China. Chicago: Open Court Publishing Company, 1989.

GREENHALGH, Susan. *Governing China's Population:* From Leninist to Neoliberal Biopolitics. Standford: Stanford University Press, 2005.

GUANGZHONG, Luo. *Three Kingdoms*. Beijing/Berkeley: Foreign Language Press/University of California Press, 1995.

HSUN, Lu. *Selected Stories of Lu Hsun*. Beijing: Foreign Languages Press, 1972.

HUA, Yu. *Chronicle of a Blood Merchant*. New York: Anchor Books, 2004.

_____. *To Live*. New York: Anchor Books, 2003.

INSTITUTE OF INTERNATIONAL EDUCATION. New Data from Open Doors 2008: Report on International Educational Exchange. Disponível em: <http://opendoors.iinetwork.org>. Acesso em: 26 de março de 2009.

JACKSON, Beverley. *Splendid Slippers:* A Thousand Years of An Erotic Tradition. Berkeley: Ten Speed Press, 1998.

JACKSON, Cheryl V. McDonald's Sets Sights on Asia. *Chicago Sun-Times*. Chicago, 4 dez. 2006.

JIA, Hu; BIAO, Teng. The Real China and the Olympics. Disponível em <http://hrw.org/pub/2008/asia/teng_biao080220.pdf>, acesso em 26 de março de 2009.

JIAO, Wu. Family Planning Slogans Given Makeover. *China Daily*. China, 6 ago. 2007.

JUNRU, Liu. *Chinese Foods*. Beijing: China Intercontinental Press, 2004.

KAM, Nadine. Golden Lilies. *Honolulu Star-Bulletin*. Honolulu, 10 mar. 1998. Disponível em <http://starbulletin.com/98/03/10/features/story1.html>. Acesso em: 26 de março de 2009.

KONG, Shuyu. *Consuming Literature:* Best Sellers and the Commercialization of Literary Production in Contemporary China. Stanford: Stanford University Press, 2005.

KYNGE, James. *A China sacode o mundo*. São Paulo: Globo, 2007.

KWONG, Peter. Chinese Migration Goes Global. YaleGlobal. Disponível em <http://yaleglobal.yale.edu/display.article?id=9437>. Acesso em: 17 jul. 2007.

LAGUE, David. On An Ancient Canal, Grunge Gives Way to Grandeur. *The New York Times*. New York, 24 jul. 2007.

LU, Hsun. *Selected Stories of Lu Hsun*. Beijing: Foreign Languages Press, 1972.

MACAU DAILY TIMES. Anti-Money Laundering Laws Not Enforced: Gaming Expert. Macau, 13 mar. 2008.

MADDISON, Angus. *Chinese Economic Performance in the Long Run*. Paris: OECD, 1998.

_____. World Population, GDP and Per Capita GDP, 1-2003. Disponível em: <http://www.ggdc.net/maddison/>. Acesso em: 26.mar.2009.

MAIR, Victor H. (org.). *The Columbia History of Chinese Literature*. New York: Columbia University Press, 2001.

MINISTRY OF WATER RESOURCES. Basic Readiness of Preparation Work for South-to-North Water Transfer Project. Beijing, 14 nov. 2000.

MIYAZAKI, Ichisada. *China's Examination Hell:* The Civil Service Examinations of Imperial China. New York: Weatherhill, 1976.

NAIAN, Shi/GUANGZHONG, Luo. Outlaws of the Marsh. Pequim: Foreing Language Press, 1998.

NATIONAL GEOGRAPHIC. Atlas of China. Washington: National Geographic Society, 2008.

_____. China, Inside the Dragon. Washington: National Geographic Society, maio 2008.

NATIONAL GEOGRAFIC NEWS. Washington: National Geographic Society, 12 out. 2006.

NAUGHTON, Barry. *The Chinese Economy:* Transitions and Growth. Cambridge: The MIT Press, 2007.

PAUL, Pamela. Diapers Go Green. *Time*. New York, 10 jan. 2008.

PEYREFITTE, Alain. *O império imóvel:* ou o choque dos mundos. São Paulo: Casa Jorge Editorial, 1997.

POUND, Ezra, Cathay. Disponível em: <http://paintedricecakes.org/languagearts/poetry/cathay_pound.html>. Acesso em: 30 de março de 2009.

Prestowitz, Clyde. *Three Billion New Capitalists:* The Great Shift of Wealth and Power to the East. New York: Basic Books, 2005.

Purcell, Victor. *The Boxer Uprising:* A Background Study. Cambridge: Cambridge University Press, 1963.

Qi, Lin. The Poisoned Palace. *China Daily*. China, 21 nov. 2008.

Freedom of Press Worldwide in 2008. Reporter Without Borders. Disponível em: <http://www.rsf.org/article.php3?id_article=25650>. Acesso em: 26 de março de 2009.

Rong, Jiang. *O Totem do Lobo*. São Paulo: Sextante, 2008.

Shambaugh, David. China's Competing Nationalisms. *International Herald Tribune*. Paris, 5 maio 2008.

Shanshan, Wang. Real Shanghai Discovered in Her Bazaars. *China Daily*. China, 1 jul. 2005.

Shirk, Susan L. *China:* Fragile Superpower. New York: Oxford University Press, 2007.

Skeldon, Ronald. Migration from China. *Journal of International Affairs*, v. 49, New York, 1996, Issue 2.

Snow, Edgar. *Red Star Over China:* The Classic Account of the Birth Of Chinese Communism. New York: Grove Press, 1994.

Southern Weekend. Guangzhou, 14 ago. 2008.

Spence, Jonathan D. *Em busca da China moderna*. São Paulo: Companhia das Letras, 1996.

State of the World's Human Rights. Amnesty International Report 2008. Disponível em: <http://thereport.amnesty.org>. Acesso em: 26 de março de 2009.

Statistical Communiqué of the People's Republic of China on the 2007. China: National Bureau of Statistics. Disponível em: <http://www.stats.gov.cn/enGliSH/newsandcomingevents/t20080228_402465066.htm>. Acesso em: 28 de fevereiro de 2008.

Stuart-Fox, Martin. *A Short History of China and Southeast Asia:* Tribute, Trade and Influence. London: George Allen & Unwin, 2003.

Tan, Amy. *The Joy Luck Club*. New York: Penguin Books, 2006.

The Economist. London, 16-22 fev. 2008, v. 386, n. 8.567, pp. 30-2.

Time. Zhang Yimou Interview. New York, 12 abr. 2004.

Tingyou, Chen. *Chinese Calligraphy*. Beijing: China Intercontinental Press, 2003.

Trevisan, Cláudia. *China:* o renascimento do Império. São Paulo: Planeta do Brasil, 2006.

_____. Sucesso da China está no socialismo. *O Estado de S. Paulo*. São Paulo, 6 jul. 2008.

Yang, Denis Tao; Chen, Dan Dan. Transformations in China's Population Policies and Demographic Structure. *Pacific Economic Review*, n. 9, v. 3, 2004.

Yardley, Jim. Beneath Booming Cities, China's Future Dries up. *The New York Times*. New York, 30 set. 2007.

Yardley, Jonathan. Big Breasts and Wide Hips. *Washington Post*. Washington, 28 nov. 2004.

Young, David, *Five Tang Poets:* Wang Wei, Li Po, Tu Fu, Li Ho, Li Shang-Yin. Ohio: Oberlin College Press, 1990.

Yu-lan, Fung. *A Short History of Chinese Philosophy*. New York: The Free Press, 1976.

Yuqun, Liao. *Traditional Chinese Medicine*. Beijing: China Intercontinental Press, 2006.

Waley, Arthur. *More Translations from the Chinese*. New York: Alfred A. Knopf, 1919.

_____. *The Way and Its Power:* A Study of the Tao Te Ching and Its Place in Chinese Thought. London: George Allen & Unwin, 1934.

Wang, Aihe. *Cosmology and Political Culture in Early China*. Cambridge: Cambridge University Press, 2000.

Wang, Robin R. Yinyang: The Internet Encyclopedia of Philosophy. Disponível em: <http://www.iep.utm.edu/y/yinyang.htm>. Acesso em: 31 de março de 2009.

Watson, Burton. *The Complete Works of Chuang Tzu*. New York: Columbia University Press, 2002.

_____. *The Selected Poems of Du Fu*. New York: Columbia University Press, 2002.

Watts, Jonathan. Concubine Culture Brings Trouble for China's Bosses. *The Guardian*. London, 8 set. 2007.

WEI, Hui. *Xangai Baby.* Rio de Janeiro: Globo, 2002.

WILHELM, Richard (ed.). *I Ching*: o livro das mutações. São Paulo: Pensamento, 1996.

WON, Ahn Jung. *A Jesuit's Views on Chinese Marriage:* Manuel Dias S. J. (1549-1639). San Francisco: Ricci Institute for Chinese-Western Cultural History, University of San Francisco, 2003. Disponível em: <http://www.usfca.edu/ricci/fellows/asian/ahn_paper.pdf>. Acesso em: 26 de março de 2009.

WU, Jinglian. *Understanding and Interpreting Chinese Economic Reform.* Mason/Ohio: Thomson/South-Western, 2005.

WUDUNN, Sheryl. The Word From China's Kerouac: The Communists Are Uncool. *The New York Times.* New York, 10 jan. 1993.

XINHUA. Nouveaux Riches Challenge One-Child Policy. Beijing, 14 dez. 2005.

XINGJIAN, Gao. *Soul Montain.* London: Harper Perennial, 2004.

XUEQIN, Cao. *Dream of Red Mansion.* Beijing: Foreign Language Press, 2003.

ZHOU, Raymond. Studying the 'Wen effect'. *China Daily.* Beijing, 1º dez. 2008.

ICONOGRAFIA

Capítulo "Os chineses se movem"
p. 14, 15, 16, 17, 24, 29 (Cláudia Trevisan, 2007); p. 22, 25, 35 (Cláudia Trevisan, 2008); p. 31, 33 (Cláudia Trevisan, 2009)

Capítulo "O enriquecer é glorioso"
p. 40 (Cláudia Trevisan, 2007); p. 41, 43, 49 [superior e inferior], 50 (Cláudia Trevisan, 2008)

Capítulo "Superstição e tradição"
p. 56, 61, 79 (Cláudia Trevisan, 2009); p. 58 [inferior], 65 (Cláudia Trevisan, 2007); p. 58 [superior] (Símbolo taoísta, templo de Qingyanggong); p. 59 [superior] (Parede dos Nove Dragões, na Cidade Proibida); p. 59 [inferior] (Escultura de uma fênix chinesa, no parque de Nanning); p. 69, 72, 74, 75, 81, 83 [superior e inferiores] (Cláudia Trevisan, 2008)

Capítulo "A outra China"
p. 86 [superiores], 87 (Cláudia Trevisan, 2007): p. 86 [inferior] (Cultivo de arroz em 1808, *Peiwenzhai gengzhitu*); p. 91 [superior e inferior], 97, 99 (Cláudia Trevisan, 2004); p. 95 (Cláudia Trevisan, 2005)

Capítulo "A pressão populacional"
p. 102, 103 [superior e inferior], 115, 120 (Cláudia Trevisan, 2008); p. 109, 117 (Cláudia Trevisan, 2004); p. 111 [superior e inferior] (Cláudia Trevisan, 2007)

Capítulo "As mulheres da China"
p. 127 (Cláudia Trevisan, 2007); p. 129 [superior] (Sapatos para pés amarrados, 2007, autor desconhecido); p. 129 [inferior] (Pés amarrados, s/d); p. 130 (Mulheres com pés amarrados em Xangai, s/d, Peabody Essex Museum); p. 133 [esquerda] (Concubina Xin, c.1800, autor desconhecido); p. 133 [direita] (Concubina imperial Cixi, c.1800, autor desconhecido)

Capítulo "A cosmologia chinesa"
p. 138 (Cláudia Trevisan, 2005); p. 141 (Símbolo do *yin-yang*, autor desconhecido); p. 144 (Ba gua, autor desconhecido); p. 147 [interior e exterior] (Cláudia Trevisan, 2004); p. 149, 151 (Cláudia Trevisan, 2008)

Capítulo "A história circular"
p. 155, 163 (Cláudia Trevisan, 2009); p. 157, 181 (Cláudia Trevisan, 2004); p. 169, 171 (Cláudia Trevisan, 2005); p. 166 (Tao, autor desconhecido); p. 174 (Manuscrito da Dinastia Song, c.1044, autor desconhecido)

Capítulo " A China encontra o ocidente"
p. 187, 198 (Cláudia Trevisan, 2007); p. 189 (Autor desconhecido, c. 1930); p. 191 (Autor desconhecido, c. 1930); p. 201 (Retrato do Imperador Qianlong em traje real, autor desconhecido); p. 203 (Monumento Tai Ping do reino dos céus em Guangxi); p. 207 (Imperatriz Cixi, c. 1900, autor desconhecido)

Capítulo "Sob o signo da revolução"
p. 213 (Retrato de Sun Yat-Sen); p. 217 (Chiang Kai-shek e sua esposa, ao lado do general Stilwell, 1942); p. 219, 220, 227 (Cláudia Trevisan, 2009); p. 224 [superior] (Coronel David Barrett e Mao tsé-tung, Yan'an, 1944); p. 224 [inferior] (Conferência no quartel general em Yan'an, 27/08/1945); p. 225 (Primeiras equipes para a Missão Dixie, em Yan'an, 1944)

Capítulo "Sob o domínio de Mao"
p. 230, 233, 235, 251 [direita] Cláudia Trevisan, 2007); p. 231 (Soldados chineses capturados em Hoengsong, 02/03/1951); p. 237 (Cláudia Trevisan, 2009); p. 241 (Cláudia Trevisan, 2008); 247 [superior] (Mao Tsé-tung e Richard Nixon, 1972); p. 247 [inferior] Zhou Enlou e Richard Nixon, 1972); p. 251 [esquerda] (Cláudia Trevisan, 2005)

Capítulo "A revolução de Deng"
p. 255, 263 (Cláudia Trevisan, 2008); p. 258 (Cláudia Trevisan, 2004); p. 259 [superior] (The Bancroft Library (Laura Adams Armer); c.1910); p. 259 [inferior] (Oficiais da "Chinese Consolidated Benevolent Association", Roy D. Graves, c.1900); p. 267 (Cláudia Trevisan, 2007)

Capítulo "A arte milenar"
p. 273 (O sonho do quarto vermelho (Sun Wen) c. 1800); p. 276, 284, 289, 294, 295, 297, 303, 308 (Cláudia Trevisan, 2007); p. 277 (Li Bai (Su Liupeng, c. 700); p. 287, 301 (Cláudia Trevisan, 2009)

Capítulo "A nova potência"
p. 314, 316 (Cláudia Trevisan, 2008); p. 319 (Cláudia Trevisan, 2009)

A AUTORA

Jornalista desde 1987, Cláudia Trevisan já trabalhou em quase todos os grandes jornais diários brasileiros e acumulou uma longa experiência como correspondente internacional, em passagens por Nova York, Buenos Aires e Pequim. Atualmente, ela vive pela segunda vez na capital chinesa, onde aterrissou em fevereiro de 2008, enviada pelo jornal *O Estado de S. Paulo*. Sua primeira experiência no país asiático foi como correspondente da *Folha de S.Paulo*, em 2004 e 2005.

A capital argentina havia sido o endereço de Cláudia de 2000 a 2002, período em que atuou como correspondente do jornal *Valor Econômico*.

Formada em Direito pela Universidade de São Paulo e jornalismo pela Pontifícia Universidade Católica de São Paulo, Cláudia também trabalhou na *Gazeta Mercantil* e no *Diário Comércio e Indústria* (DCI), além de advogar por alguns meses, até decidir trocar a carreira jurídica pelas redações. Antes de *Os chineses*, Cláudia já havia publicado dois livros.

AGRADECIMENTOS

Meu primeiro agradecimento vai para Ricardo Gandour e Roberto Gazzi, que me deram a oportunidade de voltar à China ao me convidarem para ser correspondente de *O Estado de S. Paulo* em Pequim. A ambos sou profundamente grata pela confiança que depositaram em mim.

Leandro Karnal, a quem devo a generosa indicação de meu nome à Editora Contexto para escrever *Os chineses* e, a Jaime Pinsky, a destemida decisão de aceitá-la.

Sou extremamente grata a Wu Dan Dan, minha amiga e assistente chinesa que também responde pelo nome de Wendy e que, com seu humor, inteligência e imensa paciência, me ajuda a entender esse enigma que é a China.

João Paulo Carneiro, que me deu acesso a sua incrível biblioteca sobre a China e dedicou parte de seu precioso tempo a boas conversas sobre o antigo Império do Meio.

Rick Rottman, um grande entusiasta deste livro, deu sugestões preciosas e se empenhou em produtivas discussões sobre vários dos temas abordados.

A estudante de Medicina Tradicional Chinesa Camilla Orlandi, que leu o capítulo dedicado ao assunto e evitou que eu cometesse alguns erros embaraçosos. Se sobrou algum, é de minha total responsabilidade.

No terreno afetivo, agradeço a cumplicidade e o carinho de Wanderley Serbonchini, Gilberto Scofield Jr., Rodrigo de Mello Pires Barbosa e Henri Karam, que foram minha família chinesa em 2008. Para minha tristeza, os quatro deixaram Pequim quase ao mesmo tempo no fim daquele ano.

Felizmente, encontrei Janaína Silveira, um espírito livre que compartilha minha curiosidade em relação à China e me acolheu em sua ampla e heterogênea "família".

A meus amigos no Brasil, sou profundamente grata por continuarem a gostar de mim, apesar da distância, e a me receberem com o mesmo afeto sempre que volto.

Meus irmãos, Eduardo e Fernanda, e meus sobrinhos, Sofia e Henrique, me proporcionam alguns dos momentos mais gratificantes e plenos da minha existência.

Minhas tias Lenice, Regina e Rose estão entre as mulheres mais incríveis que já conheci e, desde a infância, me inspiraram com seus exemplos de sensibilidade, determinação e otimismo.

GRÁFICA PAYM
Tel. [11] 4392-3344
paym@graficapaym.com.br